# Przystań Julii

KATARZYNA
MICHALAK

# *Przystań Julii*

znak litera nova Kraków 2014

Projekt okładki
Magda Kuc

Fotografia na pierwszej stronie okładki


ISBN 978-83-240-2510-7 (oprawa broszurowa)
ISBN 978-83-240-2647-0 (oprawa twarda)

Książki z dobrej strony: www.znak.com.pl
Społeczny Instytut Wydawniczy Znak, 30-105 Kraków, ul. Kościuszki 37
Wydanie I, Kraków 2014
Dział sprzedaży: tel. 12 61 99 569, e-mail: czytelnicy@znak.com.pl
Druk: Drukarnia Abedik S.A., Poznań

*Prawdziwa miłość*
*trwa nie tylko w dni radości,*
*ale i w noc rozpaczy.*

# *Rozdział I*

*Krokus – jest symbolem wiosny, ale i hartu ducha. Oto delikatna roślina przebijająca się przez śnieg ku słońcu... czyż może być coś bardziej wzruszającego? Polana obsypana tysiącem krokusów, zupełnie jakby z nieba spadło tysiąc zadziwiającej barwy gwiazd, zachwyci każdego. Fioletowe, czasem białe kielichy kwiatów skrywają złote wnętrze, a długie dwubarwne liście tylko dodają tej niezwykłej roślinie uroku. Trudno sobie wyobrazić wiosnę w górach bez tych kwiatów.*

Julia przemierzała drogi i bezdroża Podkarpacia starą terenową hondą, mając w bagażniku i na tylnym siedzeniu dorobek całego życia: parę toreb z rzeczami, ukochane drobiazgi, które kiedyś znów ozdobią jej dom, kilka wyrobów rękodzielniczych na sprzedaż i nosidełko z Bezą, kotką, którą już raz ktoś opuścił i nikt inny nie chciał. Tak jak teraz nikt nie chciał Julii. To, co wiozła w samochodzie, było całym jej majątkiem. To i jeszcze sklepik internetowy, „Kącik Julii", w którym próbowała sprzedawać cudeńka, jakie wyszły spod jej rąk. Tak, on też, chociaż miałby się dużo lepiej, gdyby życie nagle się jej nie rozpadło, a ona nie straciła kilku miesięcy na wędrówkę po sądach i adwokatach. Może tu, na końcu świata, odbuduje i to życie, i stracony dom, i sklepik?

– Uda mi się, co, Bezuniu? – odezwała się na głos.

Kotka miauknęła w odpowiedzi, zawsze gotowa wesprzeć swą nową, ale już kochaną panią, dobrym, choć jedynie kocim słowem. Sporo czasu, pracy i miłości kosztowało Julię doprowadzenie zabiedzonego, skołtunionego zwierzaka o chudym, wygłodniałym pyszczku i pełnych strachu niebieskich oczach do przyzwoitego stanu. „Czapka z filcu", jak mówiła o kotce pół roku temu Sandra, była teraz chmurką białego puchu. A Sandra...

Kobieta poczuła ukłucie bólu na wspomnienie córki. Wgryzło się w serce, szarpnęło duszę, wycisnęło z oczu łzy.

– O nie, kochana. Nie możesz pozwolić sobie na płacz. Jeszcze nie teraz. – Julia otarła oczy wierzchem dłoni. – Dojedziesz do domu, gdziekolwiek się on znajduje, weźmiesz gorącą kąpiel, wypijesz wino, które wieziesz ze sobą przez pół Polski, i już w swoim łóżku, w swoim nowym łóżku, będziesz mogła płakać do woli. W takiej właśnie kolejności: kąpiel, wino, łóżko, łzy.

Kotka, myśląc, że pani znów mówi do niej, miauknęła twierdząco, a Julia podziękowała losowi, że chociaż Bezy jej nie odebrał. Chyba zwariowałaby przez tę wielogodzinną podróż w nieznane, gdyby została zupełnie sama.

Honda wjechała na wyboistą leśną drogę, pnącą się pod całkiem sporym kątem między skarpą a brzegiem strumienia. Choć reszta kraju już cieszyła się wiosną, tutaj w lasach nadal widać było łaty śniegu, ale krokusy wyglądały już na świat, wyciągając do słońca delikatne fioletowe płatki.

Julia zapragnęła zatrzymać się, odetchnąć pachnącym wiosną, choć jeszcze mroźnym powietrzem, nacieszyć oczy nieskażoną przez cywilizację i człowieka przyrodą. Po prostu pobyć sama ze sobą.

Zatrzymała samochód pośrodku drogi – nikogo przez ostatnie pół godziny nie mijała, zresztą nie odejdzie daleko – sięgnęła na tylne siedzenie po kurtkę, narzuciła ją na ramiona i po chwili stawiała pierwsze kroki na ziemiach Podkarpacia, których maleńki kawałek (nie taki znowu maleńki, całe dwa hektary!) należał ponoć do niej, Julii Staneckiej, swego czasu Stern.

Podeszła do strumienia i ślizgając się po kamieniach, przykucnęła zapatrzona na krystalicznie czystą wodę, mknącą przed siebie z pierwotną radością, i zasłuchała się w jej śpiew. Bór wznosił się po obu stronach drogi, majestatyczny i spowity mrokiem, choć do zachodu słońca pozostało jeszcze trochę czasu.

Na drogę kilkanaście metrów dalej wyszły dwie sarny. Przyjrzały się kobiecie bez strachu i spokojnie, wcale niezdziwione jej obecnością, weszły w las po drugiej stronie. Julia, która na chwilę wstrzymała oddech, by ich nie spłoszyć, teraz zaczerpnęła pełną piersią powietrza, pachnącego żywicą, nagle smutna i szczęśliwa zarazem. To pierwsze uczucie było jej znane od dawna. To drugie dawno zapomniane.

Ale teraz nie chciała się smucić.

Wstała, wyciągnęła ręce ku niebu, rozciągając obolały od długiej jazdy kręgosłup i przeskakując z kamienia na kamień, weszła w las po drugiej stronie strumienia. Dotknęła pytająco pnia wiekowej jodły. Kiedyś przytulała się do drzew, ale było to tak dawno, że zdawało się snem albo wydarzeniem z poprzedniego wcielenia. Mimo to, a może właśnie dlatego, zapragnęła teraz, zaraz, natychmiast poczuć w sobie siłę drzewa. Będzie jej potrzebna! Objęła ramionami potężny pień i przytuliła się z całych sił, przyciskając policzek do chropowatej kory. Zamknęła oczy, zwolniła oddech i pozwoliła swojej duszy na zjednoczenie się z duchem drzewa. Pragnęła poczuć napływ nadludzkiej siły, ale... poczuła tylko, jak bardzo jest zmęczona.

Łzy znów zapiekły pod powiekami, choć Julia była pewna, że wypłakała wszystkie.

Gdy wracała na drogę, przyspieszyła kroku, bo z przeciwnej strony nadjeżdżał samochód. Tak samo terenowy jak jej i tak samo stary.

– Przepraszam! Przepraszam! – zamachała rękami, biegnąc do hondy.

Już obawiała się wściekłego trąbienia klaksonu, którym powitano by zastawiające drogę auto na ulicach Warszawy, ale... nie. Tutaj nie pospieszano podróżnych, nie traktowano ich też jak śmiertelnych, znienawidzonych wrogów.

Julia usiadła za kierownicą wpatrzona przepraszająco w kierowcę tamtego samochodu, przekręciła kluczyk i... nic. Honda nawet nie udawała sprawnego, gotowego do dalszej drogi auta. Nawet nie zakasłała, nie zakrztusiła się paliwem, by odmówić posłuszeństwa, po prostu nie zareagowała na prośby i groźby Julii.

Kierowca drugiej terenówki wysiadł i zaczął się zbliżać. Kobieta rzuciła mu spłoszone spojrzenie. Nie miała ochoty na konfrontację w lesie z nieznajomym facetem, który sprawiał wprawdzie wrażenie całkiem nieszkodliwego, ale który psychopata sprawia inne?

– Dzień dobry, coś się stało? – zapytał niskim, miłym dla ucha głosem, gdy Julia odkręciła do połowy boczną szybkę.

Był niewiele starszy od Julii – miał może trzydzieści osiem, trzydzieści dziewięć lat – ale na pewno od niej wyższy i lepiej umięśniony. Jeżeli ten mężczyzna ma dobre zamiary, nie warto go do siebie zrażać nieuprzejmą odpowiedzią – zresztą nieuprzejmość była Julii obca – jeśli zaś złe, lepiej być podwójnie grzeczną i... nie opuszczać samochodu!

– Wyszłam na chwilę, rozprostować nogi, a teraz nie mogę odpalić.

Raz jeszcze przekręciła kluczyk, ale bez skutku.

– To może być świeca. Ma pani na zmianę? W autach tak wiekowych jak nasze zawsze się przydaje.

– Co się przydaje? Świeca? Po co? – wyszeptała Julia, robiąc wielkie oczy. Przecież nie zamierzała tu nocować! Nagle roześmiała się, a ten śmiech ujął jej lat i zmartwień. – Mówi pan o świecy samochodowej?

– A pani myślała, że o takiej z wosku? – zawtórował jej śmiechem.

Już widziała oczyma wyobraźni siebie nocą w samochodzie, gdy temperatura spada do minus pięciu stopni, jak czyta Bezie książkę w blasku świecy. Koniecznie *Króla Szczurów*, którego ukochany egzemplarz zabrała z domu. Byłego domu. Uśmiech znikł z jej ust jak zdmuchnięty płomień świecy. Jego resztki migotały jeszcze w zielonych oczach kobiety, ale i one przygasły.

Mężczyzna przyglądał się jej jeszcze chwilę.

– Pani tu do nas na urlop czy na stałe? – zapytał.

Julia ponownie spojrzała nań z nieufnością. W Warszawie takie pytania były wyrazem wścibstwa. Lecz tutaj, na wsi, w środku lasu... Może zwykłej ludzkiej życzliwości?

– Pytam, bo jeśli potrzebne będą części do tego auta, prościej będzie zawrócić, niż jechać przed siebie. Dalej nie ma już żadnego miasta, są tylko góry.

No jasne, że góry! Przecież nie jechała nad morze!

Nagle zmroziło ją co innego: powiedział „jeśli potrzebne będą jakieś części"?! To znaczy, że nie wyjmie, niczym królika z kapelusza, tej świecy, nie wkręci jej gdzie trzeba i ona, Julia, nie będzie mogła spokojnie ruszyć w dalszą podróż, płacąc za pomoc parę złotych? Bała się go mimo wszystko. Nie miała ochoty nawet głowy wychylić przez na wpół otwarte okno! Co będzie, jeśli tamten poprosi ją o pomoc przy naprawie hondy i będzie musiała wyjść z samochodu?

– Gdzie moje maniery! – wykrzyknął nagle nieznajomy. – Pani pozwoli: Grzegorz Bogdański jestem. Mieszkam w okolicy. Ja i moje hucuły.

– Julia Stanecka. – Podała mu przez okno rękę, którą mężczyzna uścisnął ceremonialnie, powstrzymując śmiech.

Ludzie z wielkich miast tak się właśnie zachowywali w leśnej głuszy: jakby każdy napotkany człowiek był gwałcicielem albo mordercą. Tymczasem choćby z czystego rachunku prawdopodobieństwa wynikało, że zwyrodnialca prędzej spotkasz w mieście niż na leśnej drodze.

– Hucuły? To znaczy, że hoduje pan konie? – odezwała się nieśmiało.

– Hucuł to coś więcej niż koń – odparł z powagą. – Mam całkiem spore stadko i jeśli interesuje się pani końmi...

– Niewiele wiem na ich temat. – Pokręciła głową. – Wychowałam się w małym miasteczku, potem mieszkałam w Warszawie i o wsi nie mam pojęcia – dodała przepraszającym tonem.

Nie chciała, by pierwszy spotkany sąsiad wziął ją za zmanierowaną warszawiankę, ale... tak się właśnie zachowywała.

Beza miauknęła nagle. Przeciągle, prosząco, z wyrzutem.

– Mój kot! Zapomniałam o kocie! Bezuniu, zaraz dojedziemy. Jeszcze trochę...

Nagle zdecydowanym ruchem pociągnęła za klamkę i wysiadła z auta.

– Czy ma pan może te świece? Zdaje się, że cierpliwość mojej kotki jest na wyczerpaniu.

Ja też jestem na wyczerpaniu – dodała w duchu.

– Tak się składa, że moja honda jest niewiele starsza od pani samochodu i powinny pasować.

Co za ulga! O ile wymiana świec rozwiąże problem.

– No więc? – zapytał nieznajomy, nie, już całkiem znajomy Grzegorz Bogdański, podnosząc maskę auta Julii. – Na urlop czy na stałe?

– Na stałe – odparła kobieta z ledwo wyczuwalną niechęcią.

Do tej pory była mieszczuchem – choć Milanówek, gdzie znajdował się ostatnio jej dom, przypominał raczej senne miasteczko – i nikt by jej nie namówił do zamieszkania wśród lasów i łąk, a na pewno nie na końcu świata, jakim coraz bardziej wydawały się Julii Bieszczady. Lubiła miejskie życie, duże gwarne centra handlowe i wypady z przyjaciółmi do kafejki na Starówce. Tylko że ci przyjaciele okazali się przyjaciółmi jej męża. Eksmęża. A przyjaciółki z uliczki Leśnych Dzwonków, którymi cieszyła się tak krótko, były daleko... bardzo daleko... Poczuła, jak żal znów wyciska łzy z jej oczu.

Mężczyzna w tym momencie podniósł na nią z niedowierzaniem wzrok.

– Na stałe? A to ci nowina! Ale nie zamierza pani płakać z tego powodu, prawda? Mam świece i parę innych niezbędnych w drodze drobiazgów, ale nie jestem pewien, czy dysponuję chusteczkami.

– U mnie ci ich za to dostatek – prychnęła Julia zła na samą siebie, że się maże przy obcym facecie, zamiast dbać o wizerunek silnej i stanowczej kobiety z wielkiego miasta, co na wieś wyprowadza się dla kaprysu. – I nie płaczę z tego powodu, tylko... Ja w ogóle nie płaczę! Oczy mi się spociły, gdy patrzę na pana wysiłki!

Zaśmiał się krótko i zatrzasnął maskę.

– *Voilà*.

– Już? Gotowe?

– Wymiana świec nie wymaga magisterki.

Tego Julia się tutaj nauczy: proste czynności nie wymagają studiów wyższych, ale części zamiennych, owszem.

– Wycofam teraz moje auto w miejsce, gdzie będę mógł zawrócić. Dalszą drogę pani zna?

– Znam. Chyba.

Przyglądał się Julii przez chwilę, po czym pokręcił nieprzekonany głową.

– Nie zostawię samotnej kobiety w środku lasu – rzekł zdecydowanym tonem, mimo że jeszcze niedawno śmieszyły go jej obawy.

– Ależ proszę się mną nie przejmować... – zaczęła, lecz przerwał jej:

– Tutaj nie zostawia się nikogo w na pastwę losu. Możemy liczyć tylko na sąsiadów. Tu nie dojedzie drogówka. Taksówki też pani nie wezwie. GPS nie działa. Telefon ledwo łapie zasięg, na drodze. Dalej już nie. Pozostawienie pani na noc w lesie byłoby grzechem i lekkomyślnością, a ja chcę spojrzeć dziś wieczorem w lustro z czystym sumieniem. Rozumie pani?

Kiwnęła głową trochę zadowolona, że Grzegorz nie pozostawi jej samej sobie, ale też zakłopotana jego uprzejmością. Chyba powinna, gdy mężczyzna odprowadzi ją pod same drzwi, zaproponować mu sto złotych? A co jeśli ta kwota wyda się mu śmiesznie niska? Ile może kosztować taka świeca? A jej wymiana?

Nie zdążyła zadać mu na szczęście tych pytań, bo on już wsiadał do swojej hondy, już cofał, by chwilę potem zawracać, wjeżdżając tylnymi kołami do strumienia.

Skinął na Julię dłonią i powoli ruszył w kierunku, skąd przyjechał.

Wyjechali z lasu na łąki, gdy Julia, podążająca posłusznie śladem terenówki Grzegorza, zamrugała światłami. Pierwszy samochód zatrzymał się, oboje wysiedli jednocześnie, a kobieta zaczęła wyraźnie zakłopotana:

– Przepraszam, że zatrzymuję, ale nie zapytał pan, dokąd jadę.

– Wydawało mi się jasne, że do mnie.

– Do pana?!

– Tak. Prowadzę pensjonat, jest pełen gości, właśnie jechałem po zamówione na wieczór ciasta, więc...

– Ale ja nie chcę! – przerwała mu wzburzona.

Miała nadzieję, że na nowej drodze życia nikt nie będzie za nią decydował, jakby nie mogła mieć własnego zdania i własnych potrzeb. Jakby była stojakiem na parasole, którego nikt nie pyta, czy chce stać w kącie przedpokoju czy może na tarasie wychodzącym na ogród.

Ledwie jednak postawiła stopę, właściwie koło, na ziemi Podkarpacia, już znalazł się ktoś, kto wie lepiej, dokąd Julia zdąża.

– Przepraszam – odezwał się Grzegorz. Teraz on był zakłopotany. – Naprawdę przepraszam. Wszyscy, przyjezdni i mieszkańcy, zatrzymują się choć na parę chwil u mnie i założyłem... *Mea culpa*.

Julia poczuła się jeszcze gorzej. Nie chciała sprawiać mu przykrości! Uratował ją, zawrócił, mimo że ma dom pełen gości, czekających na ciasta, a ona okazuje się niewdzięcznicą, ale... jeszcze wczoraj przeprosiłaby mężczyznę powtórnie – i tak staliby pośrodku drogi, przepraszając się nawzajem, aż znów ktoś by nie nadjechał i do nich nie dołączył – ale dziś była innym człowiekiem. To znaczy chciała być. Zaczęła pracę nad tym, by być. Odezwała się więc cichym, ale pewnym głosem:

– Chcę jeszcze dziś dotrzeć do domu. Mojego domu.

– Rozumiem. Oczywiście. Wskażę drogę na miejsce, ale nie powiedziała mi pani, dokąd właściwie zmierza.

– Bogumiła, numer piętnaście. Mieszkała tam kiedyś Dorota Stanecka.

– Chatka Dorotki? Kupiła pani Chatkę Dorotki? – rozpromienił się, co było widać nawet w zapadającym mroku.

Chatka Dorotki? Tak mówili na dom cioci? Tego Julia nie wiedziała. Nie wiedziała także wielu innych rzeczy, które okażą się dla niej sporą niespodzianką, nie zawsze miłą. Choćby tego, że zimy tu, na Podkarpaciu... A strumień po każdej ulewie... Julia dowie się tego w swoim czasie. Na razie cieszyła się na myśl o – teraz już własnym – domu w Bogumile.

– Bogumiłej – poprawił ją Grzegorz. – Tak tutaj mówimy. Nie wiem, czy powinna pani w tym domu dzisiaj nocować. – Bez przekonania pokręcił głową. – Powinno się go najpierw dobrze wysprzątać, napalić w piecu...

– To już zrobione – wpadła mu w słowo Julia. – Poprosiłam przyjaciółkę cioci panią Zenię Sowę, by posprzątała i napaliła.

Grzegorz przegarnął palcami włosy, co okaże się u niego oznaką zakłopotania, i odrzekł:

– Zenia rzeczywiście była tu wczoraj z samego rana, ale wezwano ją do córki. Wyjechała w pośpiechu przed południem, nie przekazując nikomu innemu, że ma przygotować Chatkę Dorotki dla nowej właścicielki. Przykro mi, że panią rozczarowuję – dokończył, widząc narastającą rozpacz w oczach kobiety.

No i gdzie ona się podzieje? Zapada noc. Marzy o filiżance herbaty z miodem i ciepłej kąpieli, a potem długim, mocnym śnie we własnym, najwłaśniejszym – bo już nikt nigdy jej stąd nie wyrzuci! – łóżku i te marzenia – przecież skromne! – pozostaną marzeniami? No jakże to tak?!

Pani Zenia mogła ją chociaż uprzedzić, że... Nie, nie mogła. Bo to Julia do niej dzwoniła, zakładając, że numer komórki się wyświetli, a dzwoniła przecież na telefon stacjonarny... Oj, głupia kobieto, i ty marzysz o samodzielnym życiu?

– Pani Julio, mam pomysł – odezwał się Grzegorz, by jakoś pocieszyć coraz bardziej załamaną kobietę. – Podwiozę panią pod Chatkę Dorotki, choć teraz powinniśmy mówić „Domek Julii"...

– Nie, nie! Niech będzie „Dorotki", to śliczna nazwa.

– Zostawię więc panią na górce, przywiozę gościom ciasta i wrócę za, powiedzmy, godzinę. Jeśli nadal będzie pani chciała nocować w tym miejscu, nie ma sprawy, jeśli zaś przerazi panią stan starej chaty, przenocuje pani u mnie, a nad ranem skrzykniemy pospolite ruszenie i wysprzątamy pani chatkę od piwnic po dach. Zgoda?

Wyciągnął do niej dłoń. Podała swoją i uścisnęła z taką samą powagą, jaka widniała na twarzy mężczyzny.

Godzina. Tyle zdoła wytrzymać w zimnym, pustym, ciemnym domu. A jeśli nie, to spędzi jeszcze jedną noc pod obcym dachem, byle jutro mogła spać we własnym łóżku. Tak. Tyle wytrzyma.

Wrócili do samochodów.

Po paru minutach Julia była dozgonnie wdzięczna Grzegorzowi, że zdecydował się ją poprowadzić. Droga, która miała być „prosta jako drut", wiła się i rozwidlała. Skręcali to w lewo, to w prawo i po którejś krzyżówce Julia nie miała pojęcia, gdzie się znajduje. Ale zdążyła już na tyle zaufać swemu przewodnikowi, by ślepo podążać za światłami hondy.

Wreszcie rozjarzyły się na chwilę i przygasły. Samochód Grzegorza stanął. Julia zatrzymała swój. Wzięła głęboki oddech i wysiadła.

Znajdowała się na rozległej polanie, otoczonej świerkami, osrebrzonymi światłem księżyca. Gdzieś niedaleko szemrał strumień. Ale tylko on mącił ciszę tego niezwykłego miejsca. Taką ciszę, że zdawała się zamykać to miejsce i jego mieszkańców w ochronnym kokonie, utkanym ze srebrnych promieni.

Powietrze było tak świeże i pachnące, że Julii zakręciło się w głowie.

– Zapalę światło na ganku – usłyszała głos Grzegorza. – Od razu zrobi się bardziej swojsko.

Chciała go zatrzymać. Powiedzieć, że tak jest dobrze, ale przecież nie będzie stała w ciemnościach aż do rana, podziwiając podkarpacką, mroźną jeszcze noc. A na pewno nie pozwoli jej na to coraz bardziej zniecierpliwiona wielogodzinną jazdą Beza.

Kotka też marzyła o końcu podróży, rozprostowaniu łap, sutej kolacji i śnie w miękkim łóżku przy ukochanej pani. Może zrobi mały wypadzik na zwiedzanie domu, taki zupełnie malutki, ale teraz...

Julia z determinacją ujęła rączkę nosidełka i ruszyła w stronę ganku. Właśnie rozbłysła na nim latarenka przy drzwiach, która bardzo się jej spodobała. Widać było, że to solidna kowalska robota, a nie żadne plastikowe badziewie z hipermarketu. Julia popukała w witrażowe szybki, uśmiechnęła z uznaniem i nacisnęła klamkę.

Stała pośrodku niewielkiego korytarza, nie wiedząc, w którą stronę się skierować. Postawiła więc nosidełko na podłodze, otworzyła drzwiczki, wypuszczając kota, a sama ruszyła tam, dokąd podążył Grzegorz. To znaczy do piwnicy.

Ten kochany człowiek rozpalał piec centralnego ogrzewania, by Julia pierwszą noc w nowym domu wspominała naprawdę ciepło. Kobieta poczuła wzruszenie łapiące ją za gardło. Jak się Grzegorzowi odwdzięczy za tyle serca?

A może... Nagła myśl sprawiła, że Julia – już gotowa dziękować swemu dobroczyńcy – aż się cofnęła. Może on myśli o rewanżu... w naturze? Taki uprzejmy, niby bezinteresowny, a zaraz zacznie ją obłapiać i całować?

– Musi pani podrzucić węgla koło północy i o szóstej rano, żeby piec nie wygasł, i tak co sześć, może osiem godzin.

Mężczyzna podniósł się z klęczek, wręczył Julii szufelkę do węgla i już chciał wyjść, ale wyraz twarzy kobiety sprawił, że zatrzymał się w progu i zwrócił ku niej, z trudem utrzymując powagę.

– Nie paliła pani nigdy w piecu?

Pokręciła głową, patrząc to na niego, to na łopatkę.

– Zostało trochę węgla jeszcze z czasów Dorotki. Zenia musi przepalać co jakiś czas, żeby dom nie zapleśniał, więc nie zmarznie pani przez kilka dni. Potem przywieziemy tonę czy dwie, ale na razie otwiera pani te drzwiczki i tą szufelką w ten otwór rzuca pani tyle węgla, ile się zmieści.

– Do pełna? – musiała się upewnić.

Z powagą, której nie było w jego oczach, przytaknął.

– Tak jak obiecałem, zajrzę tu za godzinę. Jeśli nadal będzie pani chciała zostać, to... – Zawiesił głos, czekając na jej słowa i wskazując wzrokiem coraz bardziej jaśniejący piec, a ona, niczym posłuszna uczennica, wyrecytowała:

– Koło północy i o szóstej rano, tą szufelką, do pełna.

Zaśmiał się i wyszedł.

Nim ruszyła w jego ślady, rzuciła nieufne spojrzenie piecowi. A nuż zrobi jej taki numer jak honda i nagle zgaśnie?

Jednak nie.

Zasyczało coś w rurach, zabulgotało całkiem przyjaźnie i z minuty na minutę w pomieszczeniu zaczęło się robić coraz cieplej. Kotka podeszła do Julii, otarła się o jej kolano i miauknęła na wpół prosząco, na wpół pytająco.

– Tak, tak, Bezuniu, to jest teraz nasz dom. Będzie nam tu dobrze. Musi być. Zaraz dam ci puszeczkę whiskasa, sama zaparzę sobie wymarzonej herbaty, a potem... Z kąpieli raczej nici, bo pewnie nikt nie włączył bojlera, ale pościel może czystą znajdę. I sypialnię z wygodnym łóżkiem.

Ruszyły schodami w górę.

Wyszły z piwnicy i skierowały się na prawo, gdzie za potężnymi dębowymi drzwiami znajdowała się kuchnia. Julia włączyła światło i aż jej dech zaparło na widok wspaniałego wielkiego kredensu, rzeźbionego dłutem dawnego artysty. Kredens był stary, ale pięknie stary. Takich mebli dziś już nie produkują w fabrykach „antyków". Julia z miłością, jaką obdarzała wszystkie piękne przedmioty, przeciągnęła po gładkim blacie dłonią. Był trochę zakurzony, ale przecież dom stał przez długi czas pusty.

Otrzepała ręce i wyszła na środek dużego, lecz przytulnego pomieszczenia. Tu królował dębowy stół, dookoła którego można było zasiąść podczas rodzinnej kolacji. Krzesła – każde z innej parafii – były może i stare, miały przetartą tapicerkę, ale za to bardzo wygodne. Posiedziała chwilę na jednym, moszcząc się niczym Beza co wieczór na jej poduszce, po czym wstała i podeszła do okna, pod którym znajdował się ciąg szafek kuchennych z żeliwnym zlewem i mosiężną armaturą. Julia odkręciła kurek i aż krzyknęła ze radości. Z kranu płynęła gorąca woda! Kochana pani Zenia, zdążyła przynajmniej włączyć termę!

Jeszcze tylko nastawić wodę w mosiężnym czajniku, znaleźć przytulną sypialnię, taką w sam raz, a potem... kąpiel i spać!

Swoje wymarzone gniazdko Julia uwije w niedużym, ale pełnym uroku pokoju z tarasem, wychodzącym na południe. Tu, słuchając śpiewu ptaków i szmeru strumienia, będzie jadać śniadania i kolacje. Julię zachwyci też przylegająca do sypialni skromna, ale własna łazienka z żeliwną wanną na wygiętych nogach. Łóżko okaże się wręcz nieprzyzwoicie miękkie; pościel, przyniesiona najwyraźniej przez panią Zenobię, pachnąca praniem, sztywna od krochmalu i pięknie wyprasowana; poduszki puchate, a pierzyna – prawdziwa pierzyna! – rozkosznie ciepła.

Ta pierwsza noc na długo pozostanie Julii w pamięci, zaś przyśni się jej...

Grzegorz, który tak jak obiecał, wrócił po kilku kwadransach, zastał Julię opatuloną w stary kożuch. Czekała nań na ganku z kubkiem gorącej herbaty w dłoniach i nie musiał pytać, bo widział odpowiedź w rozjaśnionych wewnętrznym blaskiem oczach kobiety: „Zostaję tu!".

– Cóż, nawet nie śmiem pani namawiać na przenocowanie pod moim dachem.

– I słusznie – zaśmiała się cicho. – Tu jest mój dom, a w nim wszystko, czego potrzebuję do szczęścia.

– Pogadamy, gdy spadnie śnieg i odetną prąd – odpowiedział z uśmiechem. – W trzy minuty znajdzie się pani w mych gościnnych progach, prosząc o nocleg i miskę ciepłej strawy.

– Podaje pan posiłki w miskach? – uniosła brwi, drocząc się z mężczyzną.

Roześmiał się na głos i spojrzał na Julię z prawdziwą sympatią.

– Cieszę się, że pani dołączyła do mieszkańców Bogumiłej.

– Może po prostu „Julia", bez tej „pani"?

Uścisnęli sobie ręce, a on dodał jeszcze:

– Mam nadzieję, że zostaniesz z nami na zawsze.

A ja mam nadzieję pomieszkać trochę, otrząsnąć się, wyremontować dom, sprzedać za przyzwoitą cenę i wrócić do Warszawy – odparła w myślach, bo nie chciała sprawiać mu przykrości.

Grzegorz pożegnał się i po chwili światła jego hondy niknęły w mroku.

Julia została sama na progu domu, który ją przygarnął, wsłuchana w ciszę nocy, zapatrzona na gwiazdy tak bliskie i jasne, jakby tutaj niebo było tuż nad głową – wyciągniesz rękę i zaczerpniesz garść aksamitnej czerni i lśniących diamentów.

Strumień podśpiewywał i szeptał sam do siebie, zahukała sowa, zakwilił ptak i zaraz umilkł. Było cicho i pięknie. I bardzo samotnie. Gdyby Sandra przyjechała z Julią choć na kilka pierwszych dni...

Wspomnienie córki i jej zdrady zapiekło do żywego. Oczywiście Sandra miała prawo wybrać, z kim chce mieszkać po rozwodzie rodziców – szesnastolatce trudno narzucić swoją wolę w tym względzie – Julia jednak w najkoszmarniejszych snach nie przypuszczała, że córka opowie się za ojcem! Tym samym, który doprowadził do rozwodu swoimi sekscesami, i tym samym, który powiedział do Julii, jeszcze wtedy żony, w obecności Sandry:

– Wybacz, ale nie ma dla ciebie miejsca w moim życiu...

Usłyszała to po raz drugi w sądzie.

I od Tymka, i od córki.

I nie wiedziała, która zdrada boli bardziej...

Teraz, siedząc na progu domu w Bogumiłej, ocierała palące łzy, których nie zdążyła wypłakać tam, w Warszawie. Wszystko stało się tak szybko! Zgodziła się na rozwód bez orzekania o winie – „Dla dobra dziecka, chyba nie chcesz, by Sandra przeżywała to jeszcze bardziej?".

Powinna wykrzyczeć: „Nie martwiłeś się o nią i jej przeżycia, kotłując się z nastoletnią nimfetką na oczach połowy Polski!", bo o romansie prezesa największej stacji telewizyjnej szeroko rozpisywały się wszystkie tabloidy i plotkarskie pudelki, ale milczała.

„Nie kochamy się już i dla wspólnego dobra postanowiliśmy się rozstać" – taka była wersja oficjalna, a ona poddała się, spakowała skromny dobytek w kilka pudeł i uciekła, nie walcząc ani o dziecko, bo dziecko jej nie chciało, ani o majątek. Straciła dom w Warszawie, straciła dom w Milanówku. Nie miała nic. Była więc całkowicie wolna i... spodobało jej się to uczucie.

Teraz odetchnęła głęboko czystym, wonnym powietrzem i, patrząc w gwiazdy, wyszeptała:

– Może Chatka Dorotki i mój przyjazd tutaj okażą się wielką niespodzianką?

Wiedziała jedno: skoro zaczęła nowy rozdział swojego życia, postara się, by tym razem ta historia skończyła się dobrze...

# *Rozdział II*

*Frezja – bukiecik frezji może być li tylko wyrazem szacunku, a może... zaproszeniem do flirtu. Uważajmy więc, kogo nim obdarowujemy. Różnokolorowe, pięknie pachnące frezje są po prostu miłym upominkiem, symbolem uznania i miłości. Obdarowujmy nimi naszych bliskich jak najczęściej.*

Uliczka Leśnych Dzwonków skąpana była w ciepłych promieniach wiosennego słońca. Kamila stała w oknie sypialni, opatulona w koc, i patrzyła na ogród, w którym już niedługo zazielenią się róże. O ile przetrwały mroźną zimę...

Jesienią powinna je była okryć jodłowymi gałęziami albo słomą, ale... zapomniała o ukochanych kwiatach, pogrążona w rozpaczy. Śmierć Jakuba, jej ojca, była ciosem tak strasznym i niespodziewanym, jak szesnaście lat temu śmierć matki.

Przez pierwsze miesiące trwała w odrętwieniu, by nie rozsypać się zupełnie. Budziła się, wstawała, jadła to, co ciocia Łucja albo Łukasz postawili przed nią na stole, a potem... Potem szła do Gosi i siedziały razem, w milczeniu, od rana do wieczora. Czasem rozpłakała się Kamila i wtedy Gosia ściskała ją za rękę z całych sił, czasem to

Gosia zaczynała szlochać i wtedy Kamila tuliła ją i pocieszała, jak tylko mogła, choć jej samej pękało z bólu serce.

A gdy wieczorem wracała do siebie, do Sasanki, swojej ślicznej, przytulnej, pełnej światła i ciepła Sasanki, zawsze, za każdym razem nim przeszła przez furtkę, odwracała się i po raz ostatni patrzyła na Małgosię, stojącą w drzwiach swojego domu. Wielkiego, pustego domu. I modliła się, by przyjaciółka dotrwała do następnego dnia. Bo z Gosią Bielską nie było dobrze...

Zniosła śmierć rodziców, przeżyła zamach w londyńskim metrze, stratę dziecka i okaleczenie. Poradziła sobie z odejściem męża, samotnością, kalectwem i narastającym szaleństwem. Tak, nawet to przezwyciężyła, bo dostała do Losu nadzieję. Ta nadzieja miała na imię Jakub. Gosia nagle została pokochana i otoczona opieką. Pusty do tej pory dom wypełnił się miłością, jakiej nie zaznała nigdy w życiu.

Jak długo cieszyła się tym szczęściem? Parę miesięcy?

Prysło, niczym sen o świtaniu, pozostawiając ją w jeszcze większej rozpaczy – bo już wiedziała, jak można być szczęśliwą – i jeszcze bardziej samotną, bo poznała, jak cudnie jest budzić się w ramionach mężczyzny, kochającego cię bezwarunkowo, taką, jaka jesteś: kalekę, która boi się wyjść za bramę domu. Na wpół obłąkaną, wychudzoną wariatkę, która podczas burzy zwija się pod kołdrą w łazience sąsiadki.

Kto byłby zdolny do pokochania jej, Gosi Bielskiej? Tylko człowiek o wielkim sercu, tylko ktoś taki jak Jakub.

I pokochał. Całym sercem, które w pół uderzenia zatrzymała okrutna śmierć.

Gdyby nie nowe życie, którym obdarował Małgosię zamiast siebie, gdyby nie dziecko Jakuba, ona po prostu skończyłaby ze sobą.

Kamila, która co wieczór zostawiała przyjaciółkę na progu pustego domu, tylko dlatego miała nadzieję, że zastanie ją nazajutrz rano wśród żywych: Gosia musiała trwać dla maleńkiej istoty, która była cząstką Jakuba.

Zimowe miesiące, pełne mroku i rozpaczy, w końcu minęły.

Kamila stała teraz w oknie, w piękny wiosenny poranek, patrząc na ogród. Otworzyła okno, przymknęła powieki i pozwoliła, by słoneczny promień pieścił jej twarz. Odetchnęła głęboko tym jedynym i niepowtarzalnym zapachem budzącej się do życia przyrody.

Kulka byłaby szczęśliwa, ganiając po ogrodzie i wtykając nos w kretowiska – pomyślała, znów smutniejąc.

Wspomnienie suczki, która dzielnie Kamili towarzyszyła od pierwszego dnia, zabolało... Kulki już nie było. Gdyby zaginęła, można byłoby mieć nadzieję, że kiedyś się odnajdzie, ale mały piesek został zabity. W któryś listopadowy dzień ktoś musiał wejść do ogrodu – Kamila była pewna, że to Mateusz Wielicki, ale nie miała na to żadnych dowodów – a gdy Kulka podbiegła do niego, kopnął ją. Kopnął z całej siły, tak że zaskomlała tylko cicho, wpełzła na schody i... tam Kamila znalazła ją martwą.

Biedna mała Kulka...

Jakim trzeba być psychopatą, by mścić się na psie, jeśli nie można na Kamili czy Gosi. Tak, była pewna, że to Wielicki. Zleciła zamontowanie kamer dookoła domu, ale Kulce życia to nie wróciło. Jakby rozpaczy w tamte dni było mało...

Dosyć. Zima minęła. Nadeszła wiosna, a z nią nadzieja na odrobinę słońca i radości.

Gdy poczuła obejmujące ją ramiona Łukasza, silne i niezawodne, na jej ustach rozkwitł uśmiech. Przez chwilę było tak, jakby od tamtego czasu nie wydarzyło się w ich życiu tyle zła i nieszczęścia i nie padło tyle gorzkich słów, które omal nie zabiły ich miłości.

Odwróciła się, objęła go z całych sił i chowając twarz na piersi mężczyzny, wyszeptała:

– Dziękuję, że jesteś. Że znów jesteś ze mną.

Ktoś inny rzuciłby może parę zdawkowych słów: „Ja też dziękuję, że jesteś", nawet on sam kiedyś zbyłby ją takim właśnie zapewnieniem, ale... Łukasz rozumiał już, że czyny są ważniejsze od najpiękniejszych i najszczerszych miłosnych zaklęć i że Kamila w tej chwili potrzebuje właśnie dowodu, jak bardzo jest kochana, bo kilka miesięcy temu, gdy najbardziej jego, Łukasza, potrzebowała, on zawiódł.

Teraz więc wziął ją na ręce i zaniósł prosto do łóżka.

Kochali się z oddaniem i czułością, jak za każdym razem, od czasu gdy Łukasz wrócił. Gdy wybaczył sobie śmierć Jakuba i po wielu tygodniach wściekłego żalu, zabijanego pracą ponad siły, wrócił do Sasanki, do Kamili...

Czy Jakub przeczuwał, że jego czas się kończy? Tego nigdy już się nie dowiedzą, jedno jest pewne: kilka dni przed wypadkiem sporządził testament, w którym swój majątek podzielił między Kamilę a nienarodzone dziecko Małgorzaty Bielskiej.

Gosia, gdy to usłyszała... Gdy suche słowa, odczytane równie suchym głosem przez notariusza, do niej dotarły... zasłabła. Ona nie chciała majątku Jakuba! Ona pragnęła, by żył!

Kamila podtrzymała przyjaciółkę, objęła ją mocno i... trwała, pragnąc tylko, by ten koszmar się skończył. Żeby notariusz sobie poszedł, a one dwie mogły płakać, obejmując się rozpaczliwie dotąd, aż padną z wyczerpania u Kamili czy u Gosi, wszystko jedno, a litościwy sen ześle na nie choć parę godzin zapomnienia.

Łukasz wysłuchał ostatniej woli Jakuba do końca – a wolą tą było, by przejął w zarząd obie firmy – i wyszedł, zaciskając zęby z całych sił, by się nie rozpłakać. On też oddałby wszystko, by przyjaciela ujrzeć w gabinecie prezesa, a nie w trumnie, na Boga!

Ale Bóg nikogo o zdanie nie pyta.

Łukasz, zgodnie z wolą Jakuba, został prezesem Farmiki i... uciekł. Uciekł od Kamili, uciekł z Milanówka, uciekł wreszcie od siebie samego, mając oczywiście świetne usprawiedliwienie: pracę. Pracę bez wytchnienia. Pracę ponad siły. I zabijał się nią przez ładnych kilka miesięcy: podróże między Wrocławiem, Warszawą, Kanadą, Londynem i Nowym Jorkiem, przejmowanie ogromnego przedsiębiorstwa, podejmowanie pierwszych samodzielnych decyzji – do tej pory był prawą ręką Jakuba, ale nie nim samym – i podpisywanie pierwszych dokumentów: tak wyglądało teraz jego życie.

Piętrzyły się przed nim trudności, zdawałoby się, nie do pokonania. Zwykle ustępujący prezes przekazuje następcy wszystko, co ten powinien wiedzieć. W tym przypadku Łukasz dostał do ręki pełnomocnictwo, odpowiedzialność za firmę i majątek dwojga dzieci zmarłego przyjaciela i... dotkliwy brak tego przyjaciela, którego on, Łukasz, nie mógł zapytać już o nic. Mógł Jakuba tylko przeklinać, że zostawił go z tym całym bajzlem, i... robił to. Często.

Co dzień zrywał się o świcie, próbując sobie przypomnieć, czy jest w Polsce czy może w Stanach, przebierał się w czystą koszulę, narzucał marynarkę, jadł coś w biegu, przytomniejąc po paru łykach kawy, po czym jechał do firmy. Tam próbował przejąć kolejny dział – spedycję, produkcję, badania nad nowymi lekami, czy choćby głupią księgowość – po czym wracał późną nocą do hotelu i natychmiast zapadał w sen bez snów.

Nie śnić, nie czuć, nie myśleć – to było credo Łukasza w pierwszych tygodniach po śmierci przyjaciela.

Próba utrzymania firmy, której Jakub poświęcił tyle serca, utrzymania jej dla Kamili i dziecka Małgosi, czasami zdawała się Łukaszowi ponad siły, ale... dzięki temu nie śnił, nie czuł i nie myślał.

Aż do dnia, gdy omal nie stracił Kamili.

I to go otrzeźwiło. Ktoś jeszcze cierpiał oprócz niego. I przy tym kimś Łukasz nie tylko powinien, ale chciał być.

Gdy tylko otrzymał alarmującą wiadomość, wsiadł w samolot na wrocławskim lotnisku i dwie godziny później wbiegał do szpitala, gdzie przy łóżku Kamili siedziała kochana, niezawodna Łucja.

Widząc szczupłą, niemal przezroczystą twarzyczkę dziewczyny, jej niegdyś pełne życia złote oczy, teraz zapadnięte i szkliste, Łukasz poczuł tak straszny gniew na siebie samego, że musiał wyjść. Najpierw na korytarz, potem do otaczającego szpital parku. Tam rąbnął pięścią w pień sosny raz, drugi, trzeci, aż ból wycisnął mu łzy z oczu, a z knykci pociekła krew. Usiadł na ławce, wpił palce we włosy i tkwił tak, zgięty wpół, uspokajając oddech i myśli rozsadzające czaszkę.

– Jakub nie zginął z twojej winy – wycedził wreszcie zgłoska po zgłosce. – Rozumiesz, kretynie? Ale jeśli Kamili, jego córce, coś się przez ciebie stanie, bo zamiast być przy niej, spieprzasz... – Nie musiał kończyć. Śmierci Kamili po prostu by nie przeżył.

Wrócił do szpitala. Łucja wyszła, zostawiając ich samych.

Kamila leżała bez ruchu z rękami wzdłuż ciała. Zamknięte powieki drgały leciutko, a w kącikach oczu lśniły dwie łzy, jakby śniła zły sen. Gdy Łukasz ujął jej dłoń, otworzyła powoli oczy i spojrzała na niego z niedowierzaniem, które w następnej chwili zmieniło się w żal.

– Nie zostawię cię już – wyrzucił przez zaciśnięte gardło. – Jeżeli mnie jeszcze chcesz, zamieszkam z powrotem w Sasance. Jeżeli mnie chcesz, Kamila... – Uniósł dłoń dziewczyny do ust i trzymał tak, zaciskając powieki, by się nie rozpłakać. W następnej chwili poczuł dotyk jej ręki na policzku, usłyszał:

– Dziękuję, że jesteś.

I wreszcie popłynęły łzy, które powstrzymywał od śmierci Jakuba.

Łkał długie chwile, przygarbiony, złamany strasznym bólem, a Kamila tuliła jego głowę do piersi z całych sił, szepcząc słowa pocieszenia i też płacząc. Nad sobą, nad nim, nad ich wspólną stratą. Ale były to też łzy ulgi i nadziei. Jeżeli Łukasz będzie przy niej, ona zniesie każdy cios od losu. Każdy...

Gdy następnego dnia wrócili do Milanówka, do starej willi, w której czas jakby zastygł w oczekiwaniu na powrót Łukasza, on wyjął z kieszeni małe granatowe pudełeczko, otworzył je i wsuwając śliczny, delikatny pierścionek na serdeczny palec Kamili, zapytał cicho:

– Jesteś miłością mojego życia, czy zostaniesz moją żoną?

Dziewczyna, której głos uwiązł w gardle, zdobyła się jedynie na kiwnięcie głową, a potem rozpłakała, tym razem ze szczęścia. Łukasz wziął ją na ręce, tuląc do siebie niczym najcenniejszy skarb, i zaniósł na górę, do sypialni. Po raz pierwszy od śmierci Jakuba kochali się tak właśnie: z oddaniem i czułością.

Później Łukasz pracował równie ciężko i również często wyjeżdżał – nie mógł przecież ot tak rzucić pracy, ale... to już nie była ucieczka. Kamila odzyskała go i była za to losowi bezgranicznie wdzięczna, bo dzięki temu ona mogła zapomnieć o własnym bólu i zająć się Gosią, sąsiadką.

Wspólnie, wspierając się nawzajem, przetrwali tę zimę.

Nadchodziła wiosna. Lekki wiatr musnął włosy dziewczyny, stojącej w oknie sypialni. Uśmiechnęła się, podeszła na palcach do łóżka i raz jeszcze pocałowała usta ukochanego mężczyzny, który zasnął zmęczony miłością i pracą ponad siły. Zeszła na parter, by przygotować śniadanie.

Gdy smarowała ciepłe jeszcze bułeczki świeżym masłem i powidłami, których kilka słoiczków dostała w prezencie, wróciły wspomnienia wspólnych posiłków na tarasie w towarzystwie dwóch przyjaciółek: Gosi i Julii. Jakie były wtedy mimo wszystko szczęśliwe... Każda miała swoje problemy, owszem, borykała się z własnymi demonami, a jednak... tamto życie zdawało się pełne słońca. I tak jak słońce odległe.

Willa pod numerem piątym stała pusta. Julia nie wróci już nigdy, wyrzucona z domu przez uroczego małżonka, eksmałżonka, bo ten znalazł sobie nową dziewczynę, niewiele starszą od własnej córki, a Julii po prostu się pozbył, jak mebla, który się znudził.

Czy na ulicy Leśnych Dzwonków zamieszka nowa flama pana Sterna? Kamila zamyślona spojrzała na dom obok. Dlaczego Julia nie walczyła o tę willę? Przecież należała się jej połowa majątku Sternów, czyż nie? Może Julia nie zapracowała na nią fizycznie, może to jej mąż, prezes, przynosił do domu pieniądze, ale Julia była matką, żoną i kochanką, a także sprzątaczką, kucharką oraz organizatorką przyjęć. Przez niemal dwadzieścia lat dbała, by mężusiowi niczego nie brakowało: od śniadania do łóżka, po seks na dobranoc. Czy taka praca się nie liczy? Dlaczego Julia pozwoliła się okraść i poddała bez walki?

Skrzypnęła furtka, co zawsze zapowiadało wizytę Małgosi. Kamila pomachała przyjaciółce przez okno i ruszyła do drzwi, zarzucając na ramiona kurtkę. Chwilę później wypadła na dwór.

– Cześć, kochana, jak się czujesz? – To było standardowe pytanie, jakim Kamila na dzień dobry raczyła Małgosię. Ona uśmiechnęła się, ujęła dłoń Kamili i przytknęła do brzucha. Nawet przez sweter dziewczyna poczuła kopnięcie maluszka.

– Cześć, Kubuniu – wyszeptała i podniosła na Gosię rozjaśnione oczy.

Kobieta próbowała się uśmiechnąć, ale blado jeszcze to wypadło. Jej ból był nadal zbyt świeży, zbyt dotkliwy...

– Jak się czujesz? – powtórzyła Kamila, przyglądając się jej uważnie. – Spałaś w nocy?

Gosia wzruszyła ramionami.

– Musisz spać! Musisz nabierać sił! To dopiero piąty miesiąc, a ty chudniesz, zamiast się zaokrąglać. Owszem, maleństwo rośnie, ale kosztem ciebie!

– Już dobrze, dobrze, nie krzycz, bo obudzisz Łukasza.

– On wrócił nad ranem ledwo żywy, ze Stanów bodajże, i teraz nic go nie obudzi, spokojna głowa. Gosiuniu, jeśli nie zaczniesz o siebie dbać... – Kamila zawiesiła głos i pokręciła bezradnie głową. Ile takich rozmów przeprowadziły w ciągu tych kilku miesięcy?

Gosia próbowała, naprawdę starała się jeść dużo, a przynajmniej więcej niż dotychczas, ale... przez pierwsze tygodnie po śmierci Jakuba nie mogła przełknąć ani kęsa. Kamila, na zmianę z Łucją, karmiła ją jak dziecko, łyżeczka po łyżeczce. Za Kamilę, za Łucję, za maleństwo... Teraz jadła, owszem, ale nadal zbyt mało, nadal wyglądała jak cień kobiety w ciąży, wątły cień, a nie przyszła mama, która w piątym miesiącu powinna być okrąglutka jak bułeczka.

To właśnie, po raz tysięczny, powtórzyła Kamila.

I zaciągnęła sąsiadkę do kuchni, by przygotować dla niej i dla siebie śniadanie. Łukaszowi zaniesie na górę, do sypialni, gdy ten się obudzi. Lubił przebudzenia we własnym domu, z Kamilą w ramionach i pachnącą kawą na stoliku przy łóżku...

– Jak myślisz, Julia dotarła do tej Bogumiły cała i zdrowa? – odezwała się Gosia strapionym głosem, smarując bułkę masłem.

– Więcej tego masła nałóż, karmisz siebie i dziecko – nakazała Kamila głosem nieznoszącym sprzeciwu. – Dotarła. Przysłała mi późnym wieczorem esemesa, że jest na miejscu, dom stoi i da się w nim żyć. Tobie też pewnie wysłała, ale...

– ... nie wiem, gdzie podziałam telefon – dokończyła potulnie Małgosia. Ostatnio ciągle coś gubiła czy czegoś zapominała. Kamila miała nadzieję, że to z powodu ciąży i rozkojarzenia, a nie skutków ubocznych prochów, których Gosia się w życiu nałykała.

– Po śniadaniu pójdziemy do ciebie i znajdziemy go. Musisz mieć komórkę pod ręką. Zawsze. Żeby w razie czego wezwać pomoc. – Od kiedy Kamila zaczęła traktować Gosię jak młodszą siostrę, którą należy się opiekować? Nieważne. Ważne, że Gosia nie protestowała, szczęśliwa, że w ogóle ma kogoś, kto się o nią troszczy.

– I wiesz co? – Kamila spojrzała na kobietę zamyślona. – Trzeba coś zrobić z domem Julii. Tym obok. – Wskazała willę po drugiej stronie muru.

– Chcesz pomóc temu draniowi w sprzedaży? – zdumiała się Gosia.

– Nie. Chcę, żeby Julia z powrotem tutaj zamieszkała. Należy się jej ten dom, i tyle.

– Ale... nie chciała go. Nie walczyła...

– „Nie walczyła" a „nie chciała" to różnica. Może nie miała siły walczyć? Wiesz przecież, jak podle ją Stern potraktował. A ta cała Sandra? Czy ona choć raz odwiedziła matkę, gdy ta jeszcze tu mieszkała? A przecież Julia tak bardzo ją kochała! Pamiętasz, z jaką tęsknotą i miłością mówiła o córce? O nim zresztą też... Zdradzili ją oboje, była zupełnie załamana przez ostatnie pół roku, więc nie ma się co dziwić, że gdy ten drań pokazał jej drzwi, ona po prostu spakowała się i odeszła. Ale kiedyś odzyska siły do walki i wtedy...

– Wtedy? – Gosia uniosła oczy znad kubka z ziołową herbatą, słodzoną miodem.

– Wtedy my pomożemy Julii w tej walce.

– O ile będzie chciała wrócić. Może się jej spodobać na końcu świata...

Kamila musiała się zgodzić z tą uwagą.

– Pojedziemy do niej w odwiedziny i zapytamy. Ale za miesiąc, gdy Julia się tam zadomowi i będzie nieco cieplej, bo przyznam że teraz w Bieszczady mnie jakoś nie ciągnie. Chyba że do tego czasu zapragnie uciekać z Bogumiły. Wtedy...

– Zamieszka tutaj. Ze mną – dokończyła Małgosia, jakby było to zrozumiałe samo przez się.

Proponowała to przyjaciółce wiele razy, gdy Julia jeszcze tutaj była, gdy trwała w domu pod piątką od rozprawy do rozprawy, ale ona odmawiała.

Zamieszka w górskiej chacie, którą dostała od ciotki. Rozpocznie życie od nowa na własny rachunek, nikomu niczego nie zawdzięczając. Tak postanowiła. Małgosia musiała to uszanować. Kamila natomiast wysnuła inną teorię na ten temat.

– Myślę, że Julia chce siebie ukarać za nieudane małżeństwo. Za rozwód. Za utratę córki... – zaczęła.

Gosia posłała jej zdziwione spojrzenie.

– Przecież to Stern był dziwkarzem, Julia zaś wzorową żoną.

– Powiedziała mi kiedyś, czy raczej wypłakała, bo ona w ciągu tych cholernych zimowych miesięcy płakała równie często jak my, że gdyby była taką świetną żoną, on nie zamieniłby jej na żadną inną. „Ale co jeszcze mogłam dla niego zrobić? Przecież nie odmłodnieję o dziesięć lat!" – to były jej słowa.

– Kurczę, Kamila, przecież Julka to... dusza człowiek. To kochana, wspaniała kobieta. Do tego niezwykle piękna! Czego facet może chcieć więcej?! – wykrzyknęła Gosia z oburzeniem, a Kamila ucieszyła się w duchu, bo przyjaciółka nie dość, że się ożywiła i zapomniała o swoim smutku, to zupełnie bezwiednie wcina drugą bułeczkę, którą Kamila jej podsunęła. – Tylko zarozumiałe, bogate dupki jak Stern mogą nie docenić takiej żony jak Julia.

No i tacy psychopaci jak twój były mąż Mateusz żony takiej jak ty, Gosiuniu – dodała Kamila w myślach. Na wspomnienie bydlaka, któremu cudem wyrwały Gosię z łap, a który potem zemścił się, zabijając małą, kochaną Kulkę, dreszcz przebiegł jej po plecach.

– Wiesz, nie jest ważne, co myślimy na ten temat my, ale co myśli Julia. I ona się obwinia za rozpad małżeństwa – odezwała się na głos. – Więc wyjechała na koniec świata, do starej rozpadającej się chałupy i będzie tam trwała, aż... ta chałupa się nad nią nie rozsypie. Dopiero wtedy, gdy Julia oberwie w łeb spróchniałą belką czy kawałkiem sufitu, ale tak, że padnie i zaleje się krwią, uzna, że odkupiła swoje grzechy. I może do nas wróci. Przecież doskonale wie, że niedługo będzie ci potrzebna pomoc. Właściwie już jest. Jak twoja noga? – Spojrzała na Gosię z troską. Przyjaciółka kulała ostatnio coraz bardziej, z czego chyba nie zdawała sobie sprawy.

– O którą pytasz? Tę, co mi została, czy tę, co jej nie mam? – Gosia odpowiedziała pytaniem i... uśmiechnęła się.

W złotych oczach Kamili błysnęło zdumienie i radość. Gosi wracało poczucie humoru! Cóż za wspaniały poranek!

– Trochę... trudniej mi się poruszać... – zaczęła Małgosia z wahaniem. – Mimo twojego twierdzenia, że jestem za chuda, przybrałam na wadze i proteza daje mi się we znaki, a na nową mnie nie stać. Prawdę mówiąc... Sama zobacz... – Podwinęła sukienkę i Kamila aż wstrzymała oddech. Miejsce, w którym proteza przylegała do skóry, było otarte do krwi. Rana wyglądała bardzo nieładnie.

– Powinien to obejrzeć lekarz, nim wda się zakażenie – zaczęła powoli Kamila, natychmiast spotykając się z odmową. No tak, Gosia znów miała problemy z wyjściem z domu. Poprzednio przezwyciężyła fobię, ale uczyniła to tylko dla Jakuba. Teraz zaś... Teraz nosiła jego dziecko. Synka, dla którego uczyni wszystko. Należało jej tylko o tym przypomnieć.

– Kochana, zakażenie w okolicach tętnicy udowej to bardzo niebezpieczna sprawa – rzekła Kamila surowo. – Dostaniesz sepsy i stracisz to, co mamy najcenniejszego: małego Kubusia. Twojego synka a mojego brata. Nie wolno ci ryzykować jego życiem, jeśli nawet swojego masz dosyć.

W oczach Gosi błysnęły łzy, ale Kamila była nieprzejednana.

– Wezwiemy lekarza do domu, bo jak zwykle nie zdobędziesz się nie wizytę w przychodni, albo poproszę doktora Staśko, on na pewno nie odmówi pomocy. Musisz o siebie dbać. O siebie i swoją nogę.

– To muszę mieć nową protezę, a naprawdę mnie na nią nie stać. Ostatnio... nie pracuję tyle ile kiedyś. Straciłam parę zleceń i... jest nie najlepiej z moimi finansami. Teraz zbieram na rachunek za ogrzewanie. Potem będę musiała zapłacić za prąd. I dopiero wtedy pomyślę o protezie...

– A do tego czasu będziesz cierpiała męki i brała tony antybiotyków, które zaszkodzą dziecku – skwitowała Kamila.

Gosia podniosła się gwałtownie.

– Ja nie mam Łukasza, który zarabia na moje utrzymanie! – rzuciła na wpół z rozpaczą, na wpół z gniewem. – Jestem zupełnie sama! Wiem, powinnam wziąć się do roboty, ale odzyskanie kontrahentów trochę potrwa i...

– Poczekaj. – Kamila przerwała jej stanowczym ruchem dłoni. – Łukasz prowadzi obie firmy w zastępstwie... Jakuba – musiała przełknąć, bo to imię zdławiło jej gardło. – A Jakub połowę majątku przekazał waszemu maleństwu. Nie mów, że do tej pory nie dostałaś z firmy, na to maleństwo właśnie, żadnych pieniędzy!

– Nie dostałam – mruknęła Małgosia. – I nie chcę ich. Należą do dziecka, nie do mnie...

– I mają zapewnić temu dziecku zdrowie już teraz! Co ten Łukasz sobie myśli?! Dlaczego nie daje ci na Kubusia ani złotówki?!

– Zapytaj Łukasza. Ja tego nie zrobię. – Gosia stanowczo pokręciła głową.

Kamilę zatkało. W pierwszej chwili z oburzenia. Na Łukasza oczywiście.

Ona sama nie miała problemu z pieniędzmi. Nawet nie musiała o nie prosić. Nadal miała kartę do konta Armiki, puchatego konta, o co dbał zapewne Łukasz. Gdy więc portfel zaświecił pustkami, szła do bankomatu i wracała z pełnym. Nie zastanawiała się do tej pory, ile wysiłku kosztuje ukochanego mężczyznę prowadzenie dwóch firm, bo od śmierci Jakuba żyła w takim otępieniu, że mało na ten temat, właściwie na każdy temat z Łukaszem rozmawiała.

A on walczył o ich byt w samotności. Nie miał już Jakuba – szefa i mentora – i... nie miał też Kamili, która jakoś sobie przecież z prowadzeniem Armiki, gdy Łukasz był chory, radziła.

Nagle gniew, który poczuła do Łukasza, minął.

Łukasz został sam. Zupełnie sam ze swoim bólem i żałobą po stracie najlepszego przyjaciela, a także z tym, czego on, Jakub, od Łukasza w ostatniej woli, w swoim testamencie zażądał: prowadź moje firmy dla moich dzieci. Sam zarządzaj dwoma przedsiębiorstwami, z których jedno było ogromnym międzynarodowym koncernem, i dbaj, by dwóm kobietom, które pokochałem, niczego nie brakowało. Tak, tak, Kamilko, tym kobietom, które od pięciu miesięcy użalały się nad sobą i swoim losem, łkając w swych ramionach, podczas gdy Łukasz... który cudem odzyskał zdrowie, musiał walczyć o przetrwanie ich wszystkich.

Właśnie schodził na dół, gdzie w kuchni przy stole siedziała Gosia, z kubkiem herbaty w obu dłoniach spoglądająca na ogród za oknem. Kamila stała w drzwiach i patrzyła na ukochanego mężczyznę, znów pełna gniewu, ale tym razem wściekła była na siebie.

Rozczochrany, jeszcze półprzytomny, po zbyt krótkim odpoczynku, z podkrążonymi oczami i wychudłą twarzą, wyglądał jak cień samego siebie. Cień młodego, silnego, pełnego życia i woli walki mężczyzny, jakim zdawał się Kamili podczas pierwszego pamiętnego spotkania, gdy na poboczu drogi szukał potrąconej przez kogoś rannej Kulki.

Wtedy to Kamila ujrzała Łukasza po raz pierwszy i wtedy go pokochała, choć oczywiście jeszcze nie zdawała sobie z tego sprawy. Dziś kochała go całym sercem i duszą, choć nie przypominał już tamtego przystojniaka z rozpiętą sportową marynarką i koszulką polo znanej firmy.

Mimo to, a może właśnie dlatego, jego widok, gdy śmiertelnie zmęczony schodził po schodach na parter, by zacząć zmagania z kolejnym dniem, następnymi problemami, piętrzącą się coraz wyżej stertą dokumentów do przejrzenia i podpisania, jednym słowem: niekończącą się walką o byt powierzonych mu istot, przyprawił Kamilę o łzy współczucia, wdzięczności i... gniewu. Na siebie samą.

– Chodź, usiądź. Mam świeże bułeczki z powidłami od Julii, a jeśli chcesz, zrobię ci jajecznicę z cebulką i szynką, tak jak lubisz – powiedziała miękko, z czułością, na moment przytulając się do mężczyzny i całując jego nieogolony policzek.

Kiedyś zagarnąłby ją ramieniem i, pal licho obecność sąsiadki, wycisnąłby na ustach Kamili namiętny pocałunek, może wziąłby ją na ręce, posyłając Gosi przepraszające spojrzenie, i zaniósł na górę, gdzie kochaliby się po raz drugi tego ranka. Teraz jednak odpowiedział nikłym uśmiechem, usiadł przy stole naprzeciw Małgosi i po prostu tkwił bez ruchu, patrząc, tak jak ona, przed siebie.

– Ja już pójdę. – Kobieta nagle wstała i mimowolnie skrzywiła się z bólu.

Łukasz natychmiast oprzytomniał.

– Coś się stało? Coś cię boli? – zapytał pełnym napięcia głosem.

Kamila, tak, musiała przyznać to przed samą sobą ze wstydem, poczuła ukłucie zazdrości o tę troskę. Pragnęła, by to ją pytał z takim niepokojem o jej stan. Ale... to Gosia, a nie ona była w ciąży, a dziecko, które za cztery miesiące urodzi, było cząstką Jakuba. Czyż mogła winić Łukasza, że się o Gosię i o to maleństwo martwi? Mimo to odparła zamiast niej, głosem nieco ostrzejszym, niż powinna:

– Owszem, boli ją. Niedopasowana proteza, bo nie stać jej na nową. Gosia jest chuda i wycieńczona, bo niedojada – ciągnęła coraz gniewniejszym tonem, nie zważając na błagalne spojrzenia sąsiadki. – A niedojada, bo nie ma pieniędzy. Sama zarabia dużo mniej niż jeszcze niedawno, a ty, Łukasz, ty, którego Jakub prosił o opiekę nad nami obiema, nie raczyłeś zapytać, czy Małgosi niczego nie brak. Otóż brak. Wszystkiego. Nawet na głupi prąd musi ciułać, podczas gdy konta obu firm są pełne, czyż nie?

Zwróciła się z tym pytaniem do obojga.

Małgorzata spuściła głowę, nie wiedząc, gdzie podziać oczy, natomiast Łukasz... on zacisnął lekko szczęki, a w jego szarych oczach błysnął gniew.

– Skoro konta są pełne, a są, bo zaharowuję się od miesięcy po to, by były pełne, a ty do jednego z nich masz nieograniczony dostęp, dlaczego nie zadbałaś, by twojej przyjaciółce, która ma równe prawa do tych pieniędzy, niczego nie brakowało?

Celny był to cios. Tym razem Kamila spuściła wzrok.

– Ja już pójdę – powtórzyła Gosia błagalnie, nie chcąc być przyczyną i świadkiem ich kłótni.

– Nigdzie nie pójdziesz – uciął Łukasz takim tonem, że kobieta usiadła z powrotem. – Musimy ustalić pewne zasady. Tak, Jakub powierzył mi swoje firmy, i was dwie, ale... sorry, dziewczyny, tak jak firmy próbuję ogarnąć, tak wy powinnyście się zająć same sobą. Nie jestem w stanie niańczyć i was. Nie teraz. Nie przerywaj mi, Kamila! – uniósł głos, widząc, że dziewczyna chce zaprotestować. – Może za jakiś czas, gdy znajdę odpowiednią osobę na stanowisko wiceprezesa i zaufam jej na tyle, by przekazać część obowiązków związanych chociażby z warszawską filią, sytuacja się zmieni, ale do tego momentu musicie radzić sobie same. Ja zadbam, by konto było pełne i żeby Małgosia otrzymała do niego kartę, ale... – Umilkł. Potarł oczy gestem człowieka śmiertelnie zmęczonego. Dotknięcie dłoni, przepraszające, pieszczotliwe, kazało mu spojrzeć na Kamilę już bez gniewu.

– Właśnie znalazłeś takiego człowieka – rzekła, wskazując na siebie. – Prowadziłam Armikę, gdy ty byłeś chory, wiem, wiem, niemal doprowadzając ją do ruiny, ale nauczyłam się czegoś na własnych błędach i teraz... chcę wrócić i zająć się nią, jeśli oczywiście mi na to pozwolisz.

Łukasz spoglądał na dziewczynę długą chwilę, aż zmieszała się ponownie, po czym odetchnął głęboko, z nieskrywaną ulgą i powiedział:

– Długo czekałem na te słowa i doczekałem się. Zajmij się, kochana moja, tym babińcem, który tam stworzyłaś, i niech przynajmniej ten problem mam z głowy. Armika jest w niezłej kondycji finansowej, nie powinnaś mieć z nią kłopotów. Z Farmiką jest gorzej, bo to naprawdę ogromna firma. We dwóch z Jakubem radziliśmy sobie z nią bez trudu, ale ja sam... – Pokręcił głową.

– Mogę pomóc – odezwała się nieśmiało Małgosia. – Szybko piszę na komputerze, szybko się uczę. Jeśli znalazłaby się dla mnie jakaś praca, chętnie się jej podejmę. No i... mi możesz ufać tak jak Kamili.

Łukasz przygarnął ją do siebie i pocałował w policzek.

– Ty, moja droga, masz ważniejsze zadanie niż jakieś tam firmy. Ty musisz urodzić zdrowego, ślicznego chłopaczka. Kubusia. Nam pozostaw resztę.

– Nie odstawiaj mnie na boczny tor tylko dlatego, że jestem w ciąży – odparła takim tonem, że oboje z Kamilą spojrzeli na nią zdumieni. – Przepraszam, nie chciałam, żeby zabrzmiało to tak ostro, ale ja chcę coś robić. Muszę coś robić, bo wieczorami, gdy z Kamilą wracacie do siebie, a ja zostaję sama z myślami... – Pokręciła głową, a w jej oczach błysnęły łzy.

Zostajesz sama z myślami, wspomnieniami i utraconą miłością – pomyślała Kamila, obejmując drobne ramiona Gosi pełnym serdeczności gestem.

– Pomożesz mi z Armiką. Dołączysz do babińca, jak raczył się wyrazić tu obecny – powiedziała już na głos, posyłając Łukaszowi pełne przygany spojrzenie. Uśmiechnął się tylko.

– Ale... przepraszam, że... marudzę zaraz po tym... jak prosiłam o pracę... – zaczęła Gosia, zacinając się na każdym niemal słowie. – Ja chyba nie będę w stanie jeździć do Warszawy.

Nie chodziło jej li tylko o ciążę.

Wróciły lęki. Małgosia znów bała się ludzi. Właściwie widywała jedynie Kamilę i czasem Łukasza, gdy spędzał noc w domu, a nie w podróży. Znów musiała prosić sąsiadkę, by przy okazji zakupów dla siebie kupowała też coś dla niej. Znów bez strachu mogła przekraczać jedynie furtkę między domami na uliczce Leśnych Dzwonków. Gdy wyobraziła sobie, że miałaby wsiąść do podmiejskiej kolejki, nie mówiąc już o warszawskim metrze, po prostu... ciało samo z siebie zaczynało drżeć. Jeszcze trochę i każdą burzę ponownie będzie spędzać w ciemnej łazience Kamili...

– Spokojnie, kochana, spokojnie. – Kamila przytuliła Małgosię i zaczęła ją gładzić po włosach, jakby uspokajała przerażone dziecko. – Znajdzie się jakieś zdalne zajęcie, prawda? – Przeniosła wzrok na Łukasza.

On miał na ten temat swoje zdanie. Uważał, że Gosię należy leczyć z lęków, tak, jak zaczął to Jakub: dobrą terapią u psychologa i pracą, która zmusi ją do wyjścia z domu, zamiast pozwalać jej na nowo wkraczać na ścieżkę obłędu. Nie teraz, gdy za kilka miesięcy urodzi dziecko, którym będzie musiała się zająć, czy tego chce, czy nie, choćby umierała ze strachu przed światem zewnętrznym. Nim jednak zdecydował się wypowiedzieć swoją opinię na głos, rozległ się dzwonek do furtki.

Kamila wypuściła sąsiadkę z objęć i pobiegła otworzyć. Łukasz usiadł przy stole, bez apetytu sięgając po świeżą bułkę z masłem. Gosia przycupnęła naprzeciw niego.

– Uważasz, że powinnam walczyć ze sobą, ze swoimi demonami, zamiast zamykać się z powrotem w czterech ścianach – zaczęła cicho, podnosząc na mężczyznę jeszcze wilgotne od łez oczy. Milczał, smarując bułkę śliwkowymi powidłami. – To nie takie proste... – szepnęła łamiącym się głosem. – Jakub dawał mi siłę. Poczucie bezpieczeństwa, jakiego nie zaznałam od śmierci rodziców. Teraz...

Brzęknął nóż, gwałtownie odkładany na talerzyk. Gosia drgnęła. Łukasz patrzył jej prosto w oczy.

– Teraz nosisz jego dziecko, które za kilka miesięcy urodzisz – odparł tonem pobawionym choć odrobiny ciepła. – I temu dziecku ty, właśnie ty, nikt inny, musisz zapewnić opiekę. Dać mu miłość i poczucie bezpieczeństwa. Przepraszam, Gośka, za szczerość, ale jeśli nie weźmiesz się w garść, i to szybko, ty skończysz w psychiatryku, a twój synek, synek Jakuba, w sierocińcu.

Cofnęła się, jakby ją uderzył. Spojrzała na niego z niedowierzaniem, że mógł powiedzieć coś tak... okrutnego, ale nie odwrócił wzroku.

Nieznośną ciszę przerwał powrót Kamili.

Dziewczyna, nie zdając sobie sprawy ze słów, jakie przed chwilą padły, powiedziała:

– Kurier z przesyłką. Do ciebie.

Łukasz przeniósł spojrzenie z pobladłej Małgosi na Kamilę.

– Nie mogłaś odebrać?

Dziewczyna pokręciła głową.

– Do rąk własnych. Może to list od ukochanej, którą trzymasz gdzieś na boku? – Miało to zabrzmieć jak żart, ale Łukasz nie uśmiechnął się. Wstał i bez słowa ruszył do drzwi. Kamila zdziwiona odprowadziła go wzrokiem, po czym przyjrzała się Małgosi, która z trudem powstrzymywała łzy.

– Coś mnie ominęło? Pokłóciliście się?

Kobieta pokręciła głową. Wiedziała, że Łukasz ma rację. Nie ranił jej ot tak, bo wstał bez humoru po kilku zaledwie godzinach snu. Zamartwiał się o nią i o Kamilę, o obie firmy i na dodatek o matkę, która nadal nie doszła do siebie i wciąż przypominała szkielet, a nie żywego człowieka.

Mimo to... Gosia nie potrafiła powiedzieć: „Dobra, od jutra, a jeszcze lepiej od dziś, staję się duszą towarzystwa, przełamuję swoje lęki i blokady, wsiadam w pociąg i codziennie dojeżdżam do Warszawy, gdzie obejmę dział marketingu". Prawdę mówiąc, Gosia była zupełnie bezużyteczna...

Spojrzała przepraszająco na Łukasza, który wszedł do kuchni z kopertą w dłoni, ale nie zwrócił na nią uwagi.

Usiadł tam, gdzie siedział przed chwilą, przyjrzał się drukowanym literom „ŁUKASZ HARDY" – tylko tak podpisana była przesyłka. Mruknął: – Dziwne – otworzył list, przebiegł wzrokiem kilka zdań i... pobladł.

Zbladł tak jak wtedy, gdy usłyszał o śmierci Jakuba. Kamila, przyglądając się przesyłce z ciekawością, nie zdążyła zapytać, co się stało, bo Łukasz wstał gwałtownie, zmiął list w dłoni, obrócił się na pięcie i wyszedł z kuchni bez słowa.

Chwilę później usłyszały jego kroki na podjeździe, skrzypnięcie furtki, a potem... ruszający z piskiem opon samochód, którym przyjechał nad ranem.

Kamila usiadła, tak jak stała. Co to było? Osłupiałym wzrokiem popatrzyła na Gosię. Ta pokręciła głową i zapytała:

– Co było w tym liście?

– Nie wiem. Przecież nie czytałam – odrzekła dziewczyna jeszcze zdziwiona, ale już głos nabrzmiał jej łzami. – Tylko rzuciłam okiem. Był krótki. Ze dwa, trzy zdania... On kogoś ma... – dokończyła szeptem. – Przecież nie wiem, co robi całymi dniami, z kim się spotyka. On kogoś ma...

Nim Gosia zdążyła się odezwać, chwyciła telefon, który Łukasz zostawił na stole.

– Małgosiu, nie patrz. To podłe, co chcę zrobić, ale... po prostu muszę.

Zaczęła przeglądać esemesy, a potem maile Łukasza.

Gosia czekała ze wstrzymanym oddechem.

Dziewczyna wreszcie pokręciła głową.

– Nic podejrzanego. Same „Dear Sir" i „Panie Prezesie".

Obie opadły na oparcia krzeseł, ale żadna nie potrafiła odetchnąć z ulgą i jak gdyby nigdy nic wrócić do śniadania.

– Może ma drugi telefon? – Kamila spojrzała na przyjaciółkę, błagając ją spojrzeniem, by zaprzeczyła.

Gosia zaprzeczyła.

– Przecież wiedziałabyś o tym. Wychodziłby na zewnątrz, by odebrać. Szeptałby po kątach. Kasował wiadomości. Wiesz jak zachowuje się facet, który chce coś ukryć.

– No właśnie chodzi o to, że nie wiem! – w głosie Kamili zabrzmiała rozpacz. – A właściwie już wiem... – Spojrzała na drzwi, za którymi chwilę wcześniej zniknął Łukasz, mnąc w dłoni kartkę papieru.

– Błagam cię, Kamilko, nie wyciągaj pochopnych wniosków. – Gosia uścisnęła zimną dłoń dziewczyny. – To mogło być jakieś pismo z urzędu czy rachunek do zapłacenia.

Ale to nie było pismo z urzędu ani rachunek...

Łukasz jechał przed siebie, nie wiedząc dokąd i po co. Ręce trzęsły mu się tak, że z całych sił musiał je zaciskać na kierownicy. Wreszcie zjechał z asfaltu w leśną drogę, przekręcił kluczyk w stacyjce i trwał długą chwilę bez ruchu, zbierając się na odwagę, by rozwinąć zmiętą kartkę i ponownie zmierzyć się trzema zdaniami, które na niej napisano.

Zrobił to, wstrzymując oddech.

I on, który nigdy nie klął, bo takie miał zasady, który nie rzucał mięsem nawet wtedy, gdy ślepy jak kret wpadał na ściany, teraz, widząc krótką, ale jakże treściwą wiadomość, przeznaczoną tylko dla niego, wyszeptał pełne niedowierzania, rozpaczy i furii:

– O kurwa.

Kamila nie może się o tym dowiedzieć!!! – coś w następnej chwili zakrzyczało w jego umyśle.

Przez chwilę rozglądał się w panice, nie wiedząc, co robić. Nie mógł wyrzucić listu ani go zniszczyć. Nie mógł ukryć go w samochodzie. Wreszcie podjął decyzję i tak jak wypadł z domu – w pomiętej koszuli, nieogolony, bez telefonu, portfela i dokumentów – ruszył w stronę Krakowa. Tam gdzie mieszkał ktoś, komu mógł zaufać bardziej niż samemu sobie.

# *Rozdział III*

*Dalia – darując komuś dalię, pytasz: „Dlaczego mnie odtrącasz?". To pełna uroku roślina, która wdzięcznie pokoloruje nasz ogród i nasze życie. Kwiaty o delikatnych płatkach w najróżniejszych barwach – czerwone, żółte, pomarańczowe, pasiaste, nakrapiane – po prostu dają radość życia.*

Julię obudziło mruczenie Bezy.

Kotka stała przednimi łapkami na poduszce, zaglądała swojej pani przez ramię, czy ta jeszcze śpi czy już nie, i mruczała, na wszelki wypadek dając do zrozumienia, że ona, Beza, już dawno się obudziła i nie miałaby nic przeciwko porcyjce whiskasa.

Kobieta uniosła ciężkie od snu powieki i rozejrzała się, w pierwszej chwili zdezorientowana, po pokoju. Ach tak, sypialnia w Chatce Dorotki. Wczoraj przyjechała tu, na koniec świata, odnalazła, dzięki dobremu sercu sąsiada, drogę do nowego domu, a w tym domu pokój na parterze, z dużym tarasowym oknem, za którym wtedy panowały egipskie ciemności, teraz natomiast, przez zasunięte story, próbował wedrzeć się potok porannego światła.

Julia odrzuciła pierzynę – prawdziwą puchową pierzynę! – gotowa wpuścić słońce i do pokoju, i do swojego życia, po czym...

natychmiast nakryła się z powrotem. W sypialni panował lodowaty chłód.

– Zaspałam! – jęknęła Julia. – A przecież obiecywałam sobie i Grzegorzowi: tą szuflą, do pełna, o północy i szóstej nad ranem!

Wyczerpana podróżą, zasnęła w wygodnym, ciepłym łóżku, niczym śpiąca królewna, zapominając nie tylko o obietnicach, ale choćby o nastawieniu budzika, i oczywiście spała słodko do rana, nie dbając o dorzucanie węgla do pieca, który już dawno wygasł.

Co ona teraz, na Boga, pocznie?!

W pokoju – i całym domu – było naprawdę zimno. Bez namysłu zbiegła do piwnicy i zaczęła podejrzliwie oglądać piec. Miał dwoje drzwiczek – przez górne powinna go była dożywiać – jednak nie widziała nigdzie żadnego magicznego pstryczka, którym da się go na nowo uruchomić. Grzegorz rozpalił go tak łatwo – właściwie Julia nie zwróciła uwagi, jak to zrobił, zafascynowana poznawaniem domu – może więc nie jest to aż taka filozofia?

Kobieta otworzyła górne drzwiczki i zajrzała do środka. Pusto i ciemno. Rozejrzała się po piwnicy. Pod ścianą piętrzyła się sterta węgla i stało wiadro z połupanymi drewkami. Obok leżało kilka pożółkłych ze starości gazet, a na nich paczka zapałek. Otóż to!

Tak jak to zapamiętała z krótkiej przygody w harcerstwie, zmięła gazetę, położyła na niej kilka szczapek, wszystko to przysypała węglem i... nim się spostrzegła pudełko zapałek było puste, dom nadal zimny, a węgiel w piecu nawet nie próbował udawać, że się zajął ogniem.

Julia, sfrustrowana do granic i równie zziębnięta, spojrzała na towarzyszącą jej dzielnie kotkę.

– Nie potrafię nawet w piecu rozpalić – szepnęła żałośnie. – A chcę mieszkać sama w starym domu... Zaczynać życie od nowa, na swój własny rachunek w rozpadającej się chałupie, w której zaraz zamarznę razem z kotem, bo nie dorzuciłam w nocy węgla. Jezu, jaka ja jestem beznadziejna...

Usiadła na progu piwnicznych drzwi i oparła głowę na kolanach.

– Tak myślałem, że tu ciebie znajdę.

Głos Grzegorza – dzięki wam, wszyscy święci! – sprawił, że Julia aż podskoczyła. Doprawdy musiała się powstrzymać, by nie rzucić się mężczyźnie na szyję. Stał na schodku prowadzącym do piwnicy i patrzył na kobietę z góry na wpół z rozbawieniem, na wpół z przyganą.

– Ja wiem... ja pamiętałam... tą szufelką, do pełna, o północy i o szóstej nad ranem – zaczęła, gestykulując gwałtownie wspomnianą szufelką. – Ale byłam tak zmęczona... tak bardzo zmęczona... – głos się jej załamał.

– Ej, chyba nie będziesz płakać z tak prozaicznego powodu jak wygasły piec? – zaniepokoił się. – Wyglądasz na twardą kobietę, która prędzej benzyną węgiel podleje, niż się podda.

– Benzyną? Że też nie przyszło mi to do głowy – zdziwiła się Julia. Przecież to było tak oczywiste: podsycić ogień czymś, co naprawdę się pali!

Grzegorz zamachał rękami.

– Chyba nie wzięłaś tego na poważnie! Nie waż się następnym razem nawet o tym myśleć! Podpalisz dom ze sobą w środku. Zapomnij o moim głupim żarcie.

– Już nie pamiętam – uspokoiła go z uśmiechem.

– Jakoś ci nie wierzę...

Minął ją, zajrzał do paleniska, wyjął wszystko, co pół godziny temu ona tam upchnęła, a potem raz jeszcze włożył gazety i kilka szczapek. Z nieskończoną cierpliwością podsycał ogień tak długo, aż drewienka się rozpaliły. Dopiero potem dorzucił parę niewielkich bryłek węgla.

Kobieta patrzyła na to jak zaczarowana. Jakby ten mężczyzna odprawiał przed nią tajemny rytuał. W jego rękach ogień był tak posłuszny... W ciemnościach piwnicy, ledwo rozjaśnianych przez zakurzone okienko, rzucał na twarz Grzegorza płomienne refleksy, dodając tej twarzy niezwykłego uroku.

Gdy piec w końcu zahuczał potężnym płomieniem, a w kaloryferach znów zaśpiewała gorąca woda, Grzegorz wyprostował się, zatrzasnął drzwiczki, otrzepał ręce i rzekł do zapatrzonej w niego Julii.

– Nie chcę ci prawić morałów, droga sąsiadko, ale musisz jednak podrzucać ten węgiel o określonych porach. Musisz też nauczyć się rozpalać pod piecem. Jeżeli oczywiście chcesz liczyć na siebie, a nie pomoc sąsiadów. Zawsze któryś podjedzie, gdy zadzwonisz, ale...

– Najpierw musiałabym poznać numery ich telefonów.

– No właśnie.

– Nie wymieniliśmy się nimi.

Przytaknął.

– Dlatego przyjechałem. Z pół godziny temu uświadomiłem sobie, że jesteś tu sama, piec pewnie wygasł, a ty marzniesz, próbując go rozpalić, i...

– Bardzo, bardzo ci dziękuję – rzekła z głębi serca, patrząc w dobre, pełne ciepła i życzliwości oczy mężczyzny.

Uciekł wzrokiem zażenowany jej wdzięcznością, a także... cóż... zaniepokojony swoją reakcją na tę kobietę. Bo Julia w tej właśnie chwili była po prostu piękna. Z rozpuszczonymi włosami koloru ognia, spadającymi na plecy w gęstych splotach, w nocnej koszuli, spowijającej jej ciało niczym tunika greckiej bogini i oczami tak zielonymi, jakich nie widział nigdy wcześniej, rozjaśnionymi uśmiechem... Nie było chyba mężczyzny, na którego nie podziałałby jej urok.

I właśnie to do niej dotarło. Że przed obcym właściwie mężczyzną stoi prawie naga.

Krzyknęła cicho i uciekła na górę.

Narzuciła na ramiona kurtkę, w której przyjechała, zapięła się pod szyję, wsunęła bose nogi w botki – ona naprawdę przez pół godziny w lodowatej piwnicy walczyła z opornym piecem w samej koszuli i na bosaka?! – i dopiero wtedy krzyknęła:

– Grzegorz, czy mogę ci się odwdzięczyć śniadaniem?

Wszedł po schodkach.

– Śniadanie już jadłem, moi goście wcześnie wyjeżdżali, ale filiżanką kawy nie pogardzę.

– O ile znajdę tu kawę... – Julia rozejrzała się bezradnie po holu. – Wczoraj po drodze zatrzymałyśmy się z Bezą przy spożywczym, kupiłam chleb, masło i słoiczek nutelli, nie śmiej się, ja, gdy jestem... no, taka jak wczoraj... pocieszam się nutellą...

– Beza też? – zapytał żartobliwie, widząc, że oczy kobiety znów wilgotnieją. Nie lubił łez u innych, nie znał ich u siebie. Pragnął, by wszyscy w jego towarzystwie byli jeśli nie od razu szczęśliwi, to przynajmniej pogodzeni z losem. O tak, to było życiowe credo Grzegorza Bogdańskiego: „Szczęście jest ulotne, ciesz się nim, ale zrozum, że tak jak po dniu nadchodzi noc, tak po czasie dobrym przychodzi czas zły. Czas smutku i rozpaczy. Ale potem znów zaświeci słońce". To zapragnął powiedzieć teraz Julii, której oczy szkliły się od łez.

– Głupia kawa. Nawet tak nie mogę ci podziękować – szepnęła. – Głupia ja – dorzuciła z goryczą.

– Głupi to jest ten, przez którego uciekłaś na koniec świata – uciął stanowczo Grzegorz.

– Nie uciekłam. Przybyłam tu z własnej woli, by zacząć nowe życie. Życie wolnego człowieka – odparła z godnością, prostując ramiona.

– O, i takie podejście mi się podoba. Czy mogę zaprosić cię na głupią kawę do siebie?

Julia już miała odrzec: „Tak, oczywiście", gdy... głos uwiązł jej w gardle. Za wcześnie było na śniadania – choćby najbardziej niewinne – w towarzystwie mężczyzny. Ból, jaki zadał jej Stern, był zbyt świeży, strach przed powtórnym zranieniem zbyt wielki, by, ot tak, zaczynała flirt z sąsiadem.

Zrozumiał to.

– Kiedy tylko znajdziesz czas na odwiedziny – dodał, by nie czuła się niezręcznie, odmawiając.

– Dziękuję. Ogarnę ten chaos, poznam dom i najbliższą okolicę, a potem zacznę odwiedzać sąsiadów. Do ciebie wpraszam się na samym początku.

Uśmiechnął się i sięgnął do kieszeni kurtki, wyciągając portfel, a z niego wizytówkę.

„Gospodarstwo agroturystyczne SZAROTKA. Hodowla huculów. Grzegorz Bogdański". I numer telefonu. Bezcenny! Bo jak Julia siebie zna... Lada chwila znów będzie potrzebowała sąsiedzkiej pomocy.

Na odwrocie widniała mapka, jak tam trafić. Grzegorz wyjął długopis, narysował krzyżyk i rzekł poważnym głosem:

– Tu jest twój dom. Jedziesz tą drogą, skręcasz przy krzyżu w lewo, potem na krzyżówkach znów w lewo i tędy wprost do mojego siedliska. Znajduje się po drugiej stronie góry.

Na mapce wyglądało to tak prosto... Julia skinęła głową i wsunęła wizytówkę za ramę lustra, które wisiało w holu. Tu z pewnością nie zginie.

– Poradzisz sobie? Na pewno?

Jeszcze odwrócił się w progu. Jeszcze stał chwilę, niezdecydowany, czy może zostawić tę kruchą, delikatną jak porcelanowa figurka kobietę samą na tym pustkowiu. Zdecydowanie przytaknęła.

– W razie czego dzwoń. – Usłyszała raz jeszcze, po czym stara honda potoczyła się w dół po drodze, którą Julia wczoraj tu przyjechała.

Kobieta machała ręką, dopóki samochód Grzegorza nie zniknął za zakrętem, po czym rozejrzała się dookoła i odetchnęła pełną piersią. Było tak pięknie...

Słońce rozświetlało całą polanę, na której stał stary dom, i już sam ten ciepły, słoneczny wiosenny dzień mógł napełnić serce i duszę radością, ale... to nie blask słonecznych promieni zachwycał najbardziej, a tysiące ametystowych gwiazd, które spadły z nieba na ziemię – cała polana usiana była liliowymi krokusami. Widok był tak niesamowity, tak cudowny, że oczy Julii znów napełniły się łzami wzruszenia. Usiadła na progu, wsparła brodę na łokciach i chłonęła każdą komórką ciała tę magiczną chwilę. Chwilę zachwytu zapierającą wręcz dech w piersiach.

– I te wszystkie krokusiki, te wspaniałe wiekowe świerki, nawet strumień, który podśpiewuje na kamieniach, są moje! Słyszysz, Bezuniu? – mówiła ni to do siebie, ni do kota, który przysiadł obok niej, tak jak ona zapatrzony i zasłuchany. – Nikt nam nie powie: to koniec, jesteś zbędna, pakuj się i wynoś. Nikt nas stąd nie wyrzuci. Nikt nie wystawi za drzwi, niczym zepsuty albo niemodny mebel. Nikt. Nigdy.

Kot mruczał, w pełni się ze swoją panią zgadzając, a Julia, wzruszona także tą wierną kocią obecnością, wzięła zwierzaka na kolana, przytuliła i wyszeptała ze ściśniętym wdzięcznością sercem:

– Dziękuję, że jesteś.

Czasem bowiem taka mała kocia obecność jest tym, co nie pozwala sercu pęknąć z bólu. Czasami wierne, kochające zwierzę jest jedyną istotą, która nam pozostała i która wypełnia pustkę, odgania nieznośną samotność. Niekiedy tylko psu, kotu czy choćby papużce możemy się zwierzyć i wypłakać, bo nie ma wokół nas nikogo innego...

Julia poczuła to i zrozumiała. Ucałowała łepek kotki i jeszcze długą chwilę siedziała ze zwierzakiem w ramionach, ciesząc się ciszą i pięknem poranka. Siedziała tak długo, aż porządnie zmarzła, a dom nagrzał się na tyle, że mogła doń wracać.

Wczoraj wieczorem wybrała sypialnię na parterze, tę z wielkim tarasowym oknem, bo tak wydało się najwygodniej i najrozsądniej. Teraz, gdy tam wróciła, by w łazience przylegającej do pokoju wziąć poranną kąpiel, rozsunęła aksamitne, zakurzone story, otworzyła okno na całą szerokość, wyszła na taras i... ponownie zatkało ją z zachwytu. Tak jak drzwi wejściowe wychodziły na polanę otoczoną świerkami, tak przeciwległy pokój, południowy, miał widok na wzgórze, a w krystalicznie czystym powietrzu daleko na horyzoncie majaczyły szczyty gór. W ich kierunku prowadziła wąska, wydeptana dróżka, po której obu stronach również było liliowo od krokusów.

– Ech, Bezo droga – odezwała się Julia, gdy już odzyskała głos. – Ciocia Dorotka wiedziała, co to znaczy pięknie żyć... Gdybym ja również miała tę świadomość... Tak ze dwadzieścia lat wcześniej... Cóż, wszystko przede mną!

Zaśmiała się i umilkła w następnej chwili zaskoczona, że znów może się śmiać. Że potrafi choć przez chwilę zapomnieć o smutku i być tak po prostu szczęśliwa. Choć przez krótką chwilę...

Gorąca woda płynęła w kaloryferach, gorąca woda obmywała jej ciało pod prysznicem, gorąca herbata czekała na stoliczku, który po kąpieli Julia wyniosła na taras, a gorące drożdżowe bułeczki, podgrzane na patelni, bo Julia nie miała odwagi włączać piekarnika, smakowały wybornie. Kosztowane właśnie tak: w jej, Julii, własnym domu, na tarasie, z którego widok smakował nie mniej niż te bułeczki.

Beza, kotka, którą kilka miesięcy temu ktoś wyrzucił z domu, tak jak Julię wyrzucił Stern, teraz objedzona whiskasem usiadła na skraju tarasu i rozpoczęła kocią toaletę. Julia natomiast... zastygła z bułeczką uniesioną do ust. Pewna myśl czy raczej wspomnienie snu zatrzymało jej dłoń.

– Zrobię to – rzekła, podrywając się od stolika tak gwałtownie, że kotka spojrzała na nią ze zdumieniem. – Mówię ci, Beza, zrobię to!

Wpadła do holu, gdzie stały nierozpakowane bagaże, odnalazła laptop, wciśnięty nie wiedzieć czemu między kalosze i letnie rzeczy – nie dano jej wiele czasu na spakowanie się – i wróciła z nim z powrotem na taras, gdzie można się było spodziewać lepszego zasięgu. Rzeczywiście, modem działał. Słabo, bo słabo, wskazywał zaledwie dwie kreseczki, ale od biedy z internetem można się było połączyć, a tego Julia w tej chwili bardzo potrzebowała.

Wpisała w wyszukiwarkę imię i nazwisko, odnalazła tego, którego chciała odnaleźć, i... co dalej? Oto miała firmę w Kielcach, której był właścicielem, miała do niego telefon, adres mailowy, i... co z tym zrobić?

Nagle cała pewność, z którą Julia podrywała się od stołu, wyparowała.

Kilkanaście lat temu, wybierając bogatego i wpływowego Sterna, właściciela telewizyjnego imperium, złamała serce pewnemu chłopakowi. Chłopakowi, który kiedyś wsunął jej na serdeczny palec pierścionek, skromny, srebrny, z dwoma małymi rubinami, symbolem ich miłości od pierwszej klasy liceum, bo właśnie wtedy się poznali i... pokochali pierwszym szczenięcym uczuciem.

Ale młodziutka dziewczyna z małego miasteczka, wpadając w wielki świat, pełen blichtru i ułudy, zachłysnęła się tym światem, zapomniała o chłopaku, który czekał na jej powrót, a doczekał się zwrotu pierścionka. Julia nie miała na tyle odwagi, by zrobić to osobiście, i odesłała klejnocik pocztą.

Jakże było jej wstyd na wspomnienie tego, co uczyniła...

Ile razy żałowała prawdziwej miłości, którą wymieniła na apartament w Warszawie i pełne konto. Żeby jeszcze swoje własne... Dopiero teraz, samotna i zdradzona, poczuła ból, który zadała tamtemu chłopakowi. Czy ma szansę odkupić winy? Czy on jej wybaczy? Zdeptane uczucie, odesłany pierścionek i... to najgorsze, czym można zranić... milczenie. Wymowne milczenie. Nieodpowiadanie na telefony, maile i listy. Bo on pisał i dzwonił. Ale Julia, tchórzliwa, głupia Julia, nie odpowiadała i nie odbierała.

Czy dziś, gdy wyśle do niego wiadomość, on odpłaci jej pięknym za nadobne, czy jednak odpisze, przez wzgląd na uczucie, jakie ich kiedyś łączyło?

Julia, która już otworzyła skrzynkę nadawczą i wpisała adres mailowy Jasia Czajki... tkwiła nieruchomo, z rękami uniesionymi nad klawiaturą, nie wiedząc, jak zacząć. Wreszcie Beza, która wskoczyła na stolik z pytającym miauknięciem, wyrwała kobietę z odrętwienia i słowa popłynęły same.

*Drogi Janku,*

*nie wiem, czy mnie jeszcze pamiętasz, a jeśli tak, to czy zechcesz przeczytać ten list do końca, ale – błagam – daj mi szansę prosić Cię o wybaczenie. O nic więcej nie śmiem...*

Julia pisała. O wszystkim – szczerze, do bólu względem niego i samej siebie. O swoim egoizmie, okrucieństwie i bezmyślności. O tym, jak była głupia i słaba, że dała się złapać na haczyk forsy i życia celebrytki czy raczej przystawki do celebryty. O tym, jak Stern zamienił ją na młodszą, a córka się od niej odwróciła, wybierając wygodne życie z ojcem.

Wreszcie Julia opisała całą swą żałosną przeszłość kobiety, która była nikim więcej niż pokojówką, kucharką i kochanką bogatego, zepsutego faceta. Tu przerwała, żeby popłakać chwilę nad tą przeszłością, ale łzy nie były już tak palące i gorzkie jak jeszcze wczoraj. Dzień był zbyt piękny, a strumień podśpiewywał zbyt radośnie, by użalać się nad sobą.

Zaczęła więc pisać o swoich nadziejach na przyszłość, tak, o tym pisało się znacznie łatwiej, szczególnie gdy Chatkę Dorotki w maleńkiej wiosce zwanej Bogumiłą zdążyło się już pokochać.

Wreszcie Julia z całego serca poprosiła Jaśka o wybaczenie, na końcu dopisując, jak bardzo żałuje swoich wyborów.

No.

Zakończyła: „Byłeś moją pierwszą miłością i nigdy nie przestałam Cię kochać", po czym nie czytając listu, szybko, bez namysłu, wcisnęła „kasuj" i... raczej wcisnęłaby, bo w tym momencie Beza pacnęła ją łapką w rękę.

Julia jęknęła, ale już było za późno. Poczta została wysłana.

– O ja cię... – Julia oparła czoło na splecionych ramionach. – Co ja nawypisywałam... I on to wszystko przeczyta! A może nie? Może to stary, nieaktualny adres?!

Przez chwilę oczekiwała na informację, że mail nie został dostarczony do adresata, bo tajemniczy „mailer daemon" go pożarł, lecz nic z tego. Julii pozostała nadzieja, że list zaginie w czeluściach internetu, zostanie przeniesiony do spamu, czy – kurde! – na Marsa, ale nie do Janka Czajki.

Wpatrywała się w ekran, raz po raz naciskając „odbierz pocztę". Nic nie nadchodziło.

Po godzinie opadła z westchnieniem ulgi na oparcie krzesła. Może jednak jej wynurzenia wcięło?

I w tym momencie, gdy już chciała zamknąć laptop i zająć się zwiedzaniem domu w świetle dnia, zadzwoniła jej komórka. Julia spojrzała na wyświetlacz. Numer nic jej nie mówił. Wzruszyła ramionami i nacisnęła zieloną słuchaweczkę.

Gdy usłyszała znajomy głos:

– To ja... – Telefon po prostu wypadł jej z dłoni.

# *Rozdział IV*

*Hiacynt – niepozorna cebula skrywa w sobie niepowtarzalne piękno. Oto ukazują się najpierw zielone liście, potem łodyżka i nagle rozkwitają na niej różowe, białe, niebieskie czy fioletowe gwiazdy, pachnące tak oszałamiająco, że cały dom staje się nagle... hiacyntowy. I dobrze! Bo czy może być coś piękniejszego niż pachnący kwiatami dom?*

Komórka dzwoniła niemal bez przerwy. Kamilę do szału zaczęła doprowadzać jej melodyjka. Przychodziły esemesy i maile, a dziewczyna mimo woli, mimo że była na Łukasza wściekła do granic, zaczęła podziwiać go – i współczuć mu zarazem – że musiał żyć w takim piekle: niekończących się telefonów i wiadomości. Za każdym razem gdy zaczynał się odzywać jego telefon, ten, który mężczyzna zostawił na stole, wybiegając z domu, Kamila chwytała go w dłoń, patrzyła na wyświetlacz, a gdy była to wiadomość, otwierała ją i czytała. Na początku czuła się z tym parszywie, jak zazdrosna, nawiedzona jędza, szpiegująca kochanka, dlatego co rusz rzucała przepraszające i pełne wstydu spojrzenie Małgosi, która siedziała przy stole i w milczeniu przyglądała się dziewczynie. Lecz z każdą chwilą poczucie wstydu malało, natomiast zazdrość rosła.

– Wiem, wiem, że nie powinnam tak robić, ale powiedz mi, wytłumacz, jak on mógł, ot tak, bez słowa wybiec z domu i odjechać?! – krzyknęła Kamila, sfrustrowana i zrozpaczona po dwóch godzinach tej udręki. – Gdzie on jest, dlaczego się nie odzywa? Czemu nie wraca?

– Nie odzywa się, bo zostawił telefon w domu. – Gosia znalazła odpowiedź tylko na jedno z wykrzyczanych gniewnym tonem pytań. – Może dajmy Łukaszowi trochę czasu? – dodała miękko, a Kamila, zamiast posłuchać przyjaciółki, odwróciła się ku niej błyskawicznie, niczym żmija gotowa do ataku.

– Ty coś wiesz! Wiesz, gdzie on jest i dlaczego tak nagle odjechał! Może jesteście w zmowie?!

Gdyby nie resztki opanowania, chwyciłaby przyjaciółkę za ramiona i potrząsnęła z całych sił, aż wydusiłaby z niej wyznanie.

– Kamila, opanuj się – głos Gosi stwardniał nagle. – Gdybym wiedziała cokolwiek więcej niż ty, nie omieszkałabym cię o tym powiadomić. I nie szukaj we mnie wroga, dobrze?

Kamila opadła na krzesło zupełnie wyczerpana.

– Sama widziałaś. Dostał list z dopiskiem „do rąk własnych", przeczytał, pobladł tak, jakby miał zaraz zemdleć, po czym jak stał, bez dokumentów, bez telefonu, bez pożegnania – na Boga! – wybiegł z domu i odjechał. Dokąd? Po co?

– Musiało wydarzyć się coś strasznego z jego bliskimi – wyszeptała Gosia, bo nagle stało się to dla niej jasne. – Zadzwoń do Otwocka. Coś mi mówi, że to matka Łukasza...

– O Boże, nie pomyślałam o tym. – Kamila chwyciła telefon i wybrała numer. – Miotam się jak idiotka, rzucam oskarżenia pod twoim adresem... Dzień dobry, to ja, Kamila... – mówiła w następnej chwili do słuchawki, patrząc przy tym na Gosię i kręcąc głową, bo odebrała Julita Hardy. – Nie wie pani może, gdzie się podziewa Łukasz? W Stanach? Kiedy wyleciał? – Kamila uniosła brwi, niebotycznie zdziwiona. Bez dokumentów?! – A nie, nie, ze Stanów wrócił dziś nad ranem. Po śniadaniu nagle wyszedł i nie odezwał się od tamtej pory. Nie, nie pokłóciliśmy się, nic z tych rzeczy, po prostu... – Głos się jej załamał. Nie miała ochoty opisywać matce Łukasza, która nadal nie darzyła Kamili sympatią, wydarzenia sprzed dwóch godzin. – Oczywiście, dam znać, gdy zadzwoni. Przepraszam, że panią niepokoiłam, do widzenia.

Nadal zwracała się do Julity per „pani", mimo że z Łukaszem była formalnie zaręczona. Przerwała rozmowę i odłożyła komórkę na stół. Gdy telefon Łukasza znów się rozdzwonił, ze złością wyłączyła go na amen.

– Nie będę czekać jak porzucona przed ołtarzem panna młoda – rzuciła do Gosi. – Jadę do firmy. Skoro obiecałam temu draniowi, że zajmę się Armiką, to zamierzam to uczynić. Właśnie teraz.

Już miała wyjść z kuchni, by przebrać się w coś stosownego, gdy zatrzymał ją cichy, pełen wahania głos Małgosi.

– Czy mogłabyś... zabrać mnie ze sobą? Chciałabym spróbować... chociaż spróbować...

Całe wzburzenie, jakie Kamila jeszcze chwilę wcześniej czuła, nagle odeszło. Zastąpiły je duma z przyjaciółki i radość na wspólną pracę.

– No pewnie! Idź się przygotować. Spotykamy się za kwadrans pod moim domem.

Gdy wyszła kwadrans później, podjazd był pusty. Spojrzała zdziwiona w stronę domu Małgosi. Kobieta stała w oknie swojego pokoju. Uchwyciła wzrok Kamili i pokręciła głową, a potem zniknęła. Dziewczyna, rozczarowana i znów wściekła, wsiadła do samochodu, wycofała z takim impetem, że mało nie wpadła na przeciwległy chodnik, po czym ruszyła do Warszawy.

Tak mógł się zacząć tylko wyjątkowo parszywy dzień...

Gdy przekroczyła próg firmy na Marszałkowskiej, poczuła, jakby cofnął się czas. Mniej więcej rok temu stała w tych samych drzwiach z nadzieją na pracę księgowej. W sekretariacie w klawisze komputera klikała Magda, zaś za drzwiami prezesa oczekiwał na Kamilę jej nowy szef – Łukasz Hardy, który okazał się miłością jej życia. Dziś owa miłość zniknęła w tajemniczych okolicznościach i podziewa się Bóg wie gdzie, a Magda była jej, Kamili, nie tyle podwładną, co przyjaciółką. Razem stworzyły zgrany zespół inteligentnych, kreatywnych i pracowitych kobiet, które zajęły miejsce zmanierowanych facetów, co to „baby nad sobą mieć nie będą". Nie, to nie.

– Ojej, to Kamila! – krzyknęła sekretarka na widok dziewczyny i rzuciła się ku niej, by przywitać ją serdecznym uściskiem. – Jak się cieszę, że wróciłaś, bo wróciłaś, prawda? – Zajrzała pytająco w złote oczy dziewczyny.

– Wróciłam. Łukasz ma za dużo obowiązków.

– Święta prawda. – Magda z przekonaniem kiwnęła głową. – Z prezesa powoli robi się cień człowieka. Niech zajmie się resztą, a my damy sobie radę z naszym małym babskim interesem.

– Trochę czasu mi zajmie, żeby z powrotem go ogarnąć – odparła Kamila przepraszającym tonem. – Przez ostatnie miesiące byłam... – Urwała. Magda uścisnęła ją za rękę.

– Wiem. Bardzo, bardzo ci współczuję. Wam obojgu, bo prezes też przeżywał śmierć pana Kilińskiego. Spróbujemy zawalczyć o to, co ci pozostawił, prawda?

Kochana kobieta była z tej Magdy. Zawsze potrafiła znaleźć odpowiednie słowa. Kamila mogła tylko przytaknąć. Przywitała się z resztą personelu i zwołała zebranie. Za godzinę, w sali konferencyjnej, w której pół roku temu Jakub przedstawił ją jako nowego prezesa Armiki i... swoją córkę.

Na tę godzinę postanowiła zaszyć się w gabinecie, który przez krótki czas był jej gabinetem, później zajął go ponownie Łukasz.

Gdy tylko zamknęła drzwi, rozejrzała się uważnie po jasnym pokoju. Paranoja, jakiej nabawiła się dziś rano, uderzyła powtórnie. W domu mógł ukrywać przed Kamilą romans. Może tutaj coś Łukasza zdradzi? Może w szufladzie biurka ukrywał drugi telefon? Nie. Oprócz przyborów do pisania nie znajdowało się w niej nic podejrzanego. Kamila przeszukała wszystkie szafki i przegródki każdego mebla, jaki znajdował się w gabinecie. Znalazła jedynie sterty dokumentów, z którymi już teraz powinna zacząć się zapoznawać, skoro przejmowała ster Armiki i nie chciała posłać firmy na dno.

Ktoś zapukał do drzwi.

Po chwili zaglądała przez nie Magda z filiżanką herbaty i paczką orzeszków. Kiedyś, za czasów „sprzed" Kamila tak właśnie lubiła pracować: mając po ręką herbatę i coś do pogryzania. Teraz podziękowała uśmiechem, poprosiła Magdę do środka i zamknęła za nią drzwi.

– Magda... – zaczęła, nie wiedząc, jak dobrać słowa. – Wiesz, że jestem z Łukaszem zaręczona...

Kobieta spojrzała na serdeczny palec dziewczyny, a widząc na nim ładny, skromny pierścionek, uśmiechnęła się.

– Nie wiedziałam, ale serdecznie ci gratuluję. Prezes to wspaniały człowiek, każda kobieta chciałaby się znaleźć na twoim miejscu. Oprócz mnie, bo ja już mam męża, którego kocham jak wariatka – dodała ze śmiechem. Kamili jednak do śmiechu nie było.

– Właśnie... Każda by go chciała... Czy on... Czy któraś z naszych dziewczyn... – Umilkła, czerwieniąc się z zażenowania, ale i wściekłości, że musi, bo Łukasz zmusił ją do tego swoim zachowaniem, w ogóle o to pytać.

Magda, która przed chwilą uśmiechała się, teraz patrzyła na Kamilę poważnie. I równie poważnie odparła:

– Mogę cię zapewnić, że prezes nie ma romansu z żadną z nich.

– Ale z kimś ma?! – podchwyciła Kamila, tak właśnie rozumiejąc jej słowa.

– Nie! Nie wiem! Przyjeżdża do biura sam i wyjeżdża sam. Nigdy nie widziałam go w dwuznacznej sytuacji z jakąś kobietą! – Magda zaczęła wpadać w panikę, nie wiedząc, do czego zmierza Kamila. Nie chciała stracić pracy, stając między nią a jej narzeczonym, z drugiej strony naprawdę nigdy nie podejrzewałaby prezesa, który świata poza Kamilą nie widział, o romans! Chociaż... Był mężczyzną, a z facetami wiadomo, jak bywa...

I tę właśnie myśl, to wahanie, czy Łukaszowi można wierzyć bezgranicznie, wyczytała w oczach Magdy Kamila.

Usiadła ciężko w fotelu i ukryła twarz w dłoniach. Plecy zaczęły jej drżeć od tłumionego łkania.

Magda przypadła do niej, próbując ją objąć, ale dziewczyna powstrzymała ją ruchem dłoni.

– Jezu, przepraszam... – szepnęła Magda nieszczęśliwym tonem, choć przecież nie powiedziała nic, co mogłoby Kamilę doprowadzić do łez. Jednak ta musiała mieć jakieś podejrzenia, w przeciwnym razie...

Dźwięk komórki przerwał sekretarce tę myśl. Telefon dzwonił i dzwonił dotąd, aż Kamila sięgnęła do torebki i rzuciła drżącym od łez głosem:

– Słucham?

– Cześć, Kamila, to ja, Michał Hardy, brat Łukasza, o ile mnie kojarzysz...

Dziewczyna zamarła w oczekiwaniu czegoś strasznego. Michała Hardego, najstarszego z braci, widziała raz w życiu, na pogrzebie Jakuba. Nigdy przedtem ani nigdy potem się nie spotkali, choć Łukasz często o nim wspominał.

– K-kojarzę cię – zdołała wyjąkać.

– Dzwonię, żeby cię uspokoić. Łukasz ma piekło w firmie we Wrocławiu. Coś się sypnęło z jakimś kontraktem czy czymś takim. Musiał nagle wyjechać i... czy możesz przesłać mu kurierem dokumenty i telefon? Zostawił je u ciebie w domu.

Kamila tak jak się przed chwilą poderwała, tak teraz opadła na fotel. Z ulgą, że Łukasz żyje, i... znów wstała.

– Mówisz, że Łukasz ma piekło w firmie? – zaczęła z narastającą furią. – I z powodu tego piekła wybiega z domu bez dokumentów?

– Dokładnie. Tam naprawdę stało się coś poważnego...

– Ktoś zginął? Pożar? Pieprzone trzęsienie ziemi?!

– Kamila, spokojnie, nie wiem dokładnie co, ale...

– To dlaczego nie mógł mi sam tego powiedzieć, tylko ty go wyręczasz?!

– Pojechał do Wrocławia, przecież wspomniałem na początku...

– A ty skąd dzwonisz?

Odpowiedziała jej cisza.

– Kryjesz go! Kryjesz przez zwykłą braterską solidarność! – wybuchnęła Kamila, nie zważając na obecność Magdy i podnoszące się znad komputerów głowy pracownic. – Powtórz mu, bo jestem bardziej niż pewna, że stoi teraz przy tobie i słucha tej rozmowy, że naprawdę nie musi brać ze mną ślubu! Jeżeli poznał kogoś, niech ma choć tyle odwagi czy przyzwoitości, żeby mi powiedzieć to prosto w twarz! Rozumiesz?!

Po drugiej stronie panowała przez chwilę cisza. A potem Michał odezwał się już zupełnie innym tonem. I w jego słowach nie było ani krzty spokoju czy ciepła.

– Bredzisz, dziewczyno – zaczął, cedząc wyrazy. – I nie będę mu tych bredni powtarzał. Przez kilka dni go nie będzie, a ty ochłoń i przyślij te pieprzone dokumenty. Nie chcesz wiedzieć, dlaczego musiał wyjechać, a ja na twoim miejscu wolałbym podejrzewać go o romans, niż poznać te przyczyny.

Kamila struchlała. Nie wiadomo, co było bardziej przerażające: te słowa czy ton, jakim je wypowiadał.

– Co się stało? Powiedz mi prawdę – wyszeptała błagalnie, ale Michał odparł:

– Taka jest prawda. Łukasz ma poważne kłopoty z firmą. Przynajmniej ty nie utrudniaj mu teraz życia, okej?

– Okej – odparła, wyczuwając w jego głosie prawdę. – Gdy odeślę mu telefon, poproś, by do mnie zadzwonił, dobrze? – dodała błagalnym tonem.

Łukasz, stojący obok Michała i słuchający słów Kamili, zacisnął powieki, czując jej ból jak własny.

– Zadzwoni do ciebie, bo cię kocha jak wariat. Nigdy w to nie wątp – dodał Michał już o wiele łagodniejszym tonem i rozłączył się.

A potem spojrzał na Łukasza.

– Słabo mi poszło, ale chyba uwierzyła, że jej nie zdradzasz – mruknął. – Co teraz?

Łukasz podniósł na niego pociemniałe oczy.

– Masz jakiś pomysł?

# Rozdział V

*Goździk – pomaga myśleć realnie i prawidłowo oceniać sytuację, dobrze mieć go przy sobie w urzędach, bo sprzyja załatwianiu wszelkich spraw. W miłości również jest nieoceniony, gdyż... ma moc czynienia mężczyzny bardziej atrakcyjnym w oczach kobiety! Teraz już wiemy, dlaczego kiedyś eleganccy mężczyźni nosili ten kwiat w butonierce.*

Julia pozbierała się w mgnieniu oka, to znaczy pozbierała z podłogi telefon, w którym usłyszała znajomy głos. Przytknęła go do ucha.

– Julia? Julia, jesteś tam?

– Skąd masz mój numer? – zapytała, gdy mogła już wykrztusić choć słowo.

– Przecież pod mailem była twoja wizytówka – odpowiedział zdziwiony. – Jeżeli nie chcesz albo nie możesz teraz rozmawiać...

– Mogę! – krzyknęła, choć... chyba nie była jeszcze gotowa na rozmowę z Jaśkiem. Co innego napisać szczery mail i wysłać go nie z własnej woli, a dzięki niesfornemu kotu, a co innego... – Mogę – powtórzyła cicho.

– Chciałbym, byś wiedziała, że nie czuję już do ciebie żalu. Nie zadręczaj się tym – usłyszała głos mężczyzny i łzy błysnęły jej w kącikach oczu. Nie wiedziała tylko, czy są to łzy ulgi, że jej wybaczył, czy rozczarowania, że dzwoni tylko dlatego.

– Dziękuję – szepnęła.

Następne słowa sprawiły, że łzy popłynęły jej po policzkach.

– Musisz też wiedzieć, że nigdy nie przestałem cię kochać.

Ściskała telefon w dłoni, bojąc się głębiej odetchnąć. Jedno nieopatrzne słowo mogło zniszczyć ten most, utkany przed chwilą z nadziei i wybaczenia..

– Ale... – powiedział, a ona westchnęła cicho.

Było więc jakieś ale. Pewnie żona, dzieci i dom z ogródkiem.

Jaś już w liceum był przystojniakiem wyróżniającym się na tle innych nastolatków. Na aktualnych zdjęciach, które znalazła w internecie, zdawał się jeszcze bardziej pociągający, bo z przystojnego niedorostka wyrósł na prawdziwego mężczyznę.

– Ale nie wiem, czy chcę przez to przechodzić jeszcze raz – dokończył. – Gdy odesłałaś mi pierścionek i dowiedziałem się z gazet, że wychodzisz za tego... Sterna – to słowo wypowiedział jak przekleństwo – było ze mną bardzo źle.

– Przepraszam, Jasiu – tylko tyle mogła powiedzieć.

– Jula – powiedział miękko, niemal czule – mówiąc „bardzo źle", nie mam na myśli chandry, trwającej cały długi tydzień, czy szukania zapomnienia w ramionach innej dziewczyny. Próbowałem się zabić i gdyby matka mnie nie znalazła, nie rozmawialibyśmy dzisiaj.

Julia zacisnęła powieki, a z gardła wyrwał jej się cichy jęk. Co mogła powiedzieć komuś, kogo mało nie zabiła swoją bezmyślnością i okrucieństwem? Jak przebłagać kogoś, kto z jej powodu cierpiał tak bardzo, że wolał śmierć niż życie bez niej? Zaczęła cicho płakać.

– Julijka, proszę, tylko nie to. Wiesz, że nigdy nie mogłem znieść twoich łez. Co się stało, to się nie odstanie. Na szczęście oboje żyjemy. Ja jakoś się pozbierałem, ty też dasz sobie radę, bo zawsze byłaś silna.

– Nigdy nie byłam! – krzyknęła. – Siłę dawałeś mi ty! Właśnie ty! I twoja miłość do mnie! Pamiętasz, co powiedziałeś, gdy skusiłam się na udział w Wyborach Miss? Pamiętasz, co pchnęło mnie w ramiona Sterna? Pewnie nie, bo zrozumiałbyś, dlaczego odesłałam ten pierścionek. Teraz ci przypomnę twoje słowa: „Idź i bierz wszystko. Ja ci nie dam tego, o czym marzysz, bo ty pragniesz rodziny, i to najlepiej już, natychmiast, a ja jestem wolnym duchem. Nie chcę się bawić w dom i dzieci. Jeszcze nie teraz...". Więc wzięłam!

– To były głupie słowa. Wściekłem się, że moją dziewczynę, półnagą, będą wzrokiem obmacywać obcy faceci.

– Może i głupie, ale były. A ja zrobiłam dokładnie to, co powiedziałeś: wzięłam wszystko.

– I co dziś z tego masz? – zapytał z goryczą. – Rozpadającą się chałupę w Bieszczadach. I kota. Bo o kocie w mailu pisałaś najwięcej. O siedemnastu latach samotności u boku faceta, który cię zdradzał na prawo i lewo, nie wspomnę...

– To jest mój krzyż i moja kara – odparła cicho, walcząc z narastającym gniewem. – Mam nadzieję, że tobie powiodło się o wiele lepiej i przynajmniej ty jesteś teraz szczęśliwy.

– Mylisz się – odparł i... przerwał połączenie.

Julia przez długie chwile wpatrywała się z milczący telefon, nie wiedząc, czy cała ta rozmowa, rozmowa z mężczyzną, którego aż do dziś darzyła uczuciem, była tylko wytworem jej wyobraźni, czy miała miejsce w rzeczywistości. Aż musiała wejść w historię połączeń, by na własne oczy przekonać się, że jednak nie śniła. Nie zdrzemnęła się na tarasie Chatki Dorotki, z mruczącym kotem na kolanach, i nie zaprzepaściła szansy na miłość po raz drugi i ostatni.

– Boże, jaka ja jestem głupia – jęknęła, wstając.

Beza zeskoczyła na ziemię i spojrzała na swoją panią oczami błękitnymi jak niebo nad ich głowami.

– Najpierw proszę go o wybaczenie, a potem zarzucam oskarżeniami i obwiniam za całe moje schrzanione życie... Chodź, kocie, weźmiemy się za porządki w domu. Z czasem się wszystko ułoży.

I tak zrobiła.

Wyjęła z torby ubrania, w których mogła walczyć z pajęczynami i kurzem, włączyła stare radio, nastawione na stację nadającą przeboje z lat osiemdziesiątych, co wcale Julii nie przeszkadzało, podwinęła rękawy i zabrała się do pracy.

Na pierwszy ogień poszła kuchnia, bo Julia lubiła gotować i piec. Gdy skończyła z szorowaniem podłogi, blatów, szafek i kuchenki, słońce chyliło się ku zachodowi. A Julia ze zgrozą uprzytomniła sobie, że... w domu zrobiło się podejrzanie zimno.

Na litość boską, zajęta pucowaniem kuchni, na śmierć zapomniała o dorzuceniu do pieca!

Grzesiu, gdzie jesteś?!

O dziwo, mapka, naszkicowana na odwrocie wizytówki, okazała się całkiem precyzyjna. Julia skręciła tam, gdzie miała skręcić, dojechała do krzyżówek i po raz drugi trafiła prawidłowo, a potem już prosto, aż droga kończyła się dużym domem, stojącym samotnie pośród pastwisk.

Gospodarz, słysząc podjeżdżający samochód, wyszedł na ganek i widząc Julię za kierownicą starej hondy, uśmiechnął się od ucha do ucha.

– Wiedziałem! Wiedziałem, że jeśli nie dziś, to jutro rano na pewno do mnie trafisz albo zadzwonisz! Znów piec. Zgadłem?

Kobieta wysiadła, przytakując ponuro.

Nie chciała przed nowo poznanym sąsiadem okazać się taką niezdarą, co do pieca nie potrafi w odpowiedniej chwili dorzucić, ale...

– Tak się zapomniałam przy sprzątaniu, że... – Rozłożyła ręce w geście bezradności. – Zgasł!

– Masz dwa wyjścia, moja droga – zaczął, zapraszając ją do środka. – Może nawet trzy: nastawić sobie budzik, nauczyć się rozpalać piec albo... zamieszkać tutaj. – Szerokim gestem otworzył drzwi, Julia przekroczyła ich próg i... oniemiała oczarowana.

Zaraz za drzwiami wiatrołapu zaczynało się królestwo przytulności, ognia trzaskającego wesoło na kominku i smakowitych zapachów dobiegających z garnka, bulgocącego na kuchni. Parter był jednym wielkim, otwartym pomieszczeniem, pośrodku którego królował olbrzymi stół, zdolny zgromadzić dookoła sporą czeredę głodnych gości. Pod ścianami stały sofy i fotele, już na pierwszy rzut oka zachęcające, by zapaść się w nich z dobrą książką albo słuchać gawęd snutych przy kominku.

Naprzeciw wejścia, po drugiej stronie pomieszczenia, znajdowała się kuchnia, nie odgrodzona nawet barem od sali jadalnej. Ten, kto gotował, był nadal z gośćmi i wśród gości. Słuchał ich rozmów i brał w nich udział. Wystarczyło, że uniósł głowę, i widział biesiadujących przyjaciół i uśmiechy na ich twarzach – tak właśnie wyobraziła to sobie Julia, oglądając zachwyconymi oczami dom Grzegorza.

Strop podpierały solidne drewniane słupy, przepięknie rzeźbione przez miejscowych artystów. W tym wszystkim jednak najpiękniejsze chyba były witraże zawieszone w oknach, które dzięki ostatnim promieniom zachodzącego za wzgórzami słońca rzucały magiczne, różnokolorowe błyski na całą salę.

– Ależ tu cudnie – szepnęła kobieta. – Wybieram bramkę numer trzy – dodała żartobliwie.

– Czyli zostajesz? – znów się zaśmiał, a Julia pokochała go za ten serdeczny, ciepły, niewymuszony śmiech. Nie wzbudzał w niej żadnych głębszych uczuć jako mężczyzna, nie pociągał fizycznie, ale jako człowieka nie dało się Grzegorza Bogdańskiego nie kochać. – Musisz więc sobie wybrać pokój. Chodź, pokażę ci resztę domu. – Pełen dumy, w pełni uzasadnionej, ciesząc się jej zachwytem, pociągnął ją po schodach na piętro.

Tutaj było zupełnie inaczej niż na parterze. Kręty korytarz prowadził do niewielkich, ale równie przytulnych sypialenek, w których urządzaniu widać było rękę kobiety. Koronkowe firanki, ciepłe, pastelowe kolory ścian, urocze narzuty na łóżka i haftowane poduszki, ładnie zdobione meble, a przede wszystkim tkane ręcznie dywaniki – tego nie dokonałby żaden mężczyzna. Dół, owszem, urządzał Grzegorz, parter był dziełem mężczyzny, kim jednak była kobieta, która dopieściła każdy detal pokoików na piętrze?

– Każdy z własną łazienką – mówił Grześ, pokazując pokój po pokoju coraz bardziej oczarowanej Julii, gdy łazienki okazały się równie urocze, co sypialnie. I tu także zadbano, by gość czuł się jak w przytulnym, z wytęsknieniem oczekującym go domu. Wszędzie panowała nieskazitelna czystość, mimo że – jeśli Julia dobrze zrozumiała – jeszcze dziś rano dom był pełen gości.

– Twoja żona jest niesamowita. Takie śliczne te pokoiki, tak zadbane i czyściutkie – rzekła Julia z głębi serca.

– Moja żona była niesamowita – poprawił ją, nagle smutniejąc. – Trzy lata temu zabrał ją rak. Ale przyrzekłem sobie, że dom będzie wyglądał tak jak za jej życia. Bardzo kochała to miejsce. Swoją Szarotkę...

– To widać. Strasznie mi przykro. Przepraszam... – Dotknęła lekko jego ramienia.

Skinął tylko głową.

– W takim razie ty jesteś niesamowity – próbowała naprawić swój nietakt. – Prowadzić w tak wzorowy sposób pensjonat, podczas gdy ja sobie nie radzę z głupim piecem...

– Zatrudniam sąsiadów do pomocy, gdy gości jest więcej. To biedne okolice. Tutaj ludzie liczą każdy grosz.

– Ale gotujesz sam? – upewniła się, bo nawet tu dochodził wspaniały zapach potrawy, bulgocącej piętro niżej. Julia poczuła w tym momencie, jak bardzo jest głodna, a Grześ znów uśmiechnął się szeroko.

– Kociołek drwala to akurat nic skomplikowanego. Kiełbasa, oczywiście z własnej wędzarni, ziemniaki, pomidory, trochę papryki, cebula, czosnek, przyprawy... Chodź, sąsiadko, nakarmimy cię, a potem pojedziemy do Chatki Dorotki napalić w piecu.

– Obiecuję, że to ostatni raz. – Podniosła dwa palce jak do przysięgi.

– Jestem pewien, że nie. – Zaśmiał się, idąc za nią po schodach na parter.

Dwornym gestem odsunął krzesło, by mogła spocząć, i po chwili przed Julią stał talerz pełen cudownie pachnącej potrawy. Grzegorz usiadł naprzeciw i skinął łyżką, bez słów namawiając kobietę, by spróbowała. Smakowało wybornie.

– Gotuję nieźle – odezwał się między jednym kęsem a drugim. – Jedyne, czego nie potrafię, to piec ciasta. No i marzy mi się domowy chleb na zakwasie. Ale ilekroć próbuję, zawsze wychodzi nie tyle na zakwasie, co z zakalcem. Nawet moje konie nim gardzą.

– Ja uwielbiam piec – odezwała się Julia z błyskiem w oczach. – Najróżniejsze ciasta, babeczki, murzynki, makowce, drożdżówki i jagodzianki. Chleb też wychodzi mi całkiem, całkiem. Gdybyś kiedykolwiek potrzebował mojej pomocy... W ramach podzięki za nieustanne rozpalanie pod piecem jestem gotowa rozpieszczać cię wypiekami!

Oboje zaczęli się śmiać. W towarzystwie Grzegorza przychodziło to tak łatwo i naturalnie!

– Moglibyśmy dobić targu, sąsiadko, bo prawdę mówiąc ciasta, po które jeżdżę do miasteczka, są niegodne tego domu. Gdy będę spodziewał się gości, upieczesz dla nich coś pysznego, a ja zapłacę, ile sobie zażyczysz.

– Nie chcę od ciebie pieniędzy! – żachnęła się.

– A masz za co żyć? – zapytał, nagle poważniejąc.

Julia utkwiła wzrok w talerzu i pokręciła głową. Sprawy o podział majątku nie wniosła, bo po prostu nie było jej stać na adwokatów. Na alimenty nie miała co liczyć, bo zdrowym, zdolnym do pracy kobietom sąd tak łatwo alimentów nie przyznawał. Stern dał jej wielkopańskim gestem parę złotych, gdy wyjeżdżała, ale... rzeczywiście na długo jej ta jałmużna nie wystarczy.

– Poradzę sobie – rzekła dzielnie, unosząc głowę.

– Oczywiście, że sobie poradzisz, to nie ulega wątpliwości – odparł bez cienia drwiny w głosie. – Skoro jednak ja biorę pieniądze od moich gości za nocleg i wyżywienie, nie rozumiem, dlaczego ty nie miałabyś zarabiać na pieczeniu dla nich chleba i ciast.

– Ale tylko dla nich. Dla ciebie będę piekła za darmo – zastrzegła.

– Umowa stoi. – Podał jej rękę przez stół. Uścisnęła tę dłoń, czując jej siłę i ciepło. I wdzięczność do cioci Dorotki – która na pewno się nią tam, z góry, opiekowała – za takiego sąsiada.

Gawędzili jeszcze o wszystkim i o niczym, jak to przy biesiadnym stole, gdy żołądek jest pełen, a myśli senne, wreszcie Julia rzekła niechętnie:

– Muszę wracać, bo kot mi zamarznie.

– Pojadę przodem, żebyś nie zabłądziła w ciemnościach.

I znów powtórzyła się sytuacja sprzed zaledwie dwudziestu czterech godzin: Julia trzymała się świateł jadącej przed nią hondy, potem przyglądała się, jak Grzegorz rozpala pod piecem, wysłuchała mantry: „O północy i nad ranem, tą szufelką, do pełna", i nie pozwoliła mu odjechać, dopóki przy nim nie nastawiła budzenia w telefonie. Na końcu pożegnała go serdecznym uściskiem i patrzyła, jak światła hondy oddalają się, by w końcu zniknąć za zakrętem drogi.

Stała jeszcze chwilę na ganku, czując ocierającą się o nogi Bezę, stęsknioną za panią, oddychała głęboko tym niezwykle czystym pachnącym wiosną powietrzem, patrzyła na jaśniejący ponad świerkami Wielki Wóz i myślała... myślała, że kochankami z Grzegorzem nie zostaną, ale dobrymi przyjaciółmi, owszem.

Nim wróciła do domu, w którym powoli robiło się ciepło, przemknęło Julii przez myśl jeszcze jedno: oddałaby pół życia, by tu, obok niej, na schodkach ganku, w rozgwieżdżone niebo patrzył Jaś Czajka.

# Rozdział VI

*Irys – przedziwnej urody kwiat, trzy płatki tworzą podstawę dla kielicha o tajemniczym wnętrzu. I ta barwa: intensywny fiolet połączony ze słoneczną żółcią... Irys chroni związek przed nudą, dodaje śmiałości w miłosnych poczynaniach. Ma także właściwości lecznicze.*

– No dobra, wypij i powiedz mi, ale już na spokojnie, co się stało, oprócz tego, że ktoś chce zamordować Kamilę. – Michał wcisnął bratu do ręki szklaneczkę z bursztynowym płynem, który Łukasz wychylił do dna. Skrzywił się, otarł usta dłonią, opadł na oparcie fotela i przymknął oczy, czekając, aż whisky podziała. Dopiero w tym momencie, gdy adrenalina powoli przestawała działać, poczuł, jak śmiertelnie jest zmęczony.

Przyleciał ze Stanów w nocy, w domu był przed świtem, wstał rano, właściwie nie wiadomo dlaczego – zwykle po takiej podróży odpoczywał do południa – i ledwo zaczął śniadanie...

– Do furtki zadzwonił kurier – zaczął, trąc piekące oczy. – Kamila poszła otworzyć, ale facet musiał oddać przesyłkę do rąk własnych.

Rzucił na stół kopertę, na której było tylko jego imię i nazwisko.

– A gdyby ciebie nie było w domu? – rzucił pytanie Michał.

Łukasz pokiwał głową.

– Właśnie – odparł z naciskiem. – Jestem w ciągłych rozjazdach. Non stop w podróży. A tu ledwo wróciłem do domu, więcej: zszedłem na śniadanie, ani przed, ani po, zjawia się kurier w nieoznakowanej żadnym firmowym logo furgonetce i oddaje list do moich rąk.

– Musieli obserwować dom – podsumował starszy brat.

– Dokładnie.

Wyjął z koperty pomiętą kartkę, rozprostował ją na blacie stołu i obaj się nad nią pochylili.

ODPUŚĆ HV475 ALBO KAMILĘ SPOTKA
TO SAMO CO JEJ OJCA
OCZYWIŚCIE NIE PÓJDZIESZ Z TYM NA POLICJĘ

Właśnie to krótkie, ale bardzo treściwe przesłanie sprawiło, że kilka godzin wcześniej Łukasz pobladł, jakby ujrzał samą śmierć, po czym zmiął kartkę, wybiegł z domu i pojechał prosto do Krakowa, do brata, z którym – i tylko z nim – mógł o tym rozmawiać.

– To nie był wypadek – wyszeptał teraz, bo na głos nie był w stanie tego powiedzieć. – Jakub nie zginął w wypadku. Zamordowali go.

– Na to wygląda – mruknął Michał, patrząc na dwie linijki tekstu. – Co to jest HV475?

– Nie mam pojęcia. Ale musi to być coś, dla czego warto zabić. I zabito... Mój Boże... – Łukasz znów potarł twarz dłońmi. – Jakub wiedział o zagrożeniu. Dlatego spisał parę dni przed wypadkiem, co ja mówię, przed morderstwem!, testament...

– Gdyby wiedział, to zamiast testamentu odpuściłby HV475 – odparł jego brat. – Ryzykowałbyś życiem dla czegokolwiek, gdybyś miał ciężarną narzeczoną, którą kochasz, tak jak on kochał Gosię

Bielską? Patrz: dostałeś ostrzeżenie, zabiją Kamilę, jeśli nie machniesz ręką na to coś. Poświęciłbyś ją dla...

– Przestań! Po prostu zamilcz! Nie wiemy, co to jest! Może to być wirus, szczepionka, lekarstwo, licho wie, co to za draństwo, i być może już za późno na „odpuszczenie"! Od śmierci Jakuba minęło niemal pół roku, przez cały ten czas Farmica Ltd. pracowała, kulejąc, bo nie byłem w stanie dobrze jej prowadzić, ale pracowała, może HV475 jest już...

– Gdyby był, nie ostrzegano by ciebie – uciął rozsądnie Michał. – Czym właściwie zajmowała się firma Jakuba?

– W przeważającej mierze hurtową sprzedażą leków, ale jego oczkiem w głowie było laboratorium. Udało się w nim wynaleźć, a potem puścić do produkcji parę unikatowych leków przeciwnowotworowych, Jakub był z tego niesamowicie dumny i...

– Taki właśnie lek ma być lada dzień w tych laboratoriach stworzony albo już go opracowali. – Michał, lekarz przecież, bez cienia wątpliwości puknął palcem w kartkę. – HV475 to symbol leku albo szczepionki, za które konkurencja gotowa zabić. Na twoim miejscu szybko bym się dowiedział, co to takiego, i jeszcze szybciej podjął decyzję, co dalej. Albo Kamilę spotka to co jej ojca. Chyba że... – zawiesił głos i zamyślił się, ale zaraz pokręcił głową.

– Mów – zażądał Łukasz. – Nieważne, jak absurdalne ci się to wydaje, mów, co ci przyszło do głowy.

– Ale to się trochę nie klei... – zaczął Michał z wahaniem. – Podczas pogrzebu Kilińskiego trumna była zamknięta.

– Ciało było tak zmasakrowane, że...

– Domyślam się. Kto zidentyfikował zwłoki? Kamila?

Łukasz pokręcił głową. Z trudem przychodziły mu słowa, nie chciał wracać pamięcią do tamtych dni.

– Nie nadawały się do identyfikacji. Pobrano od Kamili krew i zrobiono badania porównawcze DNA.

– Kto je robił?

Łukasz wzruszył ramionami.

– Nie wiem! Myślisz, że wtedy nie miałem nic lepszego do roboty, niż przyglądać się pieczątkom na dokumentach?! Nawet nie widziałem tych badań! Wiem tylko, że pobierali od Kamili krew i stwierdzili bez najmniejszych wątpliwości, że zwłoki należą do jej ojca, Jakuba Kilińskiego. Koniec. Kropka.

– Spokojnie, przecież nie mam pretensji, że nie sprawdzałeś urzędowego świadectwa zgonu i pieczątek na dokumentach, ale załóżmy, czysto hipotetycznie, że: ofiarą wypadku nie był Jakub. Druga hipoteza: Kamila nie jest córką Jakuba, i trzecia: albo trumna była pusta, albo to nie Jakub został pochowany.

Łukasz uniósł brwi ze zdumienia.

– Wiesz co... – zaczął i popukał się w głowę.

– Dasz sobie rękę uciąć, że w grobie na cmentarzu Bródnowskim leży Kiliński? Widziałeś jego ciało? – drążył Michał.

Łukasz... chciał coś odpowiedzieć, ale po prostu oniemiał.

– Załóżmy, że od Jakuba ktoś żąda tego samego: żeby odpuścił HV475, być może szantażują go albo próbują przekupić. Być może dostał identyczną kartkę z groźbą, że sprzątną jego córkę. Chroniąc Kamilę i jednocześnie chcąc zachować owo bezcenne HV albo dokończyć nad nim badania, Kiliński finguje swoją śmierć, zyskując na czasie...

– I na niczym innym – wpadł mu w słowo Łukasz. – Sorry, bracie, znałem Jakuba lepiej niż siebie samego i on nigdy nie zadałby takiego bólu tym, których kochał. Widziałeś na pogrzebie Kamilę, widziałeś Małgosię. Jak możesz przypuszczać... – Urwał i pokręcił głową.

– Nic nie przypuszczam. Stawiam hipotezy, na które musisz znaleźć dowody. Za albo przeciw.

– Jak, do cholery?!

– Po pierwsze, dowiedzieć się, za co zginął Jakub, po drugie, czy rzeczywiście zginął. Proste.

– No, genialnie proste! Pójdę na policję, zażądam ekshumacji zwłok, a gdy zapytają o powód, pokażę ten list i parę dni później spotkamy się na pogrzebie Kamili?! Wiesz, jeśli masz mi dawać takie rady... – Wstał i chciał wyjść, ale Michał zatrzymał go jednym silnym szarpnięciem.

– Zapamiętaj jedno: nie pójdziesz na żadną policję. Być może Jakub popełnił właśnie ten błąd...

Łukasz opadł z powrotem na sofę.

– To co mam robić? – wyszeptał, patrząc na starszego brata na wpół z gniewem, na wpół błagalnie.

– Dyskretnie dowiedz się, co to za draństwo – wskazał ponownie na list. – Później... – Michał westchnął. – Później zdobędziemy materiał i ponownie porównamy DNA. Ale w zaufanym laboratorium. Jeśli przy nas stwierdzą, że tak, rzeczywiście, Kiliński nie żyje, odpowiedź na jedno pytanie dostaniemy.

– A jeżeli żyje? – zapytał Łukasz z nagłą nadzieją.

– Myślę, że wtedy dopiero zaczną się kłopoty.

Łukasz chciał jechać do Wrocławia natychmiast, ale Michał skutecznie mu to wyperswadował, dolewając mu jeszcze pół szklanki whisky. Mężczyznę, który pił bardzo rzadko, żeby nie rzec, wcale, ta ilość alkoholu plus zmęczenie i potworny stres po prostu zbiły z nóg. Jego starszy brat musiał go niemal zanieść do sypialni, rozebrać z pomiętej koszuli i takich samych spodni, ale on już tego nie pamiętał.

Spał do rana i dopiero wtedy gdy obudził się w miarę przytomny, Michał pożyczył mu ubrania – byli tego samego wzrostu i tak samo zbudowani – odwiózł na dworzec kolejowy i wyprawił do Wrocławia.

Kilka godzin później Łukasz wchodził do głównej siedziby Farmiki. Skinął głową swojej asystentce, zastanawiając się przez chwilę, czy może jej zaufać, a potem zaszył się w gabinecie, który kiedyś należał do Jakuba, i otworzył jego komputer. Jakiś czas temu zdecydował się wezwać informatyka, by złamał hasło, miał więc teraz jak na dłoni wszystkie dane, które Jakub zgromadził w Dellu.

Niestety, wyszukiwarka nie znalazła żadnej wzmianki o HV475.

Albo to nie był ten komputer, albo... wszystko o tym draństwie wykasowano.

– Pani Anno – rzucił Łukasz do interkomu sfrustrowany bezowocnymi poszukiwaniami – proszę poprosić do mnie Adama Wrońskiego – to był ich informatyk.

Młody mężczyzna zapukał w uchylone drzwi parę minut później. Łukasz skinął nań, wskazał opornego Della i rzekł głosem nie znoszącym sprzeciwu:

– Wyjmij z niego dysk i odzyskaj wszystkie dane, jakie były na nim zapisane od momentu, gdy zszedł z taśmy montażowej w Chinach, rozumiesz?

– Oczywiście, szefie, żaden problem. Na kiedy szef chce je mieć?

– Na przedwczoraj.

– Robi się. – Chłopak, widząc, że Łukasz bynajmniej nie żartuje, wypadł z gabinetu, by po chwili wrócić z kompletem małych śrubokrętów. W parę minut rozkręcił obudowę, wypiął twardy dysk i zniknął z nim, zapewniając, że da znać, gdy tylko odczytają jego zawartość.

Łukasz przez chwilę się zastanawiał, czy nie towarzyszyć Adamowi od początku do końca, by nikt po drodze nie przechwycił pliku z HV475, ale chłopak uprzedzał, że zajmie to kilka godzin. Łukasz nie mógł sobie pozwolić na stratę tych godzin, gapiąc się bezczynnie, jak czarodzieje od komputerów włamują się do twardego dysku, on musiał... popytać u źródła.

I pół godziny później tam właśnie się znalazł.

Laboratorium Farmiki mieściło się kilkanaście kilometrów od Wrocławia. Był to niczym nie wyróżniający się budynek, który stał przy zwykłej dwupasmówce, nawet nie oznaczony logo firmy. Mógł robić zarówno za hurtownię bananów, jak i tajną fabrykę broni.

Łukasz rzadko tam zaglądał, prawdę mówiąc, po śmierci Jakuba nie był w laboratorium ani razu, bo, po pierwsze, nie sygnalizowano żadnych problemów, po drugie, do dokumentów z nim związanych Hardy jeszcze nie dotarł zasypany papierami z sieci hurtowni. Teraz nadszedł czas, by przyjrzeć się bliżej tej części imperium Jakuba Kilińskiego, za którą on być może zapłacił życiem. I która zagrażała Kamili...

Ta myśl zmroziła Łukasza, gdy wysiadał ze służbowego samochodu i ruszał w stronę biura.

Sekretarka poznała go, rzecz jasna, i przywitała uśmiechem oraz grzecznym:

– Dzień dobry, panie prezesie. Czy mam podać kawę albo herbatę?

Podaj mi HV475 na tacy, a będę ci dozgonnie wdzięczny – pomyślał, a na głos odparł:

– Proszę przysłać kierownika laboratorium.

Wszedł do pokoju, który wcześniej należał do Jakuba, i rozejrzał się. Biurko było puste. Pod ścianą stał regał, a na nim równo poustawianie segregatory, oznaczone symbolami podobnymi do tego, którego szukał Hardy. Jednak HV nie było. Albo on go nie znalazł.

– Oczywiście, że nie znalazłeś, idioto, segregatora z tak trefnym towarem – mruknął do siebie, kręcąc głową nad swoją głupotą – bo gdyby ktoś zaczął grozić ci śmiercią, ukryłbyś te cholerne dokumenty albo zniszczył. A gdzie byś je ukrył? Oczywiście w sejfie. Nie. To nie jest takie oczywiste... – Łukasz zamyślił się. Jeżeli prace nad tym czymś miałyby trwać, rzeczywiście dokumentację zamknąłby w sejfie, by w razie czego naukowcy mieli do niej dostęp. Jeżeli jednak prace zostałyby zakończone albo... przerwane, Łukasz ukryłby dokumenty gdziekolwiek, choćby zakopał w ogrodzie Kamili, byle tylko nie wpadły w łapy szantażystów.

Bezradnie rozejrzał się po pokoju.

W tym momencie zapukano do drzwi i wszedł szczupły mężczyzna w białym fartuchu i okularach na nosie. Gdyby nawet Łukasz go nie wezwał, nie miałby wątpliwości, że ma przed sobą naukowca, wręcz hollywoodzki typ laboranta z krwi i kości.

Wyciągnął do niego rękę i przeczytawszy na plakietce, że ten nazywa się Zenon Jasiak, zagaił:

– Miło mi pana poznać, panie Zenonie. Prezes Kiliński wypowiadał się o panu w samych superlatywach.

Mężczyzna wyraźnie posmutniał.

– To straszna strata – wymamrotał szczerze. – Bardzo szanowałem i lubiłem prezesa za to, czego dokonał.

No właśnie – pomyślał Łukasz. – A czego dokonał?

Nie mógł jeszcze zapytać wprost. Owszem, był następcą Jakuba i nikt tego nie podważał, jeśli jednak HV475 było śmiertelnie niebezpieczne, a było, ten człowiek może jemu, Łukaszowi, nie ufać...

– Nad czym obecnie pracujecie? Dostałem budżet na ten rok do zaakceptowania i muszę wiedzieć, czy przyznać wam tyle pieniędzy, o ile wnosiliście, czy też...

– Panie prezesie, my nie naciągamy firmy na koszty! – wykrzyknął naukowiec ze szczerym oburzeniem. – Potrzebujemy każdej złotówki i każdego euro, o jakie prosimy. Mamy w zaawansowanych stadiach badania nad kilkoma preparatami, w tym nad unikalnym lekiem na stwardnienie rozsiane, i zaprzestanie badań może odebrać nadzieję milionom ludzi na całym świecie! Pracujemy nad szczepionką przeciwko boreliozie. Odkryliśmy ciekawe właściwości pewnej bardzo rzadkiej rośliny z amazońskiej dżungli...

Jeśli Łukasz miał nadzieję, że naukowiec piśnie choć słowem o tym, o czym on coraz rozpaczliwiej chciał usłyszeć, to się rozczarował.

Powiedz wreszcie, że właśnie skończyliście pracę nad cholernym HV475! Wspomnij chociaż, czym to cholerstwo jest!

Ale naukowiec rozwodził się nad halucynogenem z Amazonii...

Łukasz wreszcie nie wytrzymał.

Wstał, podszedł do drzwi i na oczach zdumionego laboranta zamknął je, przekręcając zamek w drzwiach. Odwrócił się ku mężczyźnie, a ten... nagle zrozumiał. Zbladł i zrobił krok w tył, jakby Łukasz za moment miał go zamordować, bo rzeczywiście miał na to ochotę.

– No dobrze, panie Jasiak – zaczął. – O dżungli już się nasłuchałem. O boreliozie i stwardnieniu rozsianym również. Proszę mi powiedzieć, co panu wiadomo o... HV475.

W pokoju zapadła martwa cisza. Zenon Jasiak patrzył na Łukasza, Łukasz na niego.

Milczenie przedłużało się.

Łukasz coraz bardziej tracił cierpliwość, laborantowi na czoło wystąpiły krople potu, jakby się zmagał z niewidzialną siłą.

– Chce pan ją im sprzedać czy zakończyć badania? – wydusił wreszcie, a Łukaszowi rozbłysły oczy. Wreszcie! Jest jakiś trop! Pojawiła się jakaś „ona"! – Jesteśmy tak blisko... – dokończył szeptem tamten.

Bardzo blisko. Śmiertelnie blisko – zgodził się z nim w duchu Hardy. – Tylko co to, do cholery, jest?!

– Ta szczepionka może uratować miliony ludzi – próbował go przekonać naukowiec, nie mając pojęcia, że Łukasz nie wie, co to za szczepionka, a jako prezes firmy nie może się z tym zdradzić! Szczególnie jeśli jest to projekt tak tajny, że nie ma o nim wzmianki w żadnych dokumentach!

I nagle... olśniło go. HIV! W laboratorium Farmiki Ltd. wynaleźli szczepionkę przeciwko HIV!!! Tylko dlaczego ktoś za to miałby zabijać Jakuba, zamiast dać mu Nagrodę Nobla?! I jak o to zapytać kierownika laboratorium? Może wprost?

– Panie Zenonie, będę z panem szczery – zaczął, ważąc każde słowo – Jakub nie zdążył mnie wtajemniczyć we wszystkie aspekty Farmiki. Zginął nagle, w wypadku, więc wiem właściwie tyle, co jako wiceprezes już wiedziałem.

Naukowiec skinął głową, a jego twarz znów posmutniała.

– O pracy laboratorium nie wiem właściwie nic – ciągnął Łukasz. – Odkryliście szczepionkę przeciwko HIV... – Skinięcie głową potwierdziło przypuszczenia Łukasza, co przyjął z ulgą, już nie szukał po omacku, teraz wiedział, czego szukać. – I...?

– Pan Jakub miał ją zgłosić do dalszej fazy badań, gdy... zaczęły się kłopoty. To był ściśle tajny projekt, to oczywiste, wszystkie koncerny na świecie chciałyby mieć w rękach tę żyłę złota, ale część wcale by sobie tego nie życzyła – mężczyzna, jak już raz zdecydował się wyjawić prawdę, tak teraz wyrzucał z siebie słowa, niczym karabin maszynowy. Łukasz tylko stał oparty o brzeg biurka z rękami splecionymi na piersiach i słuchał. – Większe zyski są z leczenia niektórych chorób niż z ich zapobiegania. Gdyby udało się nam, takiej małej firmie, wyprodukować skuteczną szczepionkę przeciwko wirusowi HIV, my zarobilibyśmy krocie, a inni straciliby po wielokroć więcej, bo zapotrzebowanie na leki, które teraz podaje się chorym, drastycznie by spadło, w końcu nawet do zera. Nie byłoby czego leczyć, rozumie pan?

Tak, to było jasne jak słońce. I Łukasz już wiedział, kto mógł stać za morderstwem Jakuba: konkurencja. Ta sama, która wczoraj rano złożyła propozycję nie do odrzucenia także i jemu: albo odpuścisz sobie tę szczepionkę, frajerze, albo Kamila pójdzie do piachu, jak jej ojciec.

– Zapytał pan na początku, czy chcę ją sprzedać, czy zakończyć badania – zaczął Łukasz cicho, pilnując, by głos mu nie drżał tak, jak drżało wewnątrz całe ciało z ledwo hamowanej furii. – Kto chciał ją kupić?

– Wszyscy! – wykrzyknął mężczyzna zdziwiony, że pytają go o taką oczywistość. – Wszyscy, którzy o niej wiedzieli. Ale kto dokładnie... – Rozłożył ręce i pokręcił głową.

Łukasz ledwo powstrzymał się od wybuchu.

Kurrrwa! – zaklął w myślach. – Gdybym to wiedział, oddałbym im tę cholerną szczepionkę za darmo! Niech ją sobie w dupę wsadzą, byle tylko Kamila była bezpieczna! Czemu tego nie zrobiłeś, egoistyczny sukinsynu?! – to było skierowane do Jakuba. – Miałeś za mało kasy?! Nie mogłeś „odpuścić" HV475 i cieszyć się życiem, miłością Gosi i swoim synkiem?! Ty pazerny skurwielu!

– Tylko widzi pan, panie prezesie, jeśli wielki koncern kupiłby od nas tę szczepionkę – mówił dalej naukowiec, zupełnie nie zdając sobie sprawy z burzy uczuć, jakie miotały Łukaszem – nic by się nie zmieniło.

Nie no, zupełnie nic! Wprawdzie Jakub by żył, ale dla ciebie, maszyno do badań, nic by się nie zmieniło!

– Oni nie wprowadziliby tej szczepionki do obrotu, bo bardziej opłaca się leczyć, niż szczepić. I na to nie mógł pozwolić pan Kiliński.

Łukasz nagle stracił oddech. I wszystko nabrało sensu.

Jakub był idealistą – chociaż twardo stąpał po ziemi i miał głowę do interesów jak nikt inny, to jednak był marzycielem. W jego ukochanym laboratorium wynaleziono szczepionkę na jedną z plag XXI wieku, a on to odkrycie miałby oddać w łapy pazernych koncernów farmaceutycznych? I nie po to, by zaczęły produkować tę szczepionkę, ale – przeciwnie – żeby ją zniszczyły i nikt nigdy się o niej nie dowiedział? Umieraliby ludzie, bo koncernom wciąż jest mało i mało forsy, jaką zbijają na leczeniu?

To dlatego cię zamordowali, przyjacielu... – Łukaszowi gardło ścisnęło się boleśnie.

– Jak zaawansowane są badania? – zapytał łamiącym się głosem. To jeszcze musiał wiedzieć. Jak bardzo o n i zagrażają Kamili.

– HV475 jest gotowa do testów na ludziach.

Czyli bardzo.

A teraz ty, Łukaszu Hardy, stajesz przed wyborem, przed jakim pół roku temu stanął Jakub: miliony istnień ludzkich czy jedna jedyna Kamila?

Co wybierzesz? Czyją śmiercią zaryzykujesz?

Łukasz przytrzymał się biurka, jakby otrzymał cios prosto w serce, a potem... minął naukowca i wyszedł. Po prostu wyszedł.

Szedł przed siebie niczym lunatyk. Stawiał krok za krokiem, nie wiedząc, dokąd idzie. Głowa pękała mu od natłoku myśli, oczy piekły od łez wściekłości. Na niego, na Jakuba.

Zatrzymał się pośrodku jakiegoś pola. W zasięgu wzroku nie było żadnych zabudowań.

Spojrzał w górę, w czyste błękitne niebo.

Uciekłeś, tchórzu, stawiając mnie przed takim wyborem, jaki ty dostałeś! – krzyczał bezgłośnie i klął przyjaciela najgorszymi słowami. – Co robić? Co ja mam robić?! Może skoro ty masz już te rozterki z głowy, oświecisz mnie? Przecież ponoć kochałeś mnie jak brata! Może podpowiesz, jak uratować i twoją córkę, którą, tak się głupio złożyło, kocham nad życie, i te parę milionów ludzi, których może ocalić pierdolona HV475. No, Jakub, masz jakiś pomysł? Podpowiesz mi coś? Tam, z góry?

Nagle przyszło mu do głowy, że Michał mógł mieć rację... Łukasza zmroziła ta myśl. Czy możliwe, by Kiliński otrzymał podobny list i – nie potrafiąc podjąć decyzji – rzeczywiście uciekł? Czy mógł upozorować swoją śmierć, licząc, że problem rozwiąże się bez jego udziału, a on po wszystkim, nagle, cudownie zmartwychwstanie, wciskając tym, którzy go opłakiwali w listopadowy poranek, bajeczkę o wypadku i amnezji?

Nieee... To wydało się Łukaszowi zupełnie nieprawdopodobne. Jakub nie był tchórzem i nie bał się odpowiedzialności.

Czy jednak rzeczywiście?

A manipulacja nim, Łukaszem, i Kamilą? A cały pomysł z założeniem Armiki, by mieć córkę pod kontrolą? A pozostawienie jej w żałobie po śmierci matki na długie osiem lat bez słowa?

Jaki naprawdę byłeś, Jakubie Kiliński?

Czy byłeś tym mężczyzną, który ryzykując życiem, ściągnął mnie z ognia pakistańskich bandytów? A może bezmyślnym, nieodpowiedzialnym kretynem, któremu ja uratowałem życie, wtedy, nad przepaścią, bo zupełnie nieprzygotowany na wyprawę w góry, „chciałeś pozwiedzać"?

Wydawało mi się, że znam cię lepiej niż własnych braci, ale tak naprawdę byłeś zupełnie nieobliczalny. I tak, Michał ma rację, byłbyś w stanie sfingować swoją śmierć, bo raz już to zrobiłeś, prawda? Kamila, twoja córka – na Boga! – przez osiem lat była przekonana, że nie żyjesz, bo przecież odezwałbyś się do niej. Nie odszedłbyś bez pożegnania. Jak jednak mógłbyś uczynić to samo Małgosi? Miałbyś sumienie zadać jej taki ból?

Pod Łukaszem ugięły się nogi. Ukląkł ciężko, zgiął się wpół i schował głowę w ramionach.

A może stałeś ukryty gdzieś daleko, tam, na cmentarzu, i patrzyłeś na jej rozpacz. Jej, Kamili, moją...

Dosyć!!!

Łukasz poderwał się, wbijając palce we własną dłoń tak mocno, że po paznokciach zostały krwawe półksiężyce. Ten ból był łatwiejszy do zniesienia. Otrzeźwił go.

Mężczyzna rozejrzał się i zdziwił zaskoczony rozciągającą się dookoła pustką. Gdzieś daleko musiała być szosa, bo od czasu do czasu widział dach przejeżdżającego samochodu, żaden jednak odgłos nie mącił otaczającej go ciszy.

Wściekłość i żal wypierała zimna, wręcz lodowata determinacja. Czas poszukać odpowiedzi na pytania. Potem przyjdzie pora na podejmowanie decyzji i dokonywanie wyborów. Najpierw jednak on, Łukasz, musi poznać prawdę.

Kwadrans później znalazł się na poboczu szosy. Dokąd teraz? W którą stronę do laboratoriów? Nagle zobaczył nadjeżdżającą ciężarówkę z logo Farmica Ltd. Niewiele myśląc, wyszedł na środek drogi i stanął. Samochód zatańczył na jezdni, gwałtownie hamując. Łukasza w ogóle to nie obeszło, bo prawdę mówiąc, nie miałby nic przeciwko temu, by zginąć w ten piękny marcowy dzień. Nie musiałby podejmować działań, przed którymi uciekł ktoś mądrzejszy od niego.

Kierowca wychylił się przez okno ciężarówki i rzucił wiązankę przekleństw, kończąc ją wściekłym pytaniem:

– Życie ci niemiłe, człowieku?

Łukasz podszedł do niego i całkowicie beznamiętnym tonem powiedział:

– Jestem prezesem firmy, dla której pracujesz. Zawieziesz mnie do biura we Wrocławiu.

Tamten zbaraniał.

Wytrzeszczył oczy, przyglądając się młodemu mężczyźnie, ubranemu w porządną marynarkę, koszulę i spodnie dobrej firmy, który w oczach barwy stali miał coś, co kazało zdjąć nogę z gazu i mruknąć:

– Wsiadaj pan. Prezes czy nie, podwiozę.

I znów Łukasz wchodził do biura witany przez zaniepokojoną jego zniknięciem sekretarkę. Ku zdumieniu kierowcy wybiegła mężczyźnie naprzeciw i z okrzykiem:

– Panie prezesie, dobrze, że pan wrócił, mam dla pana przesyłkę! – wręczyła Łukaszowi kurierską kopertę. Tym razem jednej z dużych korporacji. Podpisaną ręką Kamili.

Łukaszowi ścisnęło się serce.

Podziękował sekretarce, wszedł do swojego gabinetu i zamknął za sobą drzwi, ale nim otworzył przesyłkę, zadzwonił do działu informatyki.

– Adam, masz dysk z tego Della?

– Jeszcze nad nim pracujemy, panie prezesie.

Łukasz odetchnął z ulgą. W tej chwili, gdy nie był pewien niczego ani nikogo, nie chciał, by ktokolwiek więcej poznał tajemnicę HV475...

– Przynieś mi go z powrotem.

Dopiero po wyjściu informatyka, gdy dysk leżał bezpiecznie na dnie torby podróżnej, Łukasz otworzył przesyłkę. Były w niej dokumenty, a oprócz nich krótki list. Dosłownie dwa zdania.

„Kocham Cię. Wróć do mnie".

Łukasz złożył kartkę na czworo, wsunął do kieszeni na piersi, zarzucił torbę na ramię i był gotów do drogi. Najpierw raz jeszcze Kraków. Potem... Potem być może Warszawa, a dokładniej: cmentarz na Bródnie. Dopiero wtedy gdy uzyska odpowiedź na najważniejsze pytanie, będzie mógł wrócić do domu. Do Kamili.

# *Rozdział VII*

*Tulipan – urocze, różnokolorowe, gładkie i postrzępione, niegdyś warte fortunę, dziś po prostu tulipany, które mówią „chcę cię przytulić". Zadziwiające: wstawiasz do wazonu zielone pąki, a one zaczynają rozwijać się i nabierać kolorów z minuty na minutę. Któż nie kocha tych radosnych wiosennych kwiatów?*

Dźwięk komórki w ciszy bieszczadzkiej nocy poderwał Julię na równe nogi. Przez chwilę rozglądała się półprzytomna, po czym spojrzała na wyświetlacz. „Dorzuć węgiel!" – wołał telefon niemal ludzkim głosem.

Kobieta wstała i niczym zombie powlokła się do piwnicy. Beza, zdziwiona nagłą pobudką i tak samo rozespana jak jej pani, poszła za nią. W piecu dopalały się resztki węgla. Zdążyła!

Dosypała do pełna i czym prędzej wróciła do ciepłego łóżka. Długą chwilę leżała, wpatrując się niewidzącym spojrzeniem w sufit. Księżyc nieśmiało zaglądał przez tarasowe okno, nieco rozjaśniając ciemność nocy.

Jeżeli tak ma wyglądać reszta mojego życia – myślała Julia – pobudka w nocy i nad ranem, odśnieżenie podjazdu przed domem, gdy sypnie śniegiem, ratowanie, czego się da, gdy zaleje... Długo tu nie wytrzymam. Nienawidzę tego domu. Nienawidzę ciszy, która wieczorem może i wydawać się romantyczna, ale teraz po prostu mrozi krew w żyłach. Nienawidzę tych cholernych świerków, które wyglądają jak czające się za oknem demony. Nienawidzę sklepu, do którego nawet nie pojechałam, bo bałam się, że zabłądzę, w związku z czym jutro będę wpieprzać na śniadanie suchą karmę dla kotów. A najbardziej nienawidzę samej siebie za to, co sobie, na własne życzenie i przez własną głupotę, zrobiłam. Nienawidzę...

Rozpłakała się.

Łkała wtulona twarzą w poduszkę, a Beza, która bardzo chciała pocieszyć swoją panią, ale nie wiedziała jak, przyglądała się drżącym plecom i mruczała, jak to ona.

Nagły łomot gdzieś w górze sprawił, że Julia krzyknęła i usiadła. Łzy zastygły w zogromniałych z przerażenia oczach. Serce waliło tak, jakby zaraz miało wyskoczyć z piersi i schować się pod łóżko. Kot przyglądał się sufitowi ze zjeżoną sierścią, równie przestraszony co Julia.

Łomot powtórzył się.

Ktoś był na strychu!

Ktoś włamał się do domu i za chwilę...

Trzęsącymi się dłońmi Julia chwyciła za telefon i dławiąc się z przerażenia własnym oddechem, wybrała numer Grzegorza. Powinna zadzwonić na policję, ale nim policja tu dojedzie...

Odebrał po trzecim sygnale, rzucił zaspane:

– Słucham?

– Grzegorz, ktoś tu jest! – zaszeptała Julia, wpatrując się w sufit.

– Gdzie? W twoim domu? – głos mężczyzny wyraźnie się wyostrzył.

– Na strychu! Wskoczył do środka przez okienko, a potem...

– Twój strych nie ma okienka – zauważył przytomnie.

– To przez komin!

– Jula, musiałby być Świętym Mikołajem...

– Nie żartuj sobie ze mnie! Ktoś tu jest!

– Przepraszam. Ukryj się gdzieś z czymś ostrym w ręku. Już do ciebie jadę. I miej pod ręką telefon.

Kiwnęła głową, choć nie mógł tego widzieć, po czym spełzła z łóżka na podłogę i ostrożnie, na czworakach, zaczęła sunąć w kierunku kuchni. Na strychu znów coś zaszurało. Julia przytknęła dłoń do ust, by nie krzyczeć. Poderwała się, dopadła kredensu, chwyciła pierwszy z brzegu nóż i pędem wróciła do sypialni. Chwilę potem wpełzła pod łóżko. Kot przyglądał się jej, ni to zdziwiony, ni zafrasowany, siedząc na jego skraju.

Sekundy zdawały się nie mieć końca, minuty rozciągnęły w godziny. Po policzkach Julii znów zaczęły płynąć łzy.

Nie zostanę tu ani chwili dłużej! – krzyczała w myślach, modląc się o przyjazd sąsiada. – Zabiorę się razem z Grzegorzem i... ani chwili dłużej! Niech ten dom się rozpada. Chrzanić go!

Gdy wreszcie usłyszała zbliżający się warkot silnika, była ledwo żywa ze strachu.

– Julia, to ja! – zawołał Grzegorz od progu, by spanikowana kobieta nie poczęstowała go czymś ciężkim.

Z sypialni wychynął śmiertelnie blady duch w długiej białej koszuli. Przebiegł przez korytarz i rzucił się mężczyźnie na szyję, wtulając się w niego całym drżącym od płaczu ciałem. Odruchowo objął kobietę ramionami.

– Zdaje się, że przyjechałem nie w porę – rozległ się nagle głos od drzwi. Głos, na dźwięk którego Julia zesztywniała i... odwróciła się powoli.

– Janek...? – wyszeptała z niedowierzaniem, wyplątując się z ramion Grzegorza i robiąc krok w kierunku mężczyzny, który stał na progu. Stał z mało przyjaznym wyrazem twarzy, szczerze mówiąc. Przejechał pół Polski nie po to, by zastać kobietę, którą nadal kochał, w ramionach innego, choćby ten uratował mu życie, wskazując w ciemnościach drogę.

– Zostawię was tutaj, a sam pójdę sprawdzić ten strych – odezwał się Grzegorz i skierował w stronę schodów.

Julia stała naprzeciw Jana Czajki zupełnie oniemiała, jakby to on przypominał ducha, a nie ona.

– Przyjechałem, żeby porozmawiać – zaczął. – Szybko zapadła noc, zabłądziłem, a ten facet, Grzegorz jakiś tam, podobno twój sąsiad, spotkał mnie po drodze i kazał jechać za swoim samochodem. Nie wiedziałem, że jesteście... blisko.

– Nie tak znowu blisko. Mieszka po drugiej stronie wzgórza – odezwała się Julia, wciąż niedowierzając, że go widzi. To jakiś dziwny, choć piękny sen. Zaraz obudzi ją dźwięk alarmu, ona pójdzie dorzucić do pieca, po czym położy się i zaśnie, by spać spokojnie aż do rana. Kiedy to znowu, o szóstej, obudzi ją komórka i...

– Jula... – rzekł miękko, robiąc krok w jej stronę.

Cofnęła się, kręcąc głową.

– Nie wierzę. Po prostu nie wierzę, że to ty. – I nagle była w jego ramionach, czuła ich siłę i ciepło jego ciała. Objął ją równie mocno. Pochylił głowę, zanurzył twarz w jej włosach i wdychał piękny zapach tej kobiety. Kobiety, której nigdy nie przestał kochać, mimo że złamała mu serce.

Drżała, płacząc cicho, żałośnie, jak małe skrzywdzone dziecko.

– Tak się bałam... – usłyszał jej szept i tylko przytulił ją jeszcze mocniej.

Na schodach zadudniły kroki Grzegorza. Julia, zmieszana, wysunęła się z objęć Janka i przeniosła na sąsiada lśniące od łez oczy.

– To kuna, tak jak myślałem – odezwał się, próbując nie patrzeć na ciało kobiety, prześwitujące przez cienką bawełnę nocnej koszuli. – Jutro trzeba zabić deską dziurę, przez którą wchodzi, to nie będzie więcej straszyć. Poradzi pan z tym sobie? – zwrócił się do mężczyzny, który opiekuńczym gestem obejmował Julię wpół.

– Nie „pan". Janek Czajka jestem.

Podali sobie ręce i uścisnęli mocno.

– Mogę zostawić sąsiadkę pod twoją opieką? – Grzegorz raczej stwierdził, niż zapytał i nim tamten przytaknął, pożegnał się krótko i wyszedł.

Po chwili usłyszeli warkot silnika, który zaczął się oddalać. Zapadła cisza, nabrzmiała od emocji i niewypowiedzianych słów.

Julia, która jeszcze przed chwilą wisiała Jaśkowi na szyi, teraz stała krok od niego nagle onieśmielona.

– Może ubierz się w coś, bo zmarzniesz. – Zdjął kurtkę i podał kobiecie. Owinęła się nią po czubek nosa.

Stali w korytarzu, patrząc na siebie w milczeniu.

Jak ja za tobą tęskniłem – mówiły jego oczy.

Nigdy nie przestałam cię kochać – odpowiadała bez słów.

Powinna zaproponować mu coś do jedzenia i gorącą herbatę po długiej podróży, ale... on nie pragnął niczego więcej, niż zanurzyć palce w jej włosach, przyciągnąć głowę kobiety do siebie i całować jej usta dotąd, aż oboje stracą oddech. Potem wziąć ją na ręce, zanieść do sypialni i kochać tak, aż zacznie krzyczeć w chwili uniesienia jego imię. O tym właśnie marzył.

I to właśnie zrobił. Przygarnął ją do siebie jednym ruchem ramienia, wsunął palce w kasztanowe włosy, lśniące srebrzyście w świetle księżyca, i zaczął całować jej rozchylone, miękkie usta. A gdy ona nie protestowała – przeciwnie, odpowiedziała równie żarliwym pocałunkiem... Pragnienie, ukrywane przed samym sobą wiele, wiele lat, przerwało tamy. Janek, nadal całując ją tak, że zaczęła pojękiwać cichutko, błagalnie, jednym ruchem dłoni podwinął jej koszulę. Ciepło nagiej skóry ukochanej kobiety, jej smak i zapach sprawiły, że stracił resztę rozsądku. Wbił Julię plecami w drzwi, które skrzypnęły w proteście, rozpiął spodnie, odnalazł drogę do jej ciepłego, wilgotnego wnętrza, a potem posiadł ją gwałtownie i namiętnie, właśnie tak, jak sobie wymarzył – w chwili rozkoszy słysząc, jak krzyczy jego imię...

Oparli się o drzwi złączonymi ciałami, ciągle drżąc od orgazmu. Trwali tak przez kilka uderzeń serca, oddychając ciężko, jak po długim biegu, bo też długa była ta podróż, na końcu której znów się odnaleźli.

– Przepraszam, chyba mnie poniosło – wyszeptał, ale ona zamknęła mu usta pocałunkiem.

Czując, że było mu mało, że znów jest gotów, wziął ją na ręce i ufnie wtuloną, zaniósł do sypialni, której okna wychodziły na taras skąpany w księżycowym świetle. A potem kochał do świtu, aż wreszcie zasnęli, wyczerpani i szczęśliwi, w swoich ramionach.

Kuna zaś mogła harcować od tej pory po strychu do woli.

Dźwięk komórki obudził dwoje kochanków godzinę później.

– Na miłość boską, kto o tej porze... – zaczął Janek.

– Piec – wpadła mu w słowo Julia, pocałowała go i, chyba jeszcze bardziej nieprzytomna niż kilka godzin wcześniej, powędrowała do piwnicy. Łomot dwa piętra wyżej – wyraźnie zwierzak znów coś przewrócił – nie zrobił na kobiecie żadnego wrażenia. W domu był mężczyzna, który poradzi sobie nie tylko z jakąś marną, nawiedzoną kuną...

Stanął właśnie w drzwiach piwnicy i widząc Julię, nabierającą szufelką węgiel, zbiegł do niej po schodkach. Najpierw narzucił jej na ramiona kurtkę, bo oczywiście wstała z łóżka w samej koszuli – dziwne, że po nocy namiętności w ogóle coś na sobie miała – po czym odebrał jej szufelkę i sam zaczął karmić piec do syta.

– I ty tak codziennie? Czy raczej co noc? – rzucił przez ramię.

– Jeśli pytasz o palenie w piecu, to owszem – odparła. – Jeśli o seks, to nie.

Parsknął śmiechem.

– Choć prawdę mówiąc, to moja druga noc w tym domu i pierwsza, w którą ten cholerny piec nie zgasł. Poprzednio zaspałam. Dobrze, że mam sąsiada, który umie to cholerstwo rozpalać...

– Zdajecie się być w dość zażyłych stosunkach – zauważył od niechcenia.

– Tu trzeba być z sąsiadami w zażyłych stosunkach. Jesteśmy zdani sami na siebie. Policja czy pogotowie są kilometry stąd. W razie czego możesz liczyć tylko na sąsiada, tak mi powiedział Grzegorz – wyjaśniła i dodała w następnej chwili – Ale teraz mam ciebie.

Odłożył szufelkę na miejsce i zwrócił się do Julii. Płomienie, padające przez otwarte drzwiczki, tańczyły na twarzy kobiety, na kasztanowych włosach i w zielonych oczach, czyniąc ją zjawiskowo piękną. Gdyby mógł, zatrzymałby tę chwilę na resztę życia, ale on musiał być uczciwy i względem niej, i samego siebie.

– Mam żonę – powiedział i patrzył, jak oczy Julii ciemnieją, jak uśmiech znika z twarzy, a ramiona opadają.

Cofnęła się o krok zraniona do głębi.

– Nie mogłeś tego powiedzieć przed? – zapytała szeptem.

– Nie chciałem – odparł równie cicho.

Uniosła dłoń do uderzenia, bo należało mu się!, powinien dostać w twarz, ale... ręka opadła bezwładnie.

– Jula – odezwał się miękko. – Ja wytłumaczę...

– Daj spokój – uciszyła go gestem dłoni, minęła na progu i ruszyła schodami w górę. – Wiem, wiem, śpiewka stara jak świat: ona cię nie rozumie, od dawna jesteście osobno i tak naprawdę już nic was nie łączy.

Zatrzymał ją, nim dotarła do najwyższego schodka, odwrócił szarpnięciem ku sobie.

– Ona ma kochanka. Nie pierwszego i nie ostatniego... – zaczął.

– Więc się zemściłeś?! – syknęła. – Wykorzystałeś mnie, niczym... niczym... – słowo „kurwa" nie przeszło jej przez gardło. On wpił palce w jej ramiona, zacisnął tak, że syknęła powtórnie, tym razem z bólu, i wycedził:

– Przyjechałem tu, bo cię kocham. Od zawsze. I pewnie kochać cię będę do końca życia. Jesteś moim przekleństwem. A jeśli kogoś wykorzystałem, to Monikę, moją żonę, bo wziąłem z nią ślub na złość tobie. Kiedyś mnie kochała, ale w końcu pojęła, że ja nigdy nie zapomnę o Julii Staneckiej, i to ona zaczęła się dla odmiany mścić. Możemy przerwać to błędne koło. Ja mogę. O ile ty dasz mi szansę.

– Ja? Tobie? Na co? Na upojne noce raz w miesiącu? – prychnęła urażona do żywego. – Ja się nie nadaję na kochankę. Ja chcę mieć normalny dom, kochającą się rodzinę, męża, który wraca po pracy nie po to, żeby przerzucać kanały w telewizji, a po to by być ze mną...

– Ja też tego chcę – rzekł, ponownie zaciskając palce na jej ramionach. – Daj mi szansę. Daj ją nam obojgu. Na Boga, Julia, nie schrzań tego po raz drugi! – krzyknął doprowadzony do ostateczności.

Ona oniemiała. Po raz nie wiadomo który w ciągu ostatnich godzin odebrało jej mowę.

– Wniosę pozew o rozwód i dostanę go, czy Monika tego chce czy nie, a potem... Potem wrócę tu i poproszę cię o rękę.

Sięgnął do kieszeni kurtki, którą wcześniej okrył ramiona kobiety, i wyciągnął z niej mały, skromny pierścionek. Ten sam, który podarował Julii, gdy byli szczenięco w sobie zakochani, jeszcze w liceum, i ten sam, który ona odesłała mu, przyjmując nie tyle oświadczyny, co ofertę Sterna. Patrzyła na klejnocik szeroko otwartymi oczami, nie wierząc, że widzi go po tylu latach. Że Janek zachował ten dowód jej, Julii, zdrady. Ale też miłości.

– Poczekasz na mnie? – zapytał cicho.

– Poczekam – wyszeptała, a on wsunął jej pierścionek na serdeczny palec.

Poczuła tak silne wzruszenie, że nogi się pod nią ugięły. Usiadła tam, gdzie stała. Na progu schodów prowadzących do piwnicy, a Janek nie próbował jej brać na ręce i nieść do sypialni. Usiadł obok niej i splótł palce z jej palcami. Trwali tak, bliżsi sobie niż godzinę wcześniej w chwilach rozkoszy, ciesząc się tą bliskością.

Julia pokręciła głową.

– Gdyby jakaś wróżka mi przepowiedziała, że tutaj, w tej chałupie, gdzie kończą się wszystkie drogi i cała cywilizacja, odnajdę miłość sprzed lat, chyba zabiłabym ją śmiechem – powiedziała cicho i rzeczywiście zaśmiała się. – Ty w to wierzysz?

– Jeszcze nie. Ale im mi zimniej, tym bardziej jestem skłonny uwierzyć, że to jawa, a nie sen – odparł żartobliwie.

– Gdyby nie mój kot, nie dostałbyś tego maila – w jej głosie ponownie zabrzmiało niedowierzanie i... strach. Skasowałaby wiadomość i kasowałaby każdą następną, tracąc szansę na to, co być może nastąpi.

– Kupię mu cały karton najlepszych kocich puszek w podzięce.

– Jej. To Beza. Przygląda się nam z korytarza i dziwi, czemu siedzimy jak dwoje idiotów, trzęsąc się z zimna, na progu piwnicy, skoro mamy do dyspozycji całe wielkie i rozkosznie ciepłe łóżko.

– Rozkosznie, mówisz? – wymruczał, po czym wstał i podał jej rękę.

Łóżko było rzeczywiście tak wielkie, miękkie i ciepłe, jak obiecała. Sprawdzili to tego dnia jeszcze kilka razy...

Ale wreszcie przyszedł czas, gdy Janek powiedział z niechęcią:

– Muszę wracać, doprowadzić sprawy do końca. Pamiętaj, co obiecałaś.

Julia obróciła na palcu srebrny pierścionek z dwoma rubinami.

– Będę na ciebie czekać – powtórzyła z tak niezachwianą pewnością, że on mógł spokojnie wyjeżdżać, by kiedyś, już niedługo, wrócić tu, do Chatki Dorotki, do swojej Julii, i zostać. Na zawsze.

# Rozdział VIII

*Mieczyk – jak sama nazwa wskazuje, działa ochronnie, wzmacnia, dodaje odwagi. Na długiej łodydze, przytulone do liści w kształcie miecza, kryją się piękne kwiaty o kształcie małych lilii i w najprzeróżniejszych kolorach. Rabata z mieczyków ucieszy każdego. No i ochroni przed złym losem...*

– Cześć, kochana moja... – Kamila na dźwięk tego głosu, a szczególnie tonu, jakim Łukasz wypowiedział pierwsze słowa, niemal się rozpłakała. Z ulgi. I złości na tego nieczułego drania, który wybiega z domu bez słowa wyjaśnienia!

– Łukasz... – zdobyła się jedynie na szept.

– Wybaczysz mi, najmilsza, to zniknięcie? – Jego słowa były pełne czułości, ale jeszcze czegoś, jakiejś dziwnej nuty, której Kamila nie potrafiła rozszyfrować. – Mam naprawdę poważne kłopoty z firmą.

– I firma jest ważniejsza ode mnie?! – rzuciła oskarżycielsko. – Jest tak ważna, że wsiadasz w samochód i odjeżdżasz, bez głupiego „żegnaj, Kamilko, wrócę za parę dni", bez telefonu, który dzwoni niemal bez przerwy, bez...

– Tak. W tej chwili problemy, które mam, są ważniejsze od telefonu – wpadł jej w słowo tonem tak ostrym, że umilkła. – Ale nie są ważniejsze od ciebie – dodał już nieco cieplej. – Gdy wrócę, wszystko ci wytłumaczę i jestem pewien, że się ze mną zgodzisz.

O tak, Kamilko, co do tego nie mam wątpliwości – pomyślał w duchu. – Gdybyś wiedziała, że twoja ukochana Sasanka jest pod obserwacją zbirów, którzy są gotowi cię zabić... Nie, Kamisiu, lepiej, żebyś dowiedziała się o tym kiedyś, gdy będziesz już bezpieczna, a najlepiej wcale.

– Mam nadzieję – prychnęła, nie znając na szczęście jego myśli.

– Jak sobie radzisz z Armiką? – zmienił temat, a Kamila dała się podejść jak dziecko.

– Ogarniam całość. Trochę mi to zajmie, ale dam sobie radę. Przynajmniej ciebie trochę odciążę.

– A Gosia? – padło następne pytanie.

Kamila spochmurniała. Miała taką nadzieję, że Małgosia stanie na wysokości zadania. Spróbuje przezwyciężyć lęki i pomoże jej w prowadzeniu firmy. Nic z tego. Gosia zaszyła się z powrotem w swoim pustym, ponurym domu i nie wyściubiła z niego nosa od wczorajszego ranka.

Kamili bardzo przyjaciółki brakowało, z drugiej jednak strony była na Małgosię wściekła, że nie podjęła nawet najmniejszej próby... Nie wyszła choćby za bramę domu...

Łukasz zrozumiał milczenie dziewczyny.

– Nie dała rady? – Kamila przytaknęła niechętnie. – Ona musi na nowo podjąć terapię – rzekł stanowczo, niemal surowo.

– Jej to powiedz! – krzyknęła dziewczyna sfrustrowana do granic. – Jak niby mam ją do tego zmusić?! Psychologa i psychiatrę pod sukienką przemycę?!

– Pytałaś Małgosię, czy zgodzi się na kontynuowanie leczenia?

– Nie! Bo od wczoraj jej nie widziałam!

– Więc zapytaj – odrzekł spokojnie. – Przerwała je, bo...?

– Bo nosi żałobę po Jakubie?

– To też – zgodził się Łukasz. – Ale być może również dlatego, że nie było jej stać na prywatne wizyty domowe.

– Nie było jej stać, bo zapomniałeś, że Gosi należą się jakieś pieniądze z firmy!

– Ty też o tym zapomniałaś – przypomniał Kamili uprzejmie, a ton jego głosu znów się ochłodził. – A spędzałaś w jej towarzystwie nieco więcej czasu niż ja. Powiedziałbym nawet, że się nie rozstawałyście, podczas gdy ja kursowałem między Wrocławiem, Warszawą, Nowym Jorkiem, Londynem i Kanadą, by utrzymać dla was tę cholerną firmę. Jeśli chcesz, możesz mnie zastąpić i dzielić się z Małgosią całym zyskiem.

Kamila słuchała w milczeniu porażona jego złością. Był spokojny, nie podniósł głosu, nie krzyczał, ale uderzał celnie każdym słowem. Cóż... każdym prawdziwym słowem. Kamila tak była zajęta użalaniem się nad sobą i pocieszaniem sąsiadki, że zapomniała zapytać, czy Gosia ma z czego żyć. Aż do wczoraj.

– Łukasz, masz rację – odezwała się. – Skończmy, błagam, tę kłótnię i po prostu róbmy, co do nas należy. Ja przejmuję Armikę i czekam wiernie, niczym Penelopa, na twój powrót. Ty zażegnujesz kryzys w firmie i wracasz do domu. Tak?

Usłyszała po drugiej stronie westchnienie ulgi.

– Tak, Kamila. Wierz mi: o niczym innym nie marzę niż o powrocie do Milanówka, spokojnym śnie w naszym łóżku i kochaniu się z tobą na dzień dobry i na dobranoc.

Te słowa chciała usłyszeć. Od tych słów topniało jej serce...

– Ja też o tym marzę – wyszeptała łamiącym się głosem. – Wracaj szybko. I, proszę cię, nie wyłączaj komórki. Straszne były te dwa dni, kiedy nie miałam z tobą żadnego kontaktu i nie wiedziałam, co się właściwie stało.

Tak jak straszne były te tygodnie, gdy wyjechał do kliniki w Szwajcarii, próbując odzyskać wzrok. Kamili zimno się zrobiło na samo wspomnienie.

– Ale ty widzisz? – musiała się jeszcze upewnić, choć on już się żegnał i obiecywał, że będzie pod telefonem.

– Ciebie nie, bo jesteś kilkaset kilometrów stąd, ale całą resztę ostro i wyraźnie – odparł ze śmiechem. – Nie martw się o mnie. Dbaj o siebie, Gosię i Armikę. W takiej właśnie kolejności.

I Kamila to właśnie uczyniła.

Na początek przygotowała śniadanie, choć sama nie miała apetytu, i z tym śniadaniem, zapakowanym do wiklinowego koszyka, niczym Czerwony Kapturek poszła do sąsiadki.

Przeszła przez furtkę, którą nadal porastało dzikie wino, nieśmiało puszczające pierwsze pąki, i po chwili pukała do drzwi domu obok.

– Otwieraj, Gośka! – krzyknęła nakazująco, słysząc szmer po drugiej stronie. – Catering!

– Nie zamawiałam pizzy – odezwała się Małgosia, otwierając drzwi.

– Czy ja mówiłam coś o pizzy? – Kamila weszła do środka i aż zgrzytnęła zębami, widząc to samo ciemne, zaniedbane miejsce co kilka miesięcy temu, nim z Julią – musi zadzwonić do Julii i zapytać, jak sobie radzi w tych Bieszczadach – przywróciły domowi nieco blasku. Potem tę starą willę rozświetliła miłość Gosi i Jakuba, ale wraz z jego śmiercią blask odszedł. Zgasł.

– Jezu, znów katakumby – mruknęła Kamila, przechodząc do jadalni i rozsuwając story. Od razu pojaśniało.

– Czy ty się aby za bardzo nie szarogęsisz? – zapytała Małgosia, ale bez złości.

– Owszem. To właśnie czynię. Przyniosłam ci pożywne śniadanie, którego dopomina się mały Kubuś, i zamierzam je w ciebie wdusić. Jeśli trzeba, zastosuję metodę, jaką tuczy się gęsi – wierz mi, nie chcesz mnie do tego zmuszać – a na koniec, moja kochana sąsiadko, przyjaciółko i matko mojego brata, o czym czasami zapominamy, na koniec... – zawiesiła głos.

Gosia chyba nie chciała wiedzieć, jakie plany ma wobec niej Kamila.

– Podejmiesz przerwaną terapię. I nie kręć mi tu głową, bo...

– Nie stać mnie.

– Sorry, kochana, ale to już nie jest wymówka. – Kamila, przygotowana widać na te słowa, wyjęła z koszyka kartę i podała ją przyjaciółce. – Proszę, puchate konto Armiki jest do twojej dyspozycji.

– Ja... nie dam rady pójść do bankomatu...

– Nie? Proszę, środki z puchatego konta Armiki przyszły do ciebie. – Na stole wylądował plik banknotów.

– Kamila... nie mogę... nie chcę... – Gosia cofnęła się, kręcąc głową. Nie zrobiła nic, by zasłużyć na te pieniądze. By na nie zapracować.

Kamila stanęła przed nią i ujęła szczupłe ramiona przyjaciółki.

– Po pierwsze, to zaliczka, bo mam nadzieję, że pomożesz mi z Armiką, po drugie, mam obowiązek dbać o mojego brata, a tak się głupio składa, że jesteś jego mamą. – Pod szorstkością tych słów Kamila usiłowała ukryć wszystkie inne uczucia, które w tej chwili nią targały. Powrócił żal i bezsilność, ta dobijająca bezsilność, z którą Kamila już parę razy musiała się mierzyć. Gdy Łukasz stracił wzrok i odepchnął ją od siebie. Gdy w żaden sposób nie potrafiła pomóc Jance, wygryzanej przez zazdrosnych sąsiadów, Julii, wyrzucanej przez Sterna, czy w końcu samej Małgosi, pogrążającej się w szaleństwie, a potem w rozpaczy po śmierci Jakuba.

Nie chcę czuć tej bezsilności już nigdy więcej! Nie teraz, gdy Gosi można pomóc!

– Proszę cię, jeśli choć trochę mnie lubisz... – zaczęła tonem, w którym błagalnie nie było udawane. – Nie odtrącaj mojej pomocy. Nie chcę stracić i ciebie.

Gosia otarła dwie łzy, które potoczyły się po policzkach przyjaciółki, i szepnęła tylko:

– Nie stracisz.

Wieczorem Michał odebrał brata z lotniska w Balicach. Tym razem Łukasz nie musiał się tłuc pociągiem i choćby za to był Kamili, która przysłała jego dokumenty, bezgranicznie wdzięczny. Po drodze bracia nie rozmawiali zbyt wiele, bo Michał, bądź co bądź lekarz, wyczuł, że nie jest to czas i miejsce na wypytywanie pacjenta. Tak, tak, pacjenta – Łukasz wyglądał na ciężko chorego. Właściwie Michał powinien go zawieźć na OIOM albo do szpitala psychiatrycznego, gdzie Łukasz porządnie by wypoczął, gapiąc się w sufit. Bez telefonów, maili, esemesów i listów od tajemniczego nadawcy, który grozi jego narzeczonej śmiercią. Hmm... oddział zamknięty nie był takim złym pomysłem.

Powiedział to na głos, żeby przerwać milczenie.

Łukasz uniósł ciążące mu powieki – nie pamiętał, kiedy przespał spokojnie całą noc, od czasu śmierci Jakuba chyba nie było takiej – i spojrzał na brata bez uśmiechu.

– Gdy skończy się sprawa z HV475, pewnie tam trafię – mruknął.

Zaparkowali pod kamienicą, w której Michał wynajmował mieszkanie. Jako rezydent na chirurgii jednego z krakowskich szpitali nie dorobił się jeszcze własnego, zresztą w Warszawie czekała na niego żona i dzieci...

Gdy weszli do środka miał, szczere chęci wypytać Łukasza o wszystko, czego ten dowiedział się we Wrocławiu, ale widział, że brat ledwo trzyma się na nogach. Na widok ubłoconych spodni, które całkiem niedawno pożyczył bratu czyste i wyprasowane, uniósł brwi.

– Czołgałeś się czy co?

– Modliłem – uciął Łukasz. – Daj mi spokój z pytaniami do jutra, okej? Gdybym teraz zaczął, siedzielibyśmy do rana, a ja naprawdę nie mam na to siły.

Spotkali się więc następnego dnia, przy śniadaniu, zaraz po telefonie do Kamili, któremu Michał siłą rzeczy się przysłuchiwał. Jego samego zaskoczył ostry ton głosu młodszego brata. Tak do ukochanej dziewczyny Łukasz chyba nigdy się jeszcze nie zwracał. Musiało być bardzo źle...

Było gorzej, niż Michał przypuszczał.

Wysłuchawszy sprawozdania Łukasza – suchych faktów, pozbawionych ozdobników typu: wędrówka przed siebie, klęczenie w szczerym polu i przeklinanie Jakuba – Michał zamyślił się, marszcząc brwi.

– Uważasz, że to możliwe? – odezwał się Łukasz, patrząc na brata wyczekująco. – Położyliby łapę na szczepionce nie po to, by nią handlować, ale żeby ją zniszczyć?

– To więcej niż możliwe – mruknął lekarz. – Koncerny farmaceutyczne to bezwzględne hieny. Nie liczy się dla nich nic, żadne dobro ludzkości czy tysiące, miliony istnień, tylko *cash*. Gdybyś wiedział, jakich przekrętów się dopuszczają, jakie pieniądze idą na łapówki dla instytucji, które nadzorują tę bandę, jak zatajają reakcje uboczne niektórych leków – i nie mówię o czymś, co łyka jedna osoba na milion, bo musi, mówię o przeciwbólowym szajsie, który kupisz w każdym kiosku... Jeżeli Kiliński zadarł z którąś z wielkich firm... Jeżeli ktoś dowiedział się o HV475 i nie był zainteresowany, by szczepionka stała się powszechnie dostępna... – Mężczyzna pokręcił głową.

Łukasz wbił w niego ostry wzrok.

– Teraz ja przejąłem to gówno i ja muszę podjąć decyzję. Możesz mi powiedzieć jaką? Jeśli doprowadzę do wypuszczenia HV475 na rynek, dostanę Nobla, ale wcześniej pochowam narzeczoną. Jeśli zniszczę całą dokumentację, Kamila będzie żyła, ale umrą tysiące ludzi. Tak czy inaczej, będę miał krew na rękach. Co mam zrobić?

Michał, lekarz, który przysięgał chronić ludzkie życie, ponownie pokręcił głową. Nie miał pojęcia, co poradzić bratu. Nigdy nie znalazł się w tak patowej sytuacji.

– Dzięki, stary, doprawdy pomogłeś – prychnął Łukasz.

– Może nie ty będziesz musiał podejmować tę decyzję?

– A kto? Ślepy los? Rzucę monetą? Reszka – Kamila, orzeł – reszta ludzkości?

– Kiliński być może żyje...

No tak, Łukasz zupełnie zapomniał o drugim aspekcie całej tej sytuacji. Wciąż nie mógł uwierzyć, że jego przyjaciel byłby zdolny do upozorowania wypadku, ale... Łukasz nie wierzył już chyba w nic ani w nikogo. Może oprócz Gosi i Kamili. Nawet na własnym bracie się zawiódł, bo ten oprócz kręcenia głową i wzruszania ramionami nie miał mu nic więcej do zaoferowania. A kręcić bezradnie głową Łukasz potrafił sam.

– Czyli twoim zdaniem mam jechać teraz do Warszawy, na cmentarz, rozkopać grób Jakuba, rozbić trumnę i... no nie wiem... odciąć palec? Ucho? – Tylko ironia chroniła go przed wybuchem. A nie był pewien, do czego ten wybuch doprowadzi. Równie dobrze Łukasz mógł się rozpłakać jak dziecko albo rozbić Michałowi na głowie puchar za osiągnięcia w zawodach pływackich. Puchar na solidnej marmurowej podstawie.

– Ja to zrobię – odezwał się starszy brat spokojnie. I powtórzył, widząc pełne niedowierzania spojrzenie Łukasza. – Zrobię to, bo ciąłem już ludzkie zwłoki i ekshumacja mi niestraszna. Ty nie dasz rady. Zdobędę również potrzebne dokumenty. Chociaż z tym może być problem, bo nakazu ekshumacji bez ważnych powodów nie otrzymuje się ot tak. Wymyślę jednak jakiś powód. Ty do tego czasu będziesz musiał zdobyć materiał do badań porównawczych od Kamili.

– To jest chore! – wybuchnął nagle Łukasz. – On nie byłby tak podły, by sfingować swoją śmierć! Nie wierzę w to, słyszysz?! Widziałeś rozpacz Kamili i Gosi, widziałeś moją... Jakub... On... Po prostu nie mogę uwierzyć, by mógł nas na takie cierpienie świadomie narazić! Nie wierzę...

– Wiesz, po ostatnich rewelacjach i po tym, co opowiadałeś nam o Jakubie, jeszcze kiedy żył, wiem jedno: był zdolny do wszystkiego.

Inaczej: zupełnie nieobliczalny. I piekielnie, wręcz niebezpiecznie inteligentny. Nie chciałbym mieć go za wroga...

– Był moim przyjacielem – szepnął Łukasz, chcąc pozostać lojalny wobec Jakuba do końca.

– I jako przyjaciela zręcznie wmanewrował cię w romans z Kamilą, by mieć córkę pod butem. Dzięki za takich przyjaciół...

– W Kamili zakochałem się...

– Bo Kiliński ci ją podsunął – uciął stanowczo Michał. Nie miał zamiaru spierać się teraz z młodszym bratem o intencje nieżyjącego, prawdopodobnie, ale nie na pewno, Jakuba. – Jadę do szpitala, poproszę o kilka dni urlopu i spróbuję wykombinować jakiś papier na tę ekshumację. Będziesz miał się czym zająć?

Łukasz sięgnął po torbę, z którą wrócił wczoraj z Wrocławia, i wyjął dysk Della. Tutaj, w Krakowie, gdzie nikt nie wiedział o HV475, mógł wreszcie dostać się do pamięci dysku i poznać jego tajemnice.

– Bingo! – syknął cztery godziny później, gdy na ekranie komputera firmy zajmującej się odzyskiwaniem danych zaczęły wyświetlać się pliki, które zostały usunięte. Jeden z nich był podpisany „475" i Łukasz nie potrzebował już niczego więcej.

– Proszę mi to skopiować na pendrive'a. Dysk zabieram ze sobą – rzucił do informatyka, który tylko wzruszył ramionami. Kompletnie nie obchodziły go tajemnice klientów. Chciał jak najszybciej wrócić do strzelanki, którą zabawiał się na zapleczu.

Podczas drogi powrotnej Łukasz ściskał pendrive w dłoni, czując, jak ten niewielki przedmiot wręcz parzy go w palce. Wbiegł schodami na czwarte piętro, bez tchu wpadł do mieszkania brata i otworzył laptop.

Zablokowany hasłem.

Zaklął. Ostatnio często klął.

Sięgnął po telefon i zadzwonił do brata. Powiedziano mu, że doktor Hardy asystuje przy operacji. Zaklął powtórnie, tym razem w myślach, cisnął pendrive na stół i wpatrywał się w niego, jakby wzrokiem mógł przebić metalową obudowę i odczytać plik 475. Wreszcie, gdy stracił cierpliwość i poderwał się, by wyjść i znaleźć najbliższą kawiarenkę internetową albo bibliotekę, Michał oddzwonił.

– Mam ten plik, tylko nie mam hasła do twojego laptopa! – wywarczał Łukasz doprowadzony do ostateczności.

– A ja mam ten dokument, tylko nie mogę wyrwać się ze szpitala – odparował jego brat. – Hasłem jest oczywiście data mojego urodzenia, na wspak.

– Nie pamiętam, kiedy się urodziłeś! Piątego lipca? Siódmego?

– To zadzwoń do mamy, skoro nie wiesz, kiedy są urodziny twojego brata. – Michał rozłączył się, a Łukasz, klnąc go, wpisał hasło. Udało mu się za drugim razem.

No wreszcie! Na ekranie laptopa pojawił się plik, zawierający być może klucz do wszystkiego. Łącznie ze śmiercią Jakuba.

Łukasz wstrzymał oddech, kliknął w ikonkę i... oniemiał.

Jego oczom ukazała się nie tajna receptura wytwarzania szczepionki. Nie korespondencja między Kilińskim a kimś, kto być może zabił za tę szczepionkę. Nie ostatnie słowa Jakuba, skierowane tylko do niego, Łukasza, bo przecież to on przejął firmę i miał dostęp do komputera i danych z dysku. Wreszcie nie cokolwiek, czego Łukasz się spodziewał. Przynajmniej tak się mogło na pierwszy rzut oka wydawać. Zamiast tego patrzył na stronę zapisaną rzędami liczb, na pierwszy rzut oka niemającymi żadnego sensu. Łukasz zmarszczył brwi i nagle go olśniło.

Już wiedział, czego szukać...

# *Rozdział IX*

*Piwonia – czerwona, fioletowa, biała, różowa, wreszcie dwubarwna, a zawsze cudownie pachnąca – oto piwonia, częsty gość w naszych ogrodach. Piękne kwiaty o stu płatkach, które aż chce się wziąć w dłonie, zanurzyć w nich twarz i wdychać wspaniały, słodki aromat, mają także właściwości lecznicze: oddalają lęki i obawy, koją nerwy, chronią przed popełnieniem błędów i strzegą przed pokusami.*

Przed wyjazdem Janek poszedł z Julią na długi spacer. Tak jak kiedyś, gdy byli młodzi, zakochani i pewni swoich wyborów, a życie wydawało się jedną wielką radosną niespodzianką, szli przed siebie, trzymając się za ręce.

Julia po raz pierwszy oglądała okolicę Chatki Dorotki nie tylko z tarasu czy przez okno samochodu. I była coraz bardziej zachwycona.

Minęli świerki otaczające polanę, na której stał dom, stąpając po ścieżce, by nie deptać tysięcy rosnących na niej krokusów. Janek był nimi tak samo oczarowany jak Julia wczorajszego ranka, gdy tylko je ujrzała. Przeszli przez mostek nad strumieniem, zatrzymując się na chwilę i patrząc na skaczącą z kamienia na kamień, roziskrzoną, rozśpiewaną wodę. Weszli w las, w którym żadne z nich nie było nigdy wcześniej. Dookoła nich wznosiły się wiekowe jodły o potężnych pniach, igliwiu pachnącym żywicą i Bożym Narodzeniem i gałęziach sięgających nieba.

– Jak tu pięknie – szepnęła kobieta, zadzierając głowę.

Janek podszedł do najbliższego drzewa i pogładził jego szorstką korę. Był romantykiem, co próbował ukryć pod maską twardego, odartego z uczuć faceta. Tylko czasami – w chwilach zachwytu, wzruszenia czy miłości – pozwalał sobie na okazywanie tych uczuć. Od kiedy tu przyjechał, zdarzyło się to nie pierwszy raz...

– Mają ze dwieście lat – odezwał się półgłosem, bo cisza w lesie panowała niemal nabożna. Aż żal było ją mącić rozmową.

Ruszyli dalej, nie mówiąc zbyt wiele. Ledwo widoczna ścieżka, którą nieczęsto uczęszczał człowiek, doprowadziła ich do polanki porośniętej gęstym, miękkim niczym puchowa pierzyna mchem. Stanęli na jej skraju w bezruchu. Po drugiej stronie przyglądał się im bez strachu wspaniały jeleń, płowy, wyniosły, dumny. Gdy odszedł niespiesznie, znikając w leśnej gęstwinie, Janek wyprowadził Julię na środek polany, odwrócił ją ku sobie, ujął jej twarz w dłonie i zaglądając kobiecie w oczy tak głęboko, jakby chciał posiąść tajemnice jej duszy, zapytał:

– Wiesz, o czym w tej chwili marzę?

Zamiast odpowiedzieć, zaczęła go całować.

Osunęli się na miękki mech, coraz bardziej zatracając się w namiętności.

Spełnienie w tym miejscu, na polanie zalanej promieniami słońca, pośrodku prastarej jodłowej puszczy, było czymś wręcz mistycznym. Oboje w tym samym momencie osiągnęli rozkosz i znieruchomieli wtuleni w siebie tak mocno, jakby się bali, że ktoś albo coś może ich znów rozdzielić.

Julia wyszeptała, unosząc na mężczyznę swe piękne zielone niczym mech, na którym spoczęli, oczy:

– Wróć do mnie.

A on odparł bez wahania:

– Wrócę.

Wprawdzie życie nauczyło go, by nie rzucał na wiatr obietnic, których mógł nie dotrzymać – jego „wrócę", o które prosiła Julia, zależało przecież od kaprysów losu, żony i jeszcze paru innych spraw – jednak teraz, w tej magicznej chwili gdy trzymał w ramionach kobietę, którą kochał, miłość swojego życia... po prostu nie mógł i nie chciał odpowiedzieć inaczej.

Leżeli na miękkim mchu okryci kurtkami, mocno w siebie wtuleni. Julia położyła głowę na piersi mężczyzny i z przymkniętymi powiekami słuchała równego, mocnego bicia jego serca, które w tym momencie, momencie całkowitego oddania, biło tylko dla niej.

Las ożył. Jeszcze niedawno cichy, zaciekawiony, a może zaniepokojony pojawieniem się dwojga obcych, teraz rozbrzmiewał śpiewem ptaków, a dookoła kochanków trwała zwykła codzienna krzątanina: przebiegła nornica, zatrzymała się na chwilę, stając słupka i patrząc na ludzi oczami czarnymi jak paciorki; na skraj polany wyszły trzy sarny, ale widząc, że jest zajęta, spokojnie zawróciły do lasu; przetuptał jeż, spiesząc gdzieś w swoich sprawach; po pniu jodły zaczęły się ganiać dwie wiewiórki...

– Co za magiczne miejsce – odezwał się cicho Janek. – Mógłbym tak leżeć z tobą w ramionach do końca moich dni.

– Biorąc pod uwagę, że w nocy temperatura spada niemal do zera, niedługo byśmy poleżeli – odparła żartobliwie, a on pocałował ją prosto w rozchylone w uśmiechu usta.

– Zmieniłaś się, wiesz? – powiedział, gdy skończyli się całować i zdołał odzyskać oddech. I panowanie nad sobą. Prawdę mówiąc, chciał kochać się z Julią jeszcze raz, tutaj, na leśnej polanie, ale ona wydawała się przemarznięta.

Podał jej rękę, postawił przed sobą, pomógł nałożyć kurtkę i zapiął zamek błyskawiczny aż pod szyję, odgarniając z jej twarzy kosmyk włosów gestem tak czułym, że łzy napłynęły Julii do oczu.

– Na lepsze czy na gorsze? – zapytała, gdy ruszyli z powrotem, ścieżką ku domowi.

– Pamiętałem cię jako szaloną dziewczynę z milionem pomysłów na minutę. Jednocześnie pełną... czy ja wiem... zasad, które cię w jakiś sposób ograniczały. Byłaś jednocześnie wolna i zniewolona. I nie mam tu na myśli rodziców, którzy, normalna to sprawa, próbują okiełznać dorastające dzieci dla ich własnego dobra. Dziś jesteś... bardzo spokojna, zrównoważona, jakby ktoś przygasił ogień, który w tobie wtedy płonął. Przygasił, ale nie udało mu się zgasić tego płomienia do końca. Mam rację? Zostało jeszcze w tobie trochę szaleństwa?

– A kochanie się w środku lasu z mężczyzną, którego nie widziało się od kilkunastu lat, nie jest tego dowodem?

– Daj mi ten dowód jeszcze raz, a uwierzę... – odparł żartobliwie, bo szli w cieniu jodeł, zbliżając się do strumienia i doprawdy, nie było w zasięgu wzroku polany wyścielonej miękkim mchem, ale Julia... Julia nie zawahała się ani przez chwilę.

Tym razem to ona wcisnęła plecy mężczyzny w pień najbliższej jodły. Patrząc mu prosto w oczy, rozpięła jego spodnie, rozpięła swoje, a potem – obejmując go mocno ramionami i udami – opuściła się na jego gorącą, znów gotową na jej przyjęcie męskość.

Kochali się ten ostatni raz w jakimś dzikim zapamiętaniu.

To nie było odkrywanie się na nowo, jak wczoraj w nocy. To nie były czułe igraszki, jak nad ranem. Nie było to też mistyczne doznanie, jak parę chwil wcześniej, pośrodku leśnej polany. To była szalona, nieokiełznana namiętność, pożar trawiący dwa ciała, przeznaczone dla siebie od zawsze, walka na branie i dawanie. On przyciskał biodra kobiety coraz mocniej i mocniej, ona wchłaniała go w siebie coraz głębiej i głębiej. Wreszcie wygięła się w łuk, wstrząsana orgazmem, on przycisnął ją do siebie i wykrzyczał jej imię.

Zupełnie bez sił osunęli się po szorstkim pniu na ziemię...

Wrócili do domu, nie wypowiedziawszy ani słowa. Nie były potrzebne. Te, które Julia chciała usłyszeć, już padły, on dostał dowód, że jest o co walczyć. O kogo walczyć.

Wsiadł do samochodu. Nie miał żadnego bagażu – wyjechał z Kielc, tak jak stał, pchnięty impulsem, nawet bez koszuli na zmianę – i, dzięki ci, dobry losie, było to najlepsze, co zrobił w całym swoim życiu.

Julia, powstrzymując łzy, ucałowała go po raz ostatni, po czym z uniesioną w pożegnalnym geście dłonią patrzyła, jak jej miłość odjeżdża i znika za zakrętem. Nie mogła uczynić nic, by ją zatrzymać. Lecz może właśnie uczyniła wszystko?

Weszła do domu, wiedząc jedno: zostanie tu. Nie wygryzie jej żadna kuna, nie wykurzy strach ani ciemność nocy. Będzie czekała, dorzucając do pieca, grzęznąc na drodze do miasteczka, walcząc z żywiołami. W dojmującej samotności, jedynie w towarzystwie Bezy, będzie czekała na powrót ukochanego, bo przecież obiecał, że wróci, a ona przyrzekła, że będzie miał do kogo wracać.

Spojrzała na srebrny pierścionek.

Obróciła go na palcu, jak czyniła to setki razy w poprzednim życiu, gdy była jeszcze ogniem, a nie ledwo tlącym się płomykiem, spojrzała na kotkę, która jak zwykle mrucząc, wybiegła swej pani naprzeciw, i rzekła głosem pewnym i spokojnym:

– Zabieramy się do roboty, Bezuniu. Jeśli mamy tu zostać – raczej nie „jeśli", a skoro tu zostajemy, trzeba okiełznać ten dom i zacząć zarabiać na puszkę whiskasa dla ciebie i coś więcej niż suchy chleb dla mnie.

Stanowczym krokiem weszła do środka i usiadła przy biurku, na którym stał laptop. Po raz pierwszy od dłuższego czasu otworzyła stronę swojego sklepiku, który pozbawiony jej zainteresowania, nie tyle chwiał się w posadach, co dawno już runął i pozostała z niego sterta gruzów, czyli negatywnych komentarzy. Julia, żyjąc do tej pory li tylko rozwodem, wysyłała zamówienia z opóźnieniem, a potem w ogóle przestała je realizować, zwracając kupującym pieniądze. Teraz przyszedł czas na odbudowanie tych ruin na nowych, silnych fundamentach.

Przede wszystkim należało zmienić nazwę ze smętnego, przepraszającego, że żyję „Kącika", na coś... do czego tęskniła całe życie i co tu, w Bieszczadach, odnalazła: „Przystań Julii". Tak. To dobra, pozytywna nazwa. Tak, to wspaniały początek nowego życia: własne miejsce na ziemi – piękne, choć trudne, mężczyzna, który kocha – jak bardzo, dał temu dowód, i maleńka firma, jej własna, która przyniesie, Julia była tego pewna!, radość i satysfakcję.

Gdy nowa strona została założona, a nazwa zarezerwowana, Julia pobiegła do korytarza, gdzie nadal stał nierozpakowany cały jej skromny majątek: pudło z rękodziełami na sprzedaż i maszyna do szycia.

Przydźwigała karton do sypialni – tu będzie pracować, w najpiękniejszym pokoju z wielkim oknem wychodzącym na taras – i na łóżku, jeszcze pachnącym miłością, co przywołało na twarz kobiety tęskny uśmiech, zaczęła rozkładać swoje skarby. Piękne patchworkowe narzuty, ręcznie haftowane poszwy, poszewki, serwetki i obrusy. Zazdrostki, firaneczki delikatne jak pajęczyna, obrazki haftowane krzyżykiem. Tu mereżka, tam haft angielski, a wszystko śliczne i unikatowe. Takich małych arcydzieł nie kupisz na jarmarku, tylko... w „Przystani Julii"!

Julia, jakby wstąpiło w nią nowe życie, chwyciła za telefon i wybrała numer kogoś, kto był jej w tym momencie bardzo, ale to bardzo potrzebny. Nie, nie Janka Czajki, chociaż... chciałaby go mieć przy sobie na zawsze. Nawet nie Grzesia Bogdańskiego, choć piec parę razy jej jeszcze zgaśnie. Teraz potrzebowała zdolności i rady pewnej mądrej, bardzo doświadczonej przez los kobiety: Gosi Bielskiej.

– Julia! – usłyszała głos przyjaciółki i aż ciepło się jej zrobiło na sercu. – Myśmy cię tu z Kamilą już niemal opłakały! Dlaczego nie odbierasz telefonów?!

Julia uśmiechnęła się z zawstydzeniem, choć w domu była sama i nikt nie mógł tych zdradliwych rumieńców widzieć. Wczoraj, gdy zaczęli kochać się z Jankiem, a telefon się rozdzwonił, bez namysłu go wyłączyła, nie patrząc, kto próbuje się z nią skontaktować. I zapomniała włączyć, hmm... zajęta aż do teraz.

– Gosiuniu... – zaczęła przepraszającym tonem. – Poznałam kogoś i...

– Masz faceta?! – ucieszyła się przyjaciółka. – To sąsiad? Opowiadaj!

Nim zdążyła wypowiedzieć pierwsze słowo, usłyszała:

– Kamila, chodź szybko! Dzwoni Julia, zakochała się! Przełączam na głośnomówiący. No, teraz dopiero, kochana, opowiadaj.

I Julia zaczęła mówić. Jak tu przyjechała, eskortowana przez przystojnego, samotnego sąsiada, Grzegorza, jak troskliwie się nią zajął – Ale bez skojarzeń! – zaznaczyła, bo przyjaciółki już zaczęły chichotać jak nastolatki. Wreszcie dotarła w swojej opowieści do nocy, gdy miała wszystkiego dość, a nad głową zaczął łomotać włamywacz...

– Byłam gotowa spakować się, gdy tylko Grzegorz mnie uratuje, dotrwać w jego pensjonacie do rana i wracać... właściwie nie mam dokąd wracać...

– Masz. Do mnie – wtrąciła Małgosia. – Prosiłam cię i błagałam, byś zamieszkała ze mną.

– Okej, wracać do ciebie... – Julia nie chciała poruszać tego tematu. Gosią zaopiekowałaby się bez wahania, zamieszkałaby z nią natychmiast, ale... nie w jej wielkim, ponurym domu, którego ściany wchłonęły tyle nieszczęścia, rozpaczy, nienawiści i łez. Tę willę powinno się zrównać z ziemią, a na jej miejscu postawić... cokolwiek, choćby minimarket, ale ona, Julia tam nie zamieszka. Nigdy w życiu. Tego jednak Gosi nie mogła powiedzieć...

– Chciałam więc ewakuować się z tej rudery następnego ranka, gdy w środku nocy przyjechał razem z Grześkiem... on.

Umilkła, zamknęła oczy i powróciła pamięcią do tamtej chwili, gdy ujrzała Janka na progu domu. Aż zabolało to wspomnienie, tak bardzo było słodkie.

– On? Co za on? Stern? – usłyszała zaniepokojony głos, a zaraz potem odezwała się Kamila.

– Jaki Stern, Gosia? Ze Sternem to my chyba już skończyłyśmy? Skończyłyśmy, co, Jula?

– Tak – odszepnęła kobieta. – Z nim tak. Moja kotka, Beza, wysłała maila do chłopaka, którego kiedyś kochałam. I kocham do dziś.

– Zdolna ta twoja kotka... – zaśmiała się Małgosia.

– I wyobraźcie sobie, że przyjechał. W nocy.

Umilkła. Nie była w stanie opowiedzieć nawet najbliższym, najukochańszym przyjaciółkom, co się stało potem.

– I co? I co? Zamieszkacie razem? – zaczęła dopytywać się Kamila.

– Jest żonaty – odparła cicho Julia.

W następnej chwili usłyszała pełne rozczarowania westchnienie.

– I po pięknej bajce – skwitowała Małgosia.

– To nie tak, jak myślisz! Z żoną nic już go właściwie nie łączy, żyją osobno, każde swoim życiem. – Julia poczuła się w obowiązku bronić Janka, ale Gosia przerwała jej:

– Kochana, każdy tak mówi. To śpiewka stara jak świat. Stara jak zdrada. Nie daj się omamić takimi słowami. Każdy żonaty facet, chcąc się dobrać do innej kobiety, żali się na swoje nieudane małżeństwo i żonę, z którą nic go nie łączy. Twój Stern, jestem więcej niż pewna, każdej powtarzał to samo.

– Janek nie jest taki. Przyrzekł mi... – Julia urwała, bo głos się jej załamał.

Coś, czego była jeszcze godzinę temu pewna jak niczego w życiu, teraz wydało się... nie spełnionym marzeniem, a głupią mrzonką. I jej, Julii, bezgraniczną naiwnością.

– Przyrzekł, że się rozwiedzie – dokończyła głosem, który nagle nabrzmiał łzami.

Gosia z Kamilą spojrzały tylko na siebie.

Julia zadzwoniła, gdy przycinały właśnie w ogrodzie Kamili – korzystając z pięknego i ciepłego, jak na marzec, poranka – pędy róż, które nie przetrzymały mroźnej zimy. Obie na tyle szczęśliwe, na ile można być po tak traumatycznych przejściach, jakich doświadczyły w ciągu ostatnich miesięcy, cieszyły się swoim własnym towarzystwem, przyjaźnią, która łączyła je coraz mocniej, tym, że jedna mogła liczyć na drugą, choćby dookoła cały świat rozsypywał się w gruzy, wreszcie spokojem chwili. Tym, że maleństwo w brzuchu Gosi rośnie i rozwija się wręcz podręcznikowo, jak zapewniał lekarz. Tym, że Kamila znów ma zajęcie poza opłakiwaniem ojca i może wspomóc w prowadzeniu firmy ukochanego mężczyznę. Tym, że ten mężczyzna świata poza nią nie widzi, niedługo wróci do domu i będą się kochać aż po świt.

A Julia?

Sama, wygnana przez uroczego eks, gdzieś pod ukraińską granicę, w zimnym, starym domu, doczekała się nadziei na miłość. Prawdziwą wielką miłość. Jakie mają prawo, by jej tę nadzieję odbierać?

– Twój Janek będzie wyjątkiem potwierdzającym regułę – odezwała się naraz Kamila.

– Myślisz? – chlipnęła po drugiej stronie Julia.

– Ja nie tylko myślę, ja to wiem. Bo po prostu zasługujesz na miłość dobrego faceta.

Gosia posłała Kamili spojrzenie, którym mówiła bez słów: Ja też zasługiwałam i co? Po co ją łudzić? Nie lepiej, żeby Julia miała miłą niespodziankę, gdy tamten rzeczywiście do niej wróci, jako wolny człowiek, niż żeby czekała na kolejnego palanta, zamykając się być może na wartościowych mężczyzn, których przez ten czas spotka? A jeżeli będzie tak czekać do końca życia i już nigdy nie zazna szczęścia?

Co innego jednak powiedziała Julii, pilnując, by przyjaciółka usłyszała w jej głosie pewność, której Gosia nie miała w sercu:

– Istnieją jeszcze na tym świecie przyzwoici mężczyźni. I ty takiego spotkałaś. Podziękuj Bezie. Od nas również. Pamiętaj, że kochamy cię i jesteśmy. Jeżeli będziesz chciała uciekać z tej całej Bogumiły...

– Bogumiłej.

– ... Bogumiłej, masz dokąd. Nie jesteś sama, Julio Stanecka.

Wzruszyły się wszystkie trzy, a potem pożegnały, obiecując, że będą w kontakcie.

Gdy telefon umilkł, Kamila znów spojrzała na Małgosię.

– Myślisz, że jej się uda? Że ten żonkoś rzeczywiście rozwiedzie się i do Julii wróci?

Gosia wzruszyła ramionami, co było bardziej wymowne niż słowa.

Telefon zabrzmiał nagle po raz drugi. Gosia zdumiała się, słysząc ponownie głos przyjaciółki.

– Kochana, ja właściwie nie dlatego do ciebie dzwoniłam, by się żalić! – krzyknęła Julia zupełnie innym tonem niż przed chwilą. Nie żałosnym, a pełnym zapału. – Otwieram na nowo sklepik internetowy z rękodziełem. „Przystań Julii" – tak się będzie nazywał. Pomożesz mi z utworzeniem ładnej, zachęcającej strony? To, co próbowałam sama wyrzeźbić, raczej zniechęca do zakupów, niż zachęca.

– No pewnie! – odkrzyknęła Gosia, pokazując Kamili uniesiony kciuk.

– Wrócił?! – zapytała dziewczyna bezgłośnie, ale Gosia pokręciła głową.

– Przyślij mi materiały. Zdjęcia tego, co chcesz sprzedawać, tylko ładne, artystyczne, a ja zabieram się do pracy. I bardzo, bardzo się cieszę, że mogę ci w jakikolwiek sposób pomóc.

– Tylko Małgosiu, będę mogła zapłacić...

– Milcz! Albo stracisz przyjaciółkę – ucięła Gosia groźnie.

– Kocham cię – szepnęła Julia z głębi serca.

– Ja ciebie też.

Gdy Julia rozłączyła się, Kamila pociągnęła Małgosię za rękaw, domagając się wyjaśnień.

– Julcia otwiera własny biznes. I dobrze, bo Stern przecież puścił ją w samych skarpetkach. Nasza przyjaciółka będzie sprzedawać wyroby rękodzielnicze, cokolwiek to jest, prawdę mówiąc, nie wiedziałam, że się tym zajmuje, a ja zrobię dla niej stronę internetową – wytłumaczyła Małgosia.

– To może zrobisz to samo i dla mnie? Armika kuleje nie dlatego, że ma słabych pracowników, bo kobiety, które z Magdą znalazłyśmy, dają z siebie wszystko. Nie dlatego także, że podwykonawcy partolą robotę czy naciągają nas na wydatki, podnosząc koszty, bo tym razem są dobrze pilnowani. Tak naprawdę kamienice, które są gotowe do sprzedaży czy wynajęcia, stoją puste, bo nie mamy komu ich wynająć ani sprzedać. Strona firmy, którą zaprojektował ten niewydarzony marketingowiec, jest fatalna, jeśli potrafiłabyś... i chciałabyś...

Gosia objęła przyjaciółkę i uścisnęła z całych sił.

– Armika to teraz nasze wspólne dziecko, prawda?

Kamila przytaknęła. Ta firma należała do niej i jej nienarodzonego jeszcze brata.

– Z ogromną przyjemnością zajmę się założeniem profesjonalnej strony, prowadzeniem jej i sprzedażą albo wynajmem kamienic. Jeden warunek... – Uniosła palec, zanim Kamila zdążyła podskoczyć z radości.

Dziewczyna westchnęła z głębi duszy.

– Wiem, wiem: nie wychodząc z domu.

– Jak ty mnie dobrze znasz... – uśmiechnęła się Małgosia.

– Rzeczywiście, tuląc cię w ciemnej łazience przy okazji byle burzy, całkiem nieźle zdążyłam cię poznać.

Zaśmiały się i powróciły do przycinania róż.

Gosia cisnęła pod nogi sekator tak nagle, że Kamila poderwała głowę przestraszona.

– Coś cię boli?

– Nie, nie, po prostu są sprawy ważniejsze niż twoje róże. Wybacz, kochana...

Gosia posłała jej całusa i ruszyła w stronę furtki.

– Gośka, co ty kombinujesz?!

– Trzeba chyba wziąć się za stronę Armiki! I „Przystani Julii", nie uważasz? To nie może czekać!

Kamila z buzią rozdziawioną ze zdziwienia odprowadziła przyjaciółkę wzrokiem. Czy to była ta sama Małgorzata Bielska, która jeszcze przed tygodniem włóczyła się jak cień po pustym domu, umierając z żalu i rozpaczy?

Gdzie tam przed tygodniem! Jeszcze dziś rano wyglądała jak cień kobiety, którą przez krótki czas była! Teraz zaś odchodziła wyprostowana, stanowczym krokiem osoby, która ma cel i wie, jak go osiągnąć.

Coś mi się zdaje, że Gosia właśnie się odnalazła – pomyślała Kamila. – Czas, żebym ja poszukała swojego narzeczonego, który coraz rzadziej dzwoni, a w domu nie pokazał się od... jak dawna?

Odłożyła sekator do starego wiklinowego kosza – Gosia miała rację, są sprawy ważniejsze niż róże – i zdecydowanym krokiem ruszyła do domu. Skoro Łukasz zapomniał o Kamili, ona przypomni mu o sobie.

I to jak!

Nie miała pojęcia, gdzie Łukasz w obecnej chwili się znajduje – gdyby to wiedziała, wsiadłaby w pociąg czy samochód i po prostu pojechałaby do niego – ale... może uwieść swego mężczyznę przez telefon! Tak się jeszcze nie bawili...

Kamila zrzuciła w sypialni ciuszki, rozciągnęła się zupełnie naga na łóżku – sama dziwiąc się, że potrafi być tak wyuzdana – i dopiero wtedy sięgnęła po telefon. Wybrała numer Łukasza i... przerwał połączenie w połowie drugiego sygnału, nawet nie odbierając.

Rozpłakała się.

Łukasz rzucił okiem na wyświetlacz telefonu – dlaczego miał w ogóle włączoną tę cholerną komórkę?! – to Kamila.

O nie, moja kochana, teraz nie możemy rozmawiać...

Nacisnął czerwoną słuchaweczkę i wyłączył telefon, a potem z pasją, jakby tego było mało, wyjął baterię i cisnął ją na biurko, wracając do pliku podpisanego „475", nad którym ślęczał od wielu godzin.

Ten plik okazał się ostatnią wolą Jakuba Kilińskiego i ostatnim przesłaniem przyjaciela dla niego, Łukasza.

# *Rozdział X*

*Rumianek – uroczy kwiatek, spotykany zarówno na łące, jak i w ogrodzie: złote oczko, otoczone śnieżnobiałymi płatkami, symbol niewinności i radości życia. Łagodzi stres i migreny, posiada właściwości przeciwzapalne i przeciwbólowe. Rumiankowa herbata w ponury zimowy wieczór może przywrócić chęci do życia, może też dać początek czemuś nowemu...*

Julia rozstawiła maszynę do szycia na stoliku niedaleko okna. Będzie miała przy pracy piękne widoki, które dodatkowo ją zainspirują. Rozmowa z przyjaciółkami pozbawiła kobietę złudzeń. Janek nie odezwał się przez cały dzień, nie zadzwonił, nie przysłał nawet zdawkowego esemesa. Widać dla niego to, co Julii wydawało się magicznym połączeniem ciał i dusz, było zwykłym skokiem w bok.

Żal zdławił gardło, ale już w następnym momencie Julia odetchnęła głęboko rześkim, górskim powietrzem. Na szczęście Janek zaistniał w jej życiu na tak krótką chwilę, że nie zdążyła ponownie zakochać się w nim bez pamięci. W przeciwnym razie zalałaby się teraz łzami.

A jednak chyba zaraz to zrobi...

Pociągnęła nosem nieszczęśliwa do granic.

Klakson, który nagle rozbrzmiał przed domem, kazał Julii otrzeć oczy, poderwać się z miejsca i pobiec do drzwi. Na podjeździe stał nieznany Julii, elegancki samochód – nie była to honda Grzesia – o który opierała się odziana w długie futro z norek czarnowłosa piękność.

Widząc wychodzącą na ganek Julię, wyprostowała się, zmierzyła kobietę, ubraną w zwykłe dżinsy i wygodną bluzę, pogardliwym wzrokiem, po czym powiedziała:

– Cześć, jestem Marita, choć wolę, jak mówią do mnie Ita. Krótko, oryginalnie i na temat. – Podeszła do zdumionej Julii i wyciągnęła dłoń, zdobioną krwistoczerwonymi paznokciami. Pasowały do nieznajomej tak jak to futro. – Domyślasz się, po co przyjechałam? – Uniosła pytająco brew.

Owszem, Julia domyślała się. Miała pewnie przed sobą żonę Janka Czajki, która postanowiła odrzeć Julię się wszelkich złudzeń, chociaż... tamta miała na imię Monika. Kim więc jest ten czerwonoszpony wamp?

– Powiedzmy, że twoją sąsiadką, choć nieco dalszą niż Grzegorz.

Julia oniemiała.

Nie zdziwił jej fakt, że sąsiadka – choć nieco dalsza niż Grzegorz – przyjechała w odwiedziny ciekawa nowej mieszkanki Bogumiłej. Nie zaskoczyło, że czarnowłosa piękność jeździła po górskich drogach sportowym samochodem otulona w futro z norek. Nie. Julię zmroził ton jej głosu. Bardzo, ale to bardzo nieprzyjazny czy wręcz wrogi.

Czym zdążyła się narazić kobiecie, którą widzi pierwszy raz w życiu?

Za chwilę miała się tego dowiedzieć.

– Słyszałam plotki, że z Grzegorzem szybko żeście się zaprzyjaźnili – zaczęła tamta. – Czy raczej zbliżyli. Otóż musisz wiedzieć, że on jest zajęty. I nie w znaczeniu „zapracowany", lecz z a j ę t y. Domyślasz się przez kogo? –Wskazała palcem na siebie. – Rozumiesz?

– Rozumiem – odparła Julia cicho. Było jej... bardzo źle.

– Grześ to dobry facet, uczynny, ładnej dziewczynie nie odmówi – zabrzmiało to tak dwuznacznie, że Julia zaczerwieniła się mimo woli – ale mi w drogę lepiej nie wchodzić. Powiedzą ci to wszyscy w miasteczku, że o tej pipidówie, Bogumile, nie wspomnę.

– Bogumiłej – poprawiła ją z nagłym gniewem. – Skoro jesteś z panem Bogdańskim tak blisko, jak sugerujesz, powinnaś wiedzieć, jak nazywa się wieś, którą kocha.

Marita zrobiła kolejny krok naprzód. Teraz stała tuż przed Julią i mimo że trzy schodki niżej, zdawała się górować nad kobietą.

– A więc co? Wojna? – Jej ciemne oczy zwęziły się w wąskie szparki.

– Nie chcę żadnej wojny. Przyjechałam tu, by odzyskać spokój właśnie po wojnie. Niepotrzebna mi następna. Bierz sobie Grzegorza Bogdańskiego, ja będę trzymała się od niego z daleka. A jak mi zgaśnie piec...

– ... nauczysz się go rozpalać własnoręcznie – dokończyła za nią tamta. – Grześka „na piec" brać nie będziesz.

– Nie miałam takiego zamiaru! Sam mi pomagał! Z własnej woli! – Wreszcie ogarnął ją gniew na wścibską, podłą Itę jakąś tam, która śmiała tu, w Chatce Dorotki, coś jej, Julii, nakazywać czy czegoś zabraniać. – Wiedz jedno: nie będę zrażała do siebie sąsiada, nawet jeśli jest z a j ę t y. Jeżeli przyjedzie w odwiedziny, nie zatrzasnę mu drzwi przed nosem. Jeżeli zamówi u mnie ciasta, nie odpowiem, by spadał na drzewo. Czy teraz ty rozumiesz?!

Kobieta wzruszyła ramionami, spojrzała na swoje krwistoczerwone paznokcie i odrzekła:

– A więc jednak wojna. Nie wiesz, z kim zadarłaś...

– I nic mnie to nie obchodzi. Żegnam.

Julia odwróciła się, zatrzasnęła za sobą drzwi, oparła się o nie, drżąc na całym ciele, i czekała, aż tamta odjedzie. Z tak bezpodstawną wrogością spotkała się w swoim życiu tylko raz: podczas konkursu Miss. Ale wtedy rywalizacja, a więc i towarzysząca jej wrogość właśnie czy wręcz nienawiść między konkurentkami była zrozumiała. W tym przypadku... Bogu ducha winna Julia została napadnięta we własnym domu przez szponiastego wampa, który nosi cmentarzysko zwierząt na grzbiecie!

– Gówno – rzuciła przez zaciśnięte zęby, słysząc ruszający samochód. – Grzegorz nie jest niczyim niewolnikiem, a ja nie jestem byle popychadłem, któremu można coś nakazywać czy czegoś zakazywać. Jeśli on sam mi to powie, zakończymy znajomość, ty, pani Ito, pogadaj do swoich norek.

Gdy zadzwonił telefon, a na wyświetlaczu ukazało się imię sąsiada, odebrała bez wahania. Z radością przyjęła jego zamówienie na ciasta i zaproszenie na następny wieczór. Żadna czarnowłosa wampirzyca nie będzie stawała między Julią a jej przyjaciółmi. Jak wojna, to wojna.

Żeby kupić składniki na zamówioną szarlotkę, sernik i „coś specjalnego" – tak wyraził się Grześ Bogdański – Julia musiała w końcu wybrać się do sklepu. Najwyższy czas, bo suchy prowiant jej się kończył. Bezie jeszcze trochę kocich chrupek zostało, ale już kociej puszeczki nie i chodziła smutna dookoła miski, pomiaukując prosząco.

Julia więc, chcąc nie chcąc, wsiadła do hondy, na siedzeniu obok położyła mapkę, narysowaną przez Grzesia, gdy była u niego w odwiedzinach, po czym ruszyła drogą wzdłuż strumienia, którą niedawno, choć wydawało się że wieki temu, tu przybyła.

I znów droga okazała się znacznie prostsza, niż się Julia tego obawiała. Bez problemów dotarła do miasteczka.

Gdy weszła do sklepu, wszyscy spojrzeli w jej stronę. Rozmowy umilkły. Właścicielka zmarszczyła brwi, jakby próbowała sobie przypomnieć, skąd zna tę śliczną rudowłosą kobietę albo jak ową przybłędę przepędzić, po czym nagle wykrzyknęła:

– A! To bratanica Dorotki Staneckiej, niech jej ziemia lekką będzie, a anieli prowadzą, której w spadku Dorotka przekazała tę swoją ruderę! Witamy, pani...?

– Julia. Julia Stanecka – odparła pospiesznie, uśmiechając się nieśmiało.

Kupujący, jak i sama właścicielka spożywczego, odpowiedzieli uśmiechem.

– Dobra kobita była z tej Dorotki, nie ma co.

– Pomogła każdemu, nawet niechby nie prosił, ona i tak wiedziała swoje i pomogła każdemu.

– A jakie pierogi ruskie robiła? Pamiętacie jej pierogi?

– A baby drożdżowe? Na Wielkanoc nie było lepszych, Panie świeć nad jej duszą!

Julia słuchała tych słów, otaczających ją – zupełnie niezasłużenie – niczym przyjazny kokon i czuła się... wśród swoich. Dzięki cioci została, ot tak, przyjęta do zamkniętego zwykle środowiska miejscowych.

– Pani na stałe czy trochę pomieszkać i wracać do... skąd właściwie pani do nas trafiła? – Gdy właścicielka sklepu zadała to pytanie, wszyscy, którzy wychwalali do tej pory ciocię Dorotę, umilkli, pilnie nasłuchując odpowiedzi. Bratanica – bratanicą, a swoje wiedzieć muszą.

– Z... – chciała powiedzieć „z Warszawy", ale wiedziała, że zarozumiali warszawiacy nie cieszą się na prowincji sympatią. – Z Milanówka. Tam gdzie jest fabryka jedwabiu – dodała, bo tubylcy spojrzeli po sobie.

– Czyli że z Jedwabnego?

– Nie, z Milanówka. I na stałe. Do czasu gdy... – Julia urwała, nie mając pojęcia, jak długo przyjdzie jej pozostać w Bogumiłej. Czy wytrzyma to dorzucanie do pieca, czy doczeka powrotu Janka, czy może wcześniej nie wygryzie jej Ita Czerwonoszpona... – Odwiedziła mnie dzisiaj sąsiadka, Ita – zmieniła nagle temat, licząc, że dowie się czegoś więcej na temat tamtej. Bądź co bądź wypowiedziano jej wojnę, a wroga należy poznać.

– Ach... pani Ita Grzeczna... – Właścicielka sklepu pokiwała głową.

– Grzeczna? Chyba wprost przeciwnie – mruknęła Julia.

– Tak ma na nazwisko, choć niektórym czasem się wymsknie „Grzeszna" zamiast „Grzeczna". Miejscowa artystka, której bohomazy za granicą kupują. Bogata po mężu, aż jej się od tego bogactwa we łbie przewróciło. Nosa zadziera, wywyższa się nad nami, że my niby pospólstwo, a ona światowej sławy malarka. Nie to, żebym miała coś przeciwko, ale niezbyt sympatyczna z niej osoba, oj nie...

Tego Julia zdążyła doświadczyć.

– Próbuje naszego Grzesia zbałamucić, ale on porządny chłop. Poznał się na pani Icie jak trza – dorzucił jeden z kupujących, który dźwigał skrzynkę piwa. – Pani by do Grzesia pasowała – dodał, obrzucając Julię pełnym uznania spojrzeniem. Zarumieniła się i odparła, żeby od razu, od samego początku wszystko było jasne:

– Jestem zaręczona. Czekam na powrót narzeczonego i... – Obróciła pierścionek na palcu, bo zabrakło jej pomysłu na ciąg dalszy. Narzeczony zabierze ją nad morze czy do Australii? Równie dobrze mogła nakłamać tym dobrym ludziom, którzy przyjęli bratanicę Dorotki Staneckiej jak swoją, że Janek porwie ją na księżyc, bo on najpewniej nigdy się już w Bogumiłej nie pokaże. Gosia miała rację: wziął ją na typową śpiewkę samców, starą jak świat, a ona dała się omamić jego słowom i będzie czekać teraz jak głupia na jego powrót...

Z piersi kobiety wyrwało się mimowolne westchnienie, które miejscowi zrozumieli nieco inaczej.

– Zaręczyny rzecz święta – powiedział ten z piwem, a reszta zgodnie pokiwała głowami.

Julia, której nikt już o nic nie pytał – wiadomo: nie dość, że swoja, to jeszcze czyjaś – zapakowała do koszyka wszystko, co było jej potrzebne i do ciast, i na cały następny tydzień, zapłaciła, pożegnała się uprzejmie z właścicielką sklepu i wyszła odprowadzana spojrzeniami.

Po chwili z ulgą opadła na siedzenie hondy. Wizyty w miasteczku, gdzie wszyscy musieli wiedzieć wszystko o wszystkich, zamierzała składać raz w tygodniu. Częstszych by nie zniosła.

Ruszyła w powrotną drogę do swojej samotni, gdy zadzwonił telefon. Grzegorz. Włączyła zestaw głośnomówiący, przywitała się, zapewniła, że ciasta dostanie na czas, tak jak się umówili, bo właśnie kupiła potrzebne produkty, ale on nie o ciastach chciał porozmawiać.

– Przed chwilą była u mnie nasza sąsiadka Ita. Podobno zdążyłyście się poznać.

O tak. Niemal mi oczy o ciebie wydrapała...

– Nie chciałbym, żebyś odniosła mylne wrażenie, że coś nas łączy.

– A co mi, Grzesiu, do tego? – odezwała się na głos.

– To... dziwna osoba, a ja jestem spokojnym, normalnym człowiekiem, który nie szuka przygód – odrzekł. – I takim w twoich oczach chciałbym pozostać.

– Okej.

– Tylko tyle? Okej? – usłyszała w jego głosie mimowolne zdziwienie.

– Żadna Ita nie zmieni faktu, że pomogłeś mi przez te kilka dni nie raz i nie dwa razy. W środku nocy przyjechałeś, żeby kunę przegonić. Pamiętasz, co mówiłeś? Jesteśmy sąsiadami, możemy liczyć tylko na siebie i jeżeli mam komuś ufać, jeśli mam na kogoś liczyć, to właśnie na ciebie, a nie na kogoś, kto...

Najeżdża mnie w moim własnym domu i grozi wojną, jeśli spróbuję się do ciebie zbliżyć na odległość... no właśnie, nie powiedziała jaką – to Julia dodała w myślach. Czuła się i tak upokorzona, słuchając słów tamtej kobiety na ganku swojego domu. Grzegorz Bogdański nie musiał ich znać.

– Czyli nie zdążyła ci niczego nagadać? Pozostaniemy przyjaciółmi? – musiał się upewnić.

– Czy ja z tobą, to nie wiem, ale mój piec na pewno pozostanie twoim przyjacielem do końca swojego żywota – odparła, a on parsknął śmiechem. – Czyli do momentu gdy tak się na niego wkurzę, że zamienię na olejowy.

Umówili się jeszcze na następny wieczór, kiedy to Julia miała przywieźć ciasta i zostać na kolacji, po czym telefon umilkł. Kobieta spojrzała na niego z żalem. Lubiła Grzesia. Szczerze i serdecznie, ale... wolałaby choć krótkiego esemesa od kogo innego.

I nic na to nie mogła poradzić...

Esemes jednak nie nadszedł.

Dojechawszy do domu, Julia rozpakowała produkty, część umieściła w lodówce, resztę w szafkach i... usiadła przy stole, ponownie spoglądając na telefon. Długie chwile hipnotyzowała go wzrokiem. „Zadzwoń albo napisz" – prosiła bezgłośnie o jakikolwiek znak, że to, co przeżyła w nocy i dziś rano, nie było snem, że Janek rzeczywiście ją odnalazł, ale... telefon milczał.

Chwyciła go w rękę zdecydowana napisać do Jaśka wiadomość. Krótką, niezobowiązującą, ot, przyjacielskie zapytanie, czy dotarł bezpiecznie do domu, ale przypomniały jej się słowa wyczytane w jakieś książce: „Jeśli mężczyźnie na tobie zależy, znajdzie sposób, by ci o tym powiedzieć". Powoli odłożyła telefon, przyrzekając sobie: nie zadzwoni pierwsza. Nie będzie narzucać się żonatemu facetowi. Jeżeli była dla niego przelotną przygodą, trudno. Raz mu się udało. Drugiego nie będzie. Julia do Jaśka już nie zadzwoni ani nie napisze.

Wstała i z ciężkim sercem ruszyła do sypialni. Wyciągnęła pudło ze ścinkami i zaczęła układać na łóżku wzór nowej narzuty, którą nazwie Zachód Słońca. Tak. Złoto, szkarłat, żółcienie i nieco fioletu dla podkreślenia gry barw... Zatraciła się w twórczym zapale tak dalece, że otrzeźwił ją dopiero zapadający mrok. I piknięcie przychodzącej wiadomości.

Poderwała się, pobiegła do kuchni, gdzie zostawiła telefon i niemal śpiewając: „Janek napisał! Janek!", otworzyła skrzynkę odbiorczą. I natychmiast posmutniała. To był esemes od Gosi, nie od Jaśka. Pytała w nim, jak się Julii podoba szkic strony.

Jakiej strony? – kobieta zmarszczyła brwi, będąc myślami w okolicach Kielc.

– Boże, ogarnij się, Stanecka! – krzyknęła w następnej chwili zła sama na siebie. – Osobiście prosiłaś Gosię, by wyczarowała stronę internetową dla „Przystani Julii"!

Wróciła do pokoju, otworzyła link, który Małgosia przysłała jej w mailu, i... aż łzy się jej w oczach zakręciły. Strona sklepiku była piękna, po prostu piękna. To właśnie mówiła przyjaciółce minutę później. I dziękowała Małgosi z całego serca właśnie za serce, które ona włożyła w swoją pracę.

– Po to są przyjaciele – odparła Gosia po prostu. – Pamiętaj: nie jesteś sama. Masz nas.

Tak. Julia nie była sama, choć gdy telefon umilkł, znów otuliła ją cisza i pustka. Jednak gdzieś tam, trochę bliżej i trochę dalej, byli przyjaciele, w każdej chwili gotowi przyjść jej z pomocą.

Bezcenna to była świadomość...

# Rozdział XI

*Lilia – wspaniała, wyniosła, po prostu piękna, dziewiczo biała, biało-różowa, prezentuje się pięknie w wazonie pośrodku stołu. Aromat wypełnia zaś cały dom. Sprzyja miłości i znalezieniu tego jedynego, jest symbolem lojalności i wierności.*

„Łukasz, przyjacielu..." – tak zaczynał się ostatni list od Jakuba.

Lata temu, niedługo po tym jak się poznali podczas włóczęgi po świecie i uratowali sobie nawzajem życie, Jakub nauczył Łukasza, jak w prosty sposób zaszyfrować wiadomość. Wystarczyła książka, którą znali obaj, i już słowa i zdania zamieniały się w ciąg cyfr. Kod był nie do złamania.

Kiedy Łukasz otworzył plik 475, w pierwszej chwili niewiele z niego zrozumiał. Ciąg cyfr nic mu nie mówił. Jednak zaraz potem przypomniał sobie tamtą rozmowę, przy ognisku w Tybecie i... musiał znaleźć ową książkę, łamiącą szyfr.

Nie było to łatwe, ale dotąd chodził po krakowskich antykwariatach, aż w końcu zdobył ten właśnie i żaden inny egzemplarz. Niemal biegiem wrócił z nim do mieszkania Michała, który nadal miał dyżur w szpitalu, i zaczął mozolnie, cyfra po cyfrze, odczytywać wiadomość. Zaczynała się od dwóch słów, które sprawiły, że gardło ścisnął mu bolesny skurcz.

*Łukasz, przyjacielu...*

Musiał przerwać, odetchnąć i otrzeć oczy.

*Jeżeli czytasz tę wiadomość, znaczy, że mnie dorwali. Pięć lat temu zaczęliśmy prace nad szczepionką przeciwko HIV, które zakończyły się sukcesem. Mamy HV475. Chociaż starałem się utrzymać ten sukces w tajemnicy, dopóki szczepionka nie będzie gotowa do rejestracji, oni i tak się dowiedzieli. Medica Ltd., World Farmacia, Focus Farmacy. Do wyboru, do koloru. Albo kupili moich ludzi, albo po prostu włamują się do komputerów każdego, kto ich interesuje.*

*Niedawno dostałem propozycję czy raczej ultimatum: sprzedam im tę szczepionkę w takiej fazie, w jakiej się teraz znajduje. Pewnie już wiesz, co to oznacza – zniszczą wszystkie materiały i świat nigdy się o niej nie dowie. Przynajmniej nie do czasu gdy leczenie AIDS będzie bardziej opłacalne niż szczepienie przeciwko tej chorobie.*

*Odmówiłem, Łukasz. Nie pozwolę zniszczyć dzieła mojego życia. Chociaż... skoro to czytasz, znaczy, że dopadli mnie i zapłaciłem za moją decyzję życiem.*

*Nie próbuj szukać morderców i mścić się, a wiem, że masz na to w tej chwili chęć. Oni są potężni. Bardzo potężni. I równie bezkarni. Proszę Cię tylko o jedno: chroń moje dzieci. Chrzanić resztę świata. To moja ostatnia wola: zniszcz wszystko, co jest związane z przeklętą HV475, i nie pozwól tym skurwielom, by zrobili krzywdę Kamili albo dziecku Małgosi. Pamiętaj: Ciebie też dorwą. Na końcu albo na początku, ale dorwą. I nie cofną się przed niczym.*

*Nie daj się im.*

*J.*

Siedział na kanapie, patrząc bezmyślnie w pociemniały ekran laptopa.

Ile czasu minęło od rozszyfrowania wiadomości? Nie miał pojęcia. Czytał ją tyle razy, aż w komputerze wyczerpały się baterie i ekran zgasł. Nauczył się ostatnich słów Jakuba niemal na pamięć. Szczególnie te zdania wryły się Łukaszowi w mózg: „Chroń moje dzieci. Chrzanić resztę świata. Nie daj się im. J."...

Potarł twarz dłońmi wyczerpany tak jak chyba jeszcze nigdy w życiu.

Nikła nadzieja, że Jakub upozorował swoją śmierć, że żyje i kiedyś wróci, prysła.

Słysząc przekręcany w zamku klucz, nawet spojrzał w tamtym kierunku. Po prostu trwał niezdolny do wykonania żadnego ruchu.

Michał wszedł do pokoju, zapalił światło i na widok brata zapytał z pozornym spokojem:

– Nie mógłbyś włączyć komórki? Próbuję dodzwonić się do ciebie od dwóch godzin. Co się stało? – zaniepokoił się, widząc reakcję Łukasza, a raczej całkowity jej brak.

Ten machnął ręką w kierunku laptopa. Michał zmarszczył brwi, próbował włączyć komputer, a gdy mu się to nie udało, coraz bardziej zaniepokojony, podłączył laptop do ładowarki i czekał chwilę, aż ekran pojaśnieje. Pochylił się ku niemu i przeczytał odszyfrowaną wiadomość. Pokręcił głową i przeczytał raz jeszcze.

– A jednak – mruknął ni to do brata, ni do siebie. – Co zamierzasz? – przeniósł wzrok z ekranu komputera na Łukasza, ale ten zdawał się trwać w stuporze i siedział bez ruchu tak, jak Michał go zastał. Gdyby nie wcześniejsze machnięcie ręki, starszy z Hardych zacząłby się poważnie martwić o stan jego umysłu... – Hej, człowieku, co w związku z tym zamierzasz zrobić?! – Rąbnął go w ramię.

Łukasz odtrącił rękę brata, wydusił:

– Daj mi spokój – po czym wstał, minął go i wyszedł z mieszkania bez słowa wyjaśnienia.

Włóczył się po knajpach do późnej nocy. Nie pił, choć bardzo chciałby upić się do nieprzytomności, ale pierwszego kieliszka wódki omal nie zwymiotował. Nie wódka była mu potrzebna... Głowa pękała mu od natłoku myśli. Alkohol dałby zapomnienie, owszem, ale nie rozwiązałby problemu i nie podjął za Łukasza decyzji.

Wrócił przed świtem. Michał, wściekły do granic, czekał na niego.

– Gdzie byłeś?!

Łukasz wzruszył ramionami.

– Jesteś pijany?

– Niestety, nie.

– Wyglądasz jak ostatnia łajza, weź się ogarnij! – Pchnął go do łazienki. – Jadłeś kolację? – zapytał jeszcze, na co otrzymał tę samą odpowiedź: wzruszenie ramion.

Pół godziny później Łukasz wchodził do kuchni znacznie przytomniejszy, choć szare oczy nadal miał zaczerwienione od knajpianego dymu i przygasłe ze znużenia.

– No, dużo lepiej – mruknął Michał, stawiając przed bratem kubek z herbatą i talerz z jajecznicą na boczku. Na drugim już leżał posmarowany grubą warstwą masła chleb.

– Nie mam apetytu – mruknął Łukasz, ale Michał nie zamierzał się z nim certolić.

– Nie pytam, czy masz. Siadaj, wsuwaj i idź spać. Obudzę cię za kilka godzin i jedziemy.

– Niby dokąd?

– Do Warszawy. Mam zezwolenie na ekshumację.

– A po co niby Jakuba ekshumować, skoro wiemy już wszystko? Jeszcze ci mało?

– Mamy tylko plik i odszyfrowaną wiadomość. Żadnych faktów.

– No rzeczywiście! Taki drobiazg, że pochowaliśmy Kilińskiego pół roku wcześniej, to nie dowód! To, że wprasowali go pod ciężarówkę, to też dla ciebie podejrzenie, a nie fakt?!

– Łukasz, usiądź i wysłuchaj mnie spokojnie. Nadal uważam, że Jakub, szantażowany przez tamtych, mógł upozorować swoją śmierć. Dopóki nie zyskam dowodu, że na Bródnie został pochowany rzeczywiście on, nie uwierzę w tę śmierć. W mordę, Łukasz, naprawdę myślisz, że Jakub Kiliński, ten cholernie inteligentny sukinsyn, który stworzył międzynarodowy koncern i opracował szczepionkę na HIV – na HIV, człowieku! – dałby się, ot tak, zabić?!

Łukasz spojrzał na brata nagle pociemniałymi oczami.

– Gdyby dostał taki wybór, jaki ja mam teraz: Kamila albo reszta świata? Tak. Myślę, że dałby się zabić. I ja też wolałbym umrzeć, niż pozwolić, by tamci dorwali Kamilę. Gdyby Kamili przydarzył się „wypadek", a ja stałbym potem nad jej trumną... Wolałbym umrzeć.

Poderwał się gwałtownie z krzesła, sięgnął po swoją marynarkę, którą Michał wczoraj przyniósł z pralni, i ruszył do drzwi.

– A ty dokąd?! – krzyknął za nim tamten.

Łukasz, nie zatrzymując się, rzucił przez ramię:

– Mam tego dosyć. Wracam do domu.

Zło nie odpuszcza. Nigdy.

To nie jest Dobro, które po pierwszej porażce wróci do kątka i zwinie się w kłębek, czekając na lepsze czasy.

Zło będzie uderzać dotąd, aż zniszczy cel, jaki sobie obrało.

Łukasz nie miał złudzeń, gnając o bladym świcie wynajętym samochodem do Milanówka, że zostawi sprawy HV475 samym sobie i „jakoś to będzie". Ktoś je za niego rozwiąże, dadzą się zamieść pod dywan czy też może on sam dozna częściowej amnezji i o nich zapomni, wracając do normalnego życia – o ile normalnym można nazwać zarzynanie się pracą ponad siły – do domu i do Kamili.

Wiedział, że oni, kimkolwiek są, śledzą uważnie każdy jego ruch. Był pewien, że dostali informację o wizycie pana prezesa w laboratorium i rozmowie z kierownikiem. Może nawet znali jej wynik czy raczej brak wyniku, bo samotnego spaceru po polach, który po tej rozmowie nastąpił, nie można nazwać działaniem. Zrobił to, co mu kazali: odpuścił. Kamila na razie powinna być bezpieczna.

Na razie...

Jak długo może jednak on, Łukasz, zwlekać z działaniem, które tamtych zadowoli?

Miał dużo czasu na rozmyślania. Samochód jechał ze stałą prędkością stu kilometrów na godzinę. Choć była to autostrada, którą jeszcze tydzień temu Łukasz gnałby ile mocy w silniku, dziś wiedział, że „wypadki" się zdarzają, a on jest być może pierwszy na liście. Przez te kilka godzin, które dzieliły go od Milanówka, miał czas, by rozważyć wszelkie pomysły, jakie przyszły mu do głowy.

Jakub w zaszyfrowanej wiadomości wymienił firmy, które interesowały się HV475. Może sprzedać szczepionkę jednej z nich, przy czym w umowie byłaby klauzula, że wprowadzą ją na rynek w ciągu najbliższych pięciu lat? A jeśli podpisałby umowę nie z mordercami Kilińskiego, którzy grożą teraz Kamili, tylko z ich... konkurencją? Łukasza zmroziła ta myśl. Był pewien, że dorwaliby Kamilę w ciągu paru godzin. Może wróciłby do domu i znalazł jej ciało po upozorowanym samobójstwie...?

Sprzedaż przeklętej HV nie wchodziła w grę.

A... rozdanie jej?

Receptura czy sposób wytworzenia były zapewne spisane. Ile to mogło zajmować stron? Łukasz nie miał pojęcia, nie szukał, a więc nie znalazł tych dokumentów. Wyda więc biuletyn albo książkę w tysiącu czy dziesięciu tysiącach egzemplarzy, tłumaczoną na parę języków, i... dzielcie się!

A Kamila następnego dnia po premierze tego dzieła skończy wprasowana pod ciężarówkę, bo im chodziło właśnie o coś przeciwnego: miałeś „odpuścić" sprawę HV475, a nie wypuszczać szczepionkę w świat.

Zjechał na pobocze i oparł głowę o kierownicę całkiem pokonany. Naprawdę chciał wymyślić coś, co uratuje i ukochaną kobietę, i dzieło życia Jakuba. Ale był w potrzasku. A Jakub w ostatnim liście wyraził się jasno i wyraźnie, tak wyraźnie, że bardziej nie można: „pieprzyć świat, ratuj moje dzieci".

Łukasz dostał odpowiedź na pytanie, co się stanie, jeżeli spróbuje się tej woli przeciwstawić. Ta odpowiedź leżała dwa metry pod ziemią na cmentarzu w Warszawie... Lepszej nie było trzeba, chociaż dusza altruisty wprost skowyczała, że skazuje miliony ludzi, także niewinnych dzieci, na śmierć.

Nie miał wyboru.

Chyba że dokona tego wyboru... Kamila. To jej życie było stawką w tej grze.

Łukasz wyprostował się nagle i podjąwszy decyzję, włączył się z powrotem do ruchu, przyspieszając do stu czterdziestu.

Godzinę później parkował pod Sasanką i wpadał do domu.

Pustego domu.

Przeraziło go to jak nigdy dotąd. Obiegł wszystkie pokoje, czując, że panika bierze górę nad rozsądkiem. Jeśli się spóźnił... Jeżeli oni zdążyli Kamili coś zrobić...

Chwycił za telefon i wybrał jej numer. Komórka rozśpiewała się na stole w kuchni, którą zdążył już sprawdzić. Była sobota! Kamila w weekend powinna siedzieć w domu i czekać na jego powrót, bo choć ten jeden dzień w tygodniu starali się spędzać razem!

Gdzie ty się podziewasz?! – zaskowyczał w duchu.

Wypadł do ogrodu, ale i ten był pusty. Już miał dzwonić na policję, gdy w tym momencie furtka od strony sąsiedniego domu skrzypnęła i oczom Łukasza ukazały się Kamila z Gosią.

On usiadł tam, gdzie stał, na schodkach tarasu, bo nogi odmówiły mu posłuszeństwa. Wsparł ciężko głowę na rękach, a w szarych oczach błysnęły łzy. Ulgi i wściekłości. Gdy usłyszał radosne: „Łukasz! Wróciłeś!", i poczuł dłonie ukochanej kobiety na swoich, podniósł na nią pociemniałe oczy, których wyraz przerażał, po czym wycedził:

– Nie ruszaj się nigdzie bez telefonu. Rozumiesz?

Kiedy indziej żachnęłaby się, że nie jest niewolnicą, może krzyknęłaby: „I *vice versa*!", bo to przecież on miał przez ostatnią dobę wyłączoną komórkę, ale wyraz jego twarzy, gdy mówił te słowa, twarzy człowieka którego nie poznawała, sprawił, że odparła potulnie:

– Tak, Łukasz, rozumiem. Będę zawsze miała przy sobie telefon.

Skinął głową i z powrotem oparł ją na ramionach.

– Co mu się stało? – zapytała szeptem Małgosia.

Kamila wzruszyła ramionami.

Łukasz ostatnio wracał w coraz gorszym stanie i gorszym humorze. Naprawdę zaczynała mieć tego dosyć i zastanawiała się, jak długo będzie w stanie to wytrzymać. Przed chwilą, widząc morderczą furię w jego oczach, była pewna, że Łukasz ją uderzy. A to byłby koniec.

Kamila nie mogła wiedzieć, że to nie była mordercza furia, a śmiertelne przerażenie. Łukasz, szukając jej po całym domu, był pewien, że za następnymi drzwiami zobaczy wiszące u sufitu martwe ciało dziewczyny, i to, a także myśl, że nie zdążył, że na wszystko jest już za późno, niemal odebrały mu rozum.

– Łukasz... – poczuł na ramieniu delikatne dotknięcie dłoni Gosi Bielskiej – musisz odpocząć. Choć, Kamila przygotuje ci kąpiel, ja zrobię coś do jedzenia, a ty się położysz. Dobrze?

Kiwnął głową, bo na tyle sił mu jeszcze wystarczyło. Nie pamiętał, kiedy ostatnio jadł, i nie pamiętał, kiedy spał. Wyglądał jak upiór, z szarą ze zmęczenia twarzą, podkrążonymi oczami i niegolonym od Bóg wie kiedy zarostem. Ubranie, które miał na sobie – oprócz marynarki – cuchnęło potem i papierosami.

Co się stało z tym człowiekiem? – Gosia podniosła na Kamilę zmartwione spojrzenie. – Może... zaczął brać narkotyki, nie wytrzymując tempa pracy?

O tym jednak nie mogła z przyjaciółką rozmawiać. Nie teraz. Nie przy Łukaszu. Zresztą... Kamila nabrała chyba podobnych podejrzeń, bo jej złote oczy pociemniały ze zmartwienia. Ujęła mężczyznę pod ramię i poprowadziła go do łazienki. Nalała do wanny gorącej wody, pomogła mu zdjąć ubranie i patrzyła, jak zanurza wychudzone ciało w pachnącej kwiatowym płynem kąpieli. Gdy kwadrans później weszła do środka, spał z odchyloną głową w stygnącej wodzie.

Oczy Kamili zaszły łzami. Podniosła go i właściwie nie budząc, przeprowadziła do sypialni, położyła w łóżku, a potem przytuliła się do jego pleców, wciąż napiętych, i trwała tak długie godziny, czuwając nad jego snem dotąd, aż twarz ukochanego złagodniała, ciało rozluźniło się, objął ją bezwiednie i zasnął wreszcie spokojnie, głębokim snem bez snów...

Nic więcej nie było Kamili potrzebne, niż mieć go blisko, wtulić się w jego ciało, słyszeć spokojny oddech, czuć pod dłonią ciepłą, pachnącą nim, jej mężczyzną, skórę.

Dopiero po kilku godzinach, gdy wyczuła, że Łukasz zaczyna się budzić, zapragnęła czegoś jeszcze. Zsunęła dłoń niżej, ujęła jego męskość i zaczęła pieścić delikatnie, aż poczuła, że on – nadal na granicy jawy i snu – jest gotowy. Wskazała mu dłonią drogę do swego wnętrza, wilgotnego i spragnionego od tylu samotnych dni i nocy, i zaczęła się poruszać. Nadal łagodnie, jak we śnie. Jak delikatne fale jeziora, w przód i w tył.

Łukasz uniósł nagle powieki. Spojrzał na Kamilę, poczuł, co się dzieje, i... zesztywniał. Ona też znieruchomiała, patrząc w jego szeroko otwarte źrenice i nie potrafiąc odczytać jego myśli.

– Nie chcesz mnie już? – wyszeptała.

Kiedyś uwielbiali takie zabawy. Seks na granicy jawy i snu, gdy jedno jeszcze spało, a drugie zaczynało je rozbudzać... Ale to było kiedyś. Przed śmiercią Jakuba, która zniszczyła wszystko. Gdy Kamila pomyślała, że także ich miłość, poczuła piekące łzy.

Ale Łukasz... on pragnął kobiety, tej właśnie, tak bardzo, tak strasznie, że w następnej chwili mocnym, głębokim pchnięciem wydobył z jej gardła przeciągły jęk.

Kochał ją gwałtownie, z determinacją i rozpaczą, jakiej Kamila nie rozumiała i nigdy dotąd nie zaznała. Brał ją tak, jakby miał to być ich ostatni raz. Przerażało ją to, myśl, że Łukasz teraz właśnie, tym ostatnim aktem miłości się z nią żegna. Oddała mu się bezgranicznie, sama nie dbając o własne potrzeby. Osiągnął spełnienie i opadł na nią z jękiem, a potem trwał długie chwile nieruchomo, szepcząc jej imię. Gładziła go po plecach, delikatnie, z nieskończoną czułością, bojąc się odezwać. Bojąc się pytać, bo nie chciała znać odpowiedzi...

On, mając ją nadal pod sobą, nadal zanurzony w jej wnętrzu, uniósł się nagle na łokciach, spojrzał w twarz dziewczyny tym samym wzrokiem, który przeraził ją kilka godzin wcześniej, na tarasie. Wstrzymała oddech. Zaraz się dowie... wszystkiego...

– Kamila, gdybyś miała wybór... – zaczął i urwał, wpatrując się w jej złote źrenice, teraz rozszerzone przerażeniem i rozpaczą.

Nie. Nie wolno mu obciążać jej tym wyborem.

Ona nie może nigdy się dowiedzieć, że na szalę rzucono jej życie, i jej życie Łukasz właśnie wybiera.

Zsunął się z niej, usiadł na brzegu łóżka i zaczął się ubierać.

Przypadła do jego pleców, objęła go rozpaczliwie i zaczęła wyrzucać z siebie słowa, łykając łzy:

– Kocham cię, Łukasz, i tylko ciebie. Nie chcę żadnego innego, nie mam nikogo i nigdy mieć nie będę. Jeżeli ty musisz wybierać między nią a mną, ja... poczekam. Zawsze będę na ciebie czekać i zawsze cię kochać. Jeśli ona... jeśli kiedyś zechcesz do mnie wrócić, ja tutaj będę. Kocham cię...

Pocałowała go w ramię i nagle... znalazła się w jego objęciach.

– Nie ma żadnej „jej" – powiedział miękko. – Jesteś i byłaś tylko ty.

– N-naprawdę? – zająknęła się, nadal płacząc. Otarł łzy z jej policzków wierzchem dłoni. Wtuliła w nią usta. – To dlaczego... to wszystko? – Machnęła ręką w niesprecyzowanym kierunku, ale on dobrze wiedział, o co pyta.

– Mam kłopoty z firmą. Tak poważne, że... mogę stracić wszystko.

Mówiąc „wszystko", mam na myśli nie głupią firmę, a ciebie, kochana moja – dodał w duchu.

Kamila oniemiała, a potem wybuchnęła:

– Stracimy wszystko?! To trudno! Nie zadręczaj się tym tak! Farmica upadnie? I co z tego? Mamy siebie, a to jest najważniejsze. Mamy swoją miłość, swój dom, wreszcie... – Urwała, bo jeszcze nie była pewna, czy może mu powiedzieć o maleńkiej tajemnicy, którą od kilku dni przed nim ukrywała. Jeszcze nie dziś. Dopiero, gdy ujrzy na ekranie USG bijące serduszko... – Tamto jest nieważne. Liczy się tylko to, że jesteśmy razem. Ty i ja.

– Tak, tylko to – odparł, pocałował ją, wypuścił z objęć i wstał, sięgając po świeżą, czystą koszulę.

Nic więcej nie było mu potrzebne. Kamila czy reszta świata? Przecież to Kamila była całym jego światem!

Dokonał wyboru.

Oby zdążył.

Przed n i m i...

# *Rozdział XII*

*Orchidea – elegancka, oryginalna i niezwykle piękna, symbol namiętności i tego, co tajemnicze. Jej korzeni używa się jako afrodyzjaku. Zapach odurza. Wspaniale prezentuje się pojedynczo, w długim, wysokim wazonie.*

Julia z duszą na ramieniu wiozła dzieła swoich rąk do Grzegorza. Honda, mimo że stara, dzielnie pokonywała kilometry bieszczadzkich dróg, podskakując na wybojach. One właśnie niepokoiły kobietę czy raczej wpływ wstrząsów na ciasta, które sąsiad zamówił. Sernik i szarlotka jakoś te podskoki wytrzymają, ale delikatny tort i pudełko kruchych rogalików nadziewanych powidłami już niekoniecznie!

Wtem samochód wpadł w wyrwę, spowodowaną wcześniejszą ulewą. Julią szarpnęło w przód tak silnie, że gdyby nie zapięte pasy, chyba zmiażdżyłoby jej żebra o kierownicę. Przez chwilę nie mogła złapać oddechu. Silnik oczywiście zgasł, światła też. Zupełnie jak w dzień czy raczej w noc, kiedy tu przyjechała. Tak jak tamtego wieczoru tkwiła pośrodku leśnej drogi, przy tym samym strumieniu – może nawet w tym samym miejscu! – w unieruchomionym samochodzie.

Ale coś się zmieniło...

Nie była już sama jak wtedy i bezradna jak wtedy.

Dziś mogła spokojnie wyciągnąć telefon i zadzwonić do Grzesia z prośbą o pomoc – o ile w tym miejscu był w ogóle zasięg – a potem czekać, aż on przybędzie z odsieczą. Grzegorz Bogdański był niezawodny.

Julia odpięła pas, który na szczęście się nie zablokował, i wysiadła.

Ach... te bieszczadzkie noce... Powietrze pachnące jak nigdzie indziej... Gwiazdy jasne i tak bliskie, że wyciągniesz rękę i już którąś masz... Księżyc wspinający się nad puszczą, świecący dziś tak jasno, że niepotrzebne były światła samochodu, by Julia mogła podejść do strumienia.

Właśnie to uczyniła oczarowana ciszą, spokojem i magią tej nocy.

Przykucnęła na kamieniach, zanurzyła dłonie w lodowatej, krystalicznie czystej wodzie i upiła kilka łyków. Co za smak...

Usiadła na przewróconym pniu, po którym można było przejść na drugą stronę strumienia, a potem położyła się, otulając kurtką, i wpatrzyła w rozgwieżdżone niebo nad głową. Mogła tu zostać do końca życia.

I co z tego, że Janek ani razu nie zadzwonił... Co z tego, że nie przysłał choćby głupiego esemesa czy maila... Noc była taka piękna. Szkoda łez na podłych facetów, co wykorzystują kobietę dla kaprysu i odchodzą bez słowa, no nie?

Poczuła jednak te łzy i w pierwszym momencie zezłościła się na siebie i na nie, ale potem pozwoliła im płynąć. Z jej strony było to prawdziwe uczucie. Przysięgając, że będzie czekać, składała prawdziwą przysięgę. Przyjmując pierścionek po raz drugi, po raz drugi przyjmowała jego oświadczyny.

Po raz drugi?!

A może... z jego strony był to akt zemsty?! Za zerwanie tamtych zaręczyn, i to w stylu, którego nie powstydziłaby się kobieta bez serca i zasad; za odesłanie pierścionka pocztą; za uporczywe milczenie, które sprawiło, że Jasiek w końcu przestał dzwonić i pisać?! Zrobił teraz dokładnie to, co ona siedemnaście lat temu uczyniła jemu...

Julia usiadła, zgięła się wpół i cierpiała w milczeniu. Łzy kapały do strumienia.

Chciała go za to znienawidzić, ale... nie mogła. Miał prawo zranić ją tak, jak ona zraniła go wtedy. Był dobrym człowiekiem, godnym miłości i szacunku. Podeptała tę miłość, wzgardziła nim dla splendoru i pieniędzy, a szacunek... Nie miała szacunku dla samej siebie, nie miała dla niego. Postąpiła podle. I oto odpłacił jej tą samą monetą.

W tym momencie rozdzwonił się telefon. Rzuciła okiem na wyświetlacz. To Grzegorz, pewnie zaniepokojony, dlaczego jeszcze nie zasiada z nim i jego gośćmi przy stole. Musi trochę poczekać, bo ona, Julia, opłakuje właśnie utraconą szansę i nadzieję na miłość.

Napisała esemesa, że jest w drodze.

Po chwili przyszła odpowiedź. Otworzyła ją odruchowo.

„Złożyłem pozew o rozwód. Monika nie będzie czyniła trudności. Czekaj na mnie. Janek".

Cooo?!

Pisnęła niczym mała dziewczynka, przeczytała raz jeszcze „Czekaj na mnie", skoczyła na równe nogi i rozpostarła ramiona, jakby chciała objąć cały świat, przytulić do piersi całą tę piękną, niezwykłą noc pełną cudów. Wtem poślizgnęła się na mchu porastającym pień i wpadła do potoku. Pisnęła po raz drugi, gdy lodowata woda wdarła się pod kurtkę i chlusnęła w twarz, ale zamiast zakląć, jakby to uczyniła jeszcze chwilę wcześniej, Julia roześmiała się.

– Bardzo ci tak dobrze. To zimny prysznic. Kara za to, że w niego zwątpiłaś – rugała samą siebie, idąc do samochodu.

Na szczęście tym razem honda nie potrzebowała żadnych świec, a Julia pomocy sąsiada. Samochód zapalił od razu i nim kobieta zdążyła zamarznąć na śmierć w przemoczonym ubraniu, dotarła do pensjonatu Grzesia. Gospodarz od razu zaprowadził ją do łazienki i kazał wziąć gorący prysznic, zadbał też o to, by miała się w co przebrać, a potem posadził przy kominku, w którym buzował ogień ogrzewający całe pomieszczenie.

Po krótkim zamieszaniu i prezentacji jego goście, miłośnicy koni, rozsiedli się dookoła stołu w ośmioro i gawędzili o bieszczadzkich hucułach, silnych, mądrych i wiernych, zupełnie tak, jakby mówili o najbliższych przyjaciołach.

Julia słuchała ich opowieści w milczeniu, bo konie lubiła podziwiać jedynie na obrazku. Grześ co jakiś czas dolewał wszystkim nalewki z malin, domowej roboty oczywiście, i uśmiechał się nieco zawstydzony do Julii, jakby mówił: „Wiesz, my, koniarze, możemy się czasem wydać szurnięci, ale... każdy ma jakiegoś bzika".

– Przywiozłam ciasta! – przypomniała sobie nagle.

– No to prosimy, kochana, bardzo prosimy!

Pobiegła do samochodu, Grzegorz za nią, jak zwykle pamiętając, by narzucić jej kurtkę na ramiona. Gdy wracali, obładowani słodkościami, które na szczęście nie ucierpiały podczas leśnej przygody, mężczyzna zatrzymał się nagle.

– Wyglądasz dziś inaczej. Wręcz promieniejesz. Jakby kąpiel w lodowatym strumieniu była tym, o czym marzyłaś.

Julia zaśmiała się tylko.

– Jesteś zakochana w tym gościu, którego przywiozłem nocą?

– Jestem. Od jakichś dwudziestu lat. Poznałam go w liceum i od tamtej pory kocham.

– Co więc robisz tutaj, zamiast być z nim i tulić wasze dzieci?

Spoważniała. Spojrzała mężczyźnie prosto w oczy. Ganek był jasno oświetlony, widziała więc w tych oczach nie zazdrość czy wścibstwo, a... troskę. O nią, o Julię.

– Swego czasu dokonałam złego wyboru – odparła powoli. – Zamiast miłości, wybrałam pieniądze. Dostaję dziś drugą szansę od chłopaka, którego wtedy odrzuciłam.

– I nie zmarnuj jej – powiedział cicho. – Życie jest zbyt krótkie, by tracić to, co dobre, a los bywa okrutny i zabiera szczęście, nim zdążymy się nim nacieszyć.

Kiwnęła głową, a widząc smutek na jego twarzy i wiedząc, że w tej chwili wspomina zmarłą żonę, chciała powiedzieć coś, co da mu choć trochę pocieszenia. Jednak zanim to zrobiła, nagle za ich plecami padło ostre:

– Tu was mam!

Piękna, choć trochę smutna chwila prysła.

Na ganek weszła czarnowłosa kobieta w futrze z norek i wycelowała w nich palec.

– O, Ita, miło, że wpadłaś. – Grzegorz uśmiechnął się z wyraźnym przymusem. Julia nawet nie próbowała udawać, że cieszy ją widok tej kobiety. – Mam komplet gości i...

– I wystajesz na ganku z naszą piękną sąsiadeczką, zamiast ich zabawiać?

– Wybacz, Ita, ale to, z kim i gdzie rozmawiam w moim domu, to tylko i wyłącznie moja sprawa – odparł ostro.

– A co na to nasza Miss? – Malarka zwróciła się do Julii, mrużąc ciemne oczy z wyraźną złością. „Przecież cię ostrzegałam, no nie? On jest mój! Czemu się wpieprzasz między mnie a niego?" – to mniej więcej Julia mogła w nich odczytać.

– Jeśli już, to *missis* – odezwała się Julia lodowatym tonem. – Jestem rozwódką, wolnym człowiekiem i podobnie jak Grzegorz, to z kim i gdzie rozmawiam, jest wyłącznie moją sprawą. Ale uspokoję panią, pani Ito, nim spali mi pani dom nad głową: właśnie się zaręczyłam. – Uniosła dłoń, ozdobioną skromnym pierścionkiem, na którego widok tamta wydęła w pogardzie wściekle czerwone usta. – Nie stanowię dla pani konkurencji.

– Oczywiście, że nie! – prychnęła Ita Grzeczna. – Może i zdobyłaś tytuł Miss Czegoś Tam, ale to było sto lat temu! Nie pochlebiaj sobie, że urodą możesz się ze mną równać!

– Urodą może nie, ale charakter mam zdecydowanie lepszy – skwitowała Julia spokojnie, bo tej nocy nic ani nikt nie był w stanie zepsuć jej humoru, a Grzegorz zaśmiał się i rzucił:

– Szach. Mat. Wybacz, Ita, że cię nie zapraszam, ale jak wspomniałem, mam komplet gości.

– I panią Julię Stern do tego kompletu? – wtrąciła tamta z gryzącą ironią.

– Stanecką, jeśli już. I nie jestem tu gościem, tylko kucharką. – Julia uśmiechnęła się słodko, widząc, jak tamtą roznosi wściekłość. Owszem, pani Ita mogła sobie grozić, wtedy gdy najechała Julię z zaskoczenia, ale dziś Julia nie bała się niczego ani nikogo.

– No tak. Poprzednio byłaś kucharką tego bossa od telewizji, aż cię wymienił na młodszy model. – Widać Marita musiała mieć ostatnie słowo i nim ranić. Dopiero wtedy mogła zebrać swoje norki, niczym tren sukni, i z godnością odejść w mrok nocy.

Grzegorz westchnął i spojrzał na Julię przepraszająco.

– Ona jest trochę nie tego. Ubzdurała sobie, że wszyscy faceci, łącznie ze mną, na nią lecą, i odstawia takie hece wobec każdych wolnych portek w okolicy. Rzeczywiście jest piękna i z tego, co wiem, ma branie przez cały sezon, czyli do czasu gdy zaczyna nudzić się jej w Bieszczadach i wraca do stolicy. Może dlatego nie potrafi zrozumieć, że moje „nie" znaczy „nie". Ot co.

Julia, słuchając tych wyjaśnień, kiwała tylko głową. Podczas wyborów Miss i później, będąc żoną Tymoteusza Sterna, spotykała takie kobiety: żarłoczne, wręcz nienasycone harpie, które uważały, że uroda i pieniądze dają im prawo wyciągać łapę po wszystko i po każdego. Bezwzględne, zepsute, pozbawione hamulców, zasad czy choćby dobrych manier. Wytwór dziwnych, coraz dzikszych czasów, w którym przyszło Julii żyć. Czasów, w których rządzi forsa i siła.

– Trzeba ją przetrwać jak wiosenną burzę – dokończył Grzegorz, zapraszając ją gestem do środka. Po chwili rozkładali na stole pyszności, które przygotowała na ten wieczór Julia.

Gdy goście skosztowali każdego po trochu, zachwytom nie było końca.

Posypały się też, ku ogromnemu zdziwieniu Julii, zamówienia. Jedna para w przyszły weekend organizowała grilla, podczas którego przydałby się stosik tych pysznych rogalików, druga miała rocznicę ślubu. Ktoś chciał tak piękny i pyszny tort na osiemnaste urodziny córki: „Tylko rozumie pani, droga Julio, z odpowiednim napisem".

Julia przytakiwała, zupełnie oszołomiona, rozdawała numer telefonu, bo wizytówek oczywiście nie miała, a Grześ przyglądał się temu i uśmiechał tak uradowany, jakby Julia była jego własnym dziełem.

Wracała po północy, szczęśliwa jak nigdy dotąd.

Miała własny dom. Miała być może narzeczonego – choć ten musiał się najpierw rozwieść, a wiadomo, że z rozwodami różnie bywa – a na pewno miała... stęsknioną kotkę, która wypatrywała pani z najwyższego stopnia ganku.

Julia zatrzymała się pod Chatką Dorotki, przysiadła na schodku, wzięła czule mruczącą Bezę na kolana i po raz drugi tej nocy zapatrzyła się w niebo pełne gwiazd. Właśnie jedna przecięła firmament długim, jasnym łukiem.

– Chcę być tak zwyczajnie szczęśliwa – wyszeptała kobieta. – Żadnych Sternów, willi z basenem i imprez dla snobów. Kochający mąż, przytulny dom, fajna praca i... może maleństwo albo dwa? Mam przecież dopiero trzydzieści siedem lat. I całe życie przed sobą.

Czasem spadające gwiazdki spełniają nasze marzenia. A czasem nie.

# Rozdział XIII

*Mak – oto ciekawa roślina, roślina życia i śmierci, gdyż potrafi zarówno leczyć, jak i zabijać. Najpiękniejsze są w niej płatki, delikatne jak skrzydła motyla, czerwone czy biało-różowe, otaczające złoto-czarny środek. Kwiaty łagodzą wzburzone emocje, pomagają się wyciszyć i spojrzeć w głąb siebie. Pomagają pogodzić się skłóconym parom! O opium lepiej nie wspominajmy...*

Łukasz, zdążając w to niedzielne popołudnie w kierunku Wrocławia, obmyślał plan. Swoje porsche 911 – bo na porsche wymienił skasowaną w wypadku hondę – którym zwykle poruszał się po Polsce, zostawił na lotniskowym parkingu i przesiadł się do wynajętej furgonetki. W drodze na południowy zachód wstąpił do kilku hipermarketów budowlanych i z każdego wyszedł z wózkiem pełnym piętnastolitrowych kanistrów. Człowiek może chyba w niedzielę kupować kanistry, no nie?

Później, jadąc furgonetką, wyładowaną kanistrami, zatrzymywał się na stacjach benzynowych i tankował po dwa do pełna. Nie chciał wzbudzać żadnych podejrzeń, chociaż nie miał się czego obawiać. Zamierzał przecież podpalić swoją własną firmę. Właściwie tylko jej część. Owszem, pamiętał, że Farmica nie należy do niego, on jest jedynie albo aż jej prezesem, a właścicielkami są Kamila i Gosia, ale nie miał żadnych wątpliwości, że obie wybaczą mu ten występek. Miał przecież swoje powody...

Spokojnie, bandyci, nie zamierzam zdradzać waszych brudnych sekretów. Nie narażę kobiet, które kocham, na śmierć, ale... – bajeczka, którą układał sobie w myślach, stawała się nawet dla niego, Łukasza, coraz bardziej przekonująca.

W znakomitym humorze minął Wrocław – może wstąpi jutro do biura, upewnić się, że w sejfie nie ma żadnych dokumentów na temat HV475? – i wreszcie zaparkował pod niepozornym budynkiem, w którego podziemiach mieściły się laboratoria Farmiki.

Znudzonemu ochroniarzowi dał wolny wieczór – facet musiał się upewnić, dzwoniąc do szefa, że ma przed sobą pana prezesa – a gdy został sam, upewniając się, że w promieniu kilku kilometrów nie ma żywego ducha, zamknął drzwi od wewnątrz i zszedł do podziemi.

Znał kod otwierający kolejne drzwi i śluzy. Był w końcu prezesem tego bajzlu! Wszystko zostawiał za sobą otwarte, na wypadek gdyby musiał szybko stąd spieprzać. Nie obawiał się, że przez przypadek uwolni jakieś cholerstwo, bo Jakub nigdy nie był zainteresowany wynalezieniem śmiercionośnego wirusa. Paradoksalnie, największym zagrożeniem okazała się szczepionka przeciwko jednemu z nich!

Wreszcie dotarł na najniższy poziom.

To tutaj po jednej stronie krótkiego korytarza mieściła się serwerownia, a po drugiej sejf. Łukasz przyjrzał się masywnym drzwiom prowadzącym do jego wnętrza. Choćby miał ze sobą małą bombę, mógłby im nie dać rady... Na szczęście nie potrzebował bomby, bo

Jakub w zaszyfrowanej wiadomości podał mu kod dostępu. Łukasz nauczył się szeregu cyfr na pamięć i wykasował tę część pliku, Michał nie musiał go znać.

Nadal w znakomitym humorze, z uśmiechem na ustach, wystukał szereg cyfr na elektronicznym zamku, poczekał, aż zgaśnie czerwona dioda i zapali się żółta, a potem wprowadził kolejne cyfry. Krótkie piknięcie i dioda zmieniła barwę na zieloną. Sejf Farmiki stanął przed Łukaszem otworem.

Otworzył ciężkie drzwi i wszedł do środka, światło zapaliło się samoczynnie.

Pomieszczenie miało ze dwa metry długości i dwa szerokości. Było nieduże, ale regały stojące przy jego trzech ścianach uginały się od dokumentów. Oto serce laboratorium. Oto dorobek życia Jakuba Kilińskiego. I oto Łukasz, z kilkoma kanistrami benzyny, który przybył ten dorobek puścić z dymem...

Nie wahał się ani przez sekundę.

Wrócił na górę i przez ładnych parę minut kursował schodami w tę i we w tę, niczym juczny muł, dźwigając te cholerne kanistry. Potem, odziany w kalosze znalezione w pomieszczeniu ochrony – o tym nie pomyślał, doprawdy – skrupulatnie rozlał benzynę na każdym piętrze. Od minus dwa do parteru.

Gdybym był przewidujący, zaopatrzyłbym się w maskę przeciwgazową – pomyślał rozbawiony nie wiedzieć czym, chyba mu się trujące opary na mózg zaczęły rzucać.

Ledwo dysząc, dosłownie, bo od smrodu benzyny zaczęło go dławić w gardle, wyszedł w końcu na zewnątrz i odetchnął świeżym powietrzem. Do zalania zostało jeszcze biuro. Raz-dwa i ostatnie dwa kanistry były puste.

Teraz, gdyby to był hollywoodzki film, Łukasz stanąłby pośrodku podjazdu, powoli, od niechcenia zapalił papierosa i cisnął go za siebie, po czym odszedłby niespiesznie, mając za plecami spektakularną kulę ognia.

Ale to nie był film, on był półprzytomny, nawdychawszy się oparów beznzyny, a otępiały mózg nie chciał wygenerować informacji, w jaki sposób podpalić to cholerne laboratorium, uchodząc przy tym z życiem!

Łukasz był pewien, że coś po drodze wymyśli, ale... co?

– Ja pierniczę, miałem wrzucić przez okno koktajl Mołotowa – olśniło go nagle. Tylko... całą benzynę, co do kropelki, już zużył!

Samochód! Utoczy nieco paliwa z samochodu!

Tak, idioto, szczególnie że wynająłeś diesla...

Masakra. Jesteś głupi jak but, Łukaszu Hardy. Jak ty teraz, śmierdząc niczym cysterna z benzyną, podjedziesz na stację, żeby zatankować choć jeden litr? Przecież cię natychmiast zamkną!

Nagle zaczął się śmiać. Cały misterny plan właśnie brał w łeb, bo zapomniał o zapalniku... Zresztą, co ma do stracenia?

Wstrzymując oddech, wszedł do biura, wziął ostatni kanister, który tu opróżnił, i wrócił do samochodu, po czym pojechał na najbliższą stację. Na szczęście nikogo nie zainteresował przyzwoicie ubrany facet, śmierdzący, jakby brał kąpiel w benzynie, który zatankował połowę kanistra i kupił dwie butelki Frugo. Dlaczego akurat Frugo? Bo tylko to mieli w szklanych butelkach, resztę w plastikowych butelkach, które nie nadawały się na koktajl Mołotowa. Przynajmniej tyle Łukasz pamiętał z filmów wojennych...

Znów uśmiechnięty podjechał pod budynki Farmiki i... ups! Houston, mamy problem! Ktoś już na niego czekał.

– Co tam panowie? – zagadał przyjaźnie do dwóch ochroniarzy, siedzących w samochodzie agencji, która pracowała dla Farmiki.

Subtelnie pociągnął nosem, ale tu benzyny nie było czuć. Drzwi były szczelne. Na zewnątrz nic nie mogło wzbudzić podejrzeń, lecz jeśli zechcą wejść do środka, Łukasz będzie musiał ich zabić. Roześmiał się na tak absurdalny pomysł. Ochroniarze spojrzeli po sobie i wysiedli.

– Przepraszam – zaczął starszy z nich – ale dostaliśmy sygnał, że pracownik, który powinien mieć dzisiaj dyżur, został zwolniony.

– Nie zwolniony, a urlopowany. Dałem mu wolny wieczór, bo chcę sam, w spokoju, popracować nad ściśle tajnym projektem i on by mi tylko przeszkadzał. Rozumiecie, panowie, umiem się skupić tylko w zupełnej samotności.

Łukasz potrafił być przekonujący, ale... nie w tak dziwnym stanie umysłu jak w tej chwili. Czy to benzyna działała nań jak gaz rozweselający czy adrenalina buzująca od rana w żyłach, tego nie wiedział, ale wszystko, absolutnie wszystko go śmieszyło. Miny tych dwóch ochroniarzy zaś najbardziej. Z trudem powstrzymał się od chichotu.

– Czy ma pan odpowiednie kompetencje? – zapytał młodszy z mężczyzn ostrożnie, jakby miał do czynienia z czubkiem.

– Jestem prezesem tej firmy, na Boga! – wykrzyknął Łukasz. – Znacie kogoś, kto byłby bardziej kompetentny ode mnie, by wywalać pracowników czy prowadzić tajne badania?

Dobry humor zniknął nagle jak ręką odjął. Łukasz już się – na swoje szczęście – głupio nie szczerzył. Teraz wyglądał tak, jak prezes międzynarodowego koncernu, w którego pełnomocnictwa ktoś śmie wątpić, powinien wyglądać.

– Przepraszamy, ale proszę nas zrozumieć, dostaliśmy polecenie służbowe, by potwierdzić pańską tożsamość. Czy mogę prosić o dowód osobisty? – zapytał pokornie starszy.

– Nie ma sprawy. – Łukasz wyjął z portfela dowód i wręczył go wielkopańskim gestem ochroniarzowi. Ten spojrzał na imię i nazwisko, spojrzał na zdjęcie, rzucił okiem na Łukasza i odrzekł, jeszcze pokorniej, oddając mu dowód:

– Raz jeszcze przepraszam za to nieporozumienie. Nasz szef jest bardzo podejrzliwy, bo mieliśmy tu parę prób włamania.

– I dobrze pełnicie obowiązki – uciął Łukasz już zupełnie poważnie. – Postaram się, żebyście obaj dostali premie, a teraz dajcie mi spokój, panowie, bo muszę wziąć się do pracy.

– Tak, panie prezesie, oczywiście.

Chwilę później po samochodzie ochrony i samej ochronie nie było już śladu, a Łukasz... jakby nagle uszło z niego całe powietrze, poczuł, że nogi się pod nim uginają. Oparł się ciężko o maskę wynajętej furgonetki i przez chwilę oddychał głęboko, zbierając myśli.

– O mały włos, panie prezesie, a cały twój plan wziąłby w łeb. Ciekawe, jakbyś się im wytłumaczył z hektolitrów benzyny, którymi zalałeś wszystkie piętra, gdyby weszli do środka. Nie weszli chyba tylko dlatego, że przyjechałeś zaraz po nich. Na razie masz fart, Hardy, oby ten fart nie opuścił cię aż do końca...

Wyjął reklamówkę z zakupami. Wypił oba Frugo do dna – owocowy sok podziałał na jego organizm całkiem nieźle – po czym napełnił butelki benzyną, skręcił lont z kawałka bandaża, który znalazł w apteczce – dzięki Bogu, bo musiałby drzeć na pasy własną koszulę albo jechać na tę samą stację, tym razem po bandaż! – zakorkował nim jedną butelkę, potem drugą i... był gotów.

Był gotów wysłać HV475 w kosmos.

I to teraz, bo zaczął zapadać zmrok, a po zmroku płomienie będą bardziej widoczne i szybciej przyciągną straż pożarną, a na tym prezesowi firmy, którą właśnie zamierzał podpalić, nie zależało.

– No to Frugo – mruknął i... nagle poczuł strach. Paraliżujący strach, bo to, co do tej pory wydawało się świetnym planem, a przez jakiś czas gdy mu opary na mózg padły, nawet świetną zabawą, teraz, gdy przyszedł ten moment, po prostu go sparaliżowało...

Ściskał w dłoniach obie butelki wypełnione benzyną i patrzył na otwarte drzwi – okna mogły być ze szkła hartowanego, a takich by butelką nie przebił. Smród benzyny zaczął wydobywać się na zewnątrz.

Jeszcze chwila wahania, facet, i gdy to wszystko pieprznie, nie wyjdziesz z tego żywy...

– No, dawaj, Hardy, za *rodinu*, a jeśli nie za *rodinu*, to za Kamilę.

Nagle odzyskał odwagę. Odbiegł kilka kroków, wziął rozmach i cisnął pierwszą butelkę do środka.

Drugiej nie zdążył.

Rozpętało się piekło.

– Naprawdę, mógłby od czasu do czasu odbierać telefony, szczególnie ode mnie – powiedziała Kamila ze złością, odkładając komórkę. – Rano zapewnia, że kocha, wieczorem nie raczy chociaż porozmawiać. Jak ja mam tego dosyć.

Gosia słuchała jej narzekań w milczeniu, skubiąc bez apetytu kawałek bułki. Jadły kolację w kuchni Sasanki. Kamila, licząc, że Łukasz na tę kolację wróci, przeszła samą siebie i przygotowała istną ucztę: miniaturowe kanapeczki, półmisek serów i wędlin, trzy sałatki, a w razie gdyby nie jadł dziś obiadu, kilka dań na ciepło – ostatnio wyglądał przecież, jakby w ogóle rzadko coś jadł – do tego herbata pachnąca poziomkami i ciasta, które przyniosła Gosia, zaproszona oczywiście na tę ucztę. Wszystko to schło lub stygło, bo:

– Jaśnie pan nie dość, że nie wrócił, to nie odbiera cholernego telefonu!

Kamila miała tego naprawdę dosyć. Ze łzami w oczach cisnęła komórkę na blat szafki i usiadła do stołu zdecydowana zjeść kolację z przyjaciółką. Jak zwykle. A Łukasz niech spada!

Gosia, która do tej pory skubała bułkę, patrząc na miotającą się z telefonem przy uchu Kamilę, odezwała się nagle:

– Chciałabym... Naprawdę chciałabym zadzwonić do Jakuba... Żeby zapytać, kiedy, do cholery, wróci na kolację...

Kamila znieruchomiała z kawałkiem pasztetu, uniesionym do ust. Ręka sama jej opadła. Odłożyła widelec, okrążyła stół i objęła przyjaciółkę.

– Gosiu, Boże, nie chciałam cię zranić. Po prostu...

– Przepraszam, to ja ciągle nie mogę się pogodzić, że jego nie ma. I nigdy już nie wróci. Nigdy nie odbierze telefonu, żeby zamienić choć kilka zdawkowych zdań. Nigdy mnie nie obejmie i nie przytuli.

Małgosia nie płakała, mówiąc te słowa. Nie miała już łez. Ból był taki sam jak na początku, ale łez zabrakło.

– Gdy Łukasz nie odbiera telefonu – zaczęła Kamila zdławionym głosem – po prostu odchodzę od zmysłów. Boję się, że za chwilę zapuka do drzwi policja i usłyszę: „Przykro nam, pani narzeczony, Łukasz Hardy, nie żyje".

Gosia chwyciła ją za rękę i uścisnęła mocno.

– Nie wolno ci tak mówić! Nie wolno nawet tak myśleć! Bóg nie byłby tak okrutny, by doświadczać cię w ten sposób jeszcze raz!

– I to mówi ta, której Bóg odebrał synka, rodziców, a na koniec ojca jej nienarodzonego dziecka, faceta, który pokochał ją całym sercem... – odparła Kamila z goryczą. – Gosiu, Bóg nie zna, co to litość. Ty najlepiej powinnaś to wiedzieć.

– Mimo wszystko wierzę w Jego miłosierdzie. – Małgosia obronnym gestem objęła brzuch, jakby cokolwiek miało zagrażać małemu Kubusiowi, tu, w tej jasnej, przytulnej kuchni.. – W coś muszę wierzyć... – dokończyła szeptem.

Kamila wyszarpnęła rękę z jej uścisku.

– Nie wytrzymam tego. Jeśli ten drań natychmiast nie odbierze...

Nim zdążyła sięgnąć po telefon, ten rozdzwonił się. Dziewczyna porwała go w dłoń i odebrała połączenie. Pytanie Michała Hardego sprawiło, że serce stanęło jej w pół uderzenia:

– Kamila, czy wiesz może, gdzie jest Łukasz?

Zadał je takim tonem, że nogi się pod nią ugięły, i Gosia z rosnącym przerażeniem patrzyła, jak jej przyjaciółka opada ciężko na krzesło.

– Nie wiem – odszepnęła. – Nie odbiera telefonów.

– Był u ciebie?

– Był. Przyjechał wczoraj, ledwo żywy, przespał noc i rano wyjechał, nie mówiąc dokąd. A... coś się stało?

– Gdy wyjeżdżał, mówił coś? – Kamila wyczuwała napięcie w głosie Michała i bała się coraz bardziej...

– Mówił, że ma kłopoty z Farmiką. Że może stracić wszystko. Ja powiedziałam, że to nic, liczy się tylko to, że oboje żyjemy, że się kochamy i wtedy on... On ubrał się i wyszedł, ale nie był wściekły.

Wydawał się... Inny niż w ostatnich dniach. Chyba go trochę uspokoiłam... Michał, jesteś tam?

– Tak – odezwał się cicho brat Łukasza.

– Wiesz coś więcej? Gdzie on jest? Co wy knujecie?! Od kiedy to dzwonisz do mnie, żeby zapytać o Łukasza?!

Rozłączył się.

Po prostu się rozłączył.

A Kamila wybuchnęła łzami wściekła i bezradna jak chyba nigdy dotąd.

Gdzie jesteś, Łukasz?! Dlaczego nie odbierasz?!

Łukasz nie odbierał, bo siedział pośrodku pola, na którym całkiem niedawno klęczał, i patrzył na pożar.

Gdy cisnął pierwszą butelkę, podmuch rzucił nim o ziemię. Tylko dlatego że druga, którą trzymał w ręku, nie rozbiła się, on sam nie stanął w płomieniach. Odczołgał się w panice i... drugi wybuch zbił go z kolan. Ale nadal płomienie go nie dosięgły. Marynarkę, która zaczęła się tlić, ugasił dłońmi, po czym poderwał się i zaczął biec w kierunku furgonetki. Ogień szalał za jego plecami, próbował dogonić uciekającą ofiarę, ale wnet się cofnął, pożerając budynek i wszystko, co w środku.

Łukasz dopadł samochodu, przekręcił trzęsącymi się dłońmi kluczyk i gdy silnik zapalił, ruszył na wstecznym prawie na oślep, byle dalej od płomieni.

Zatrzymał się dopiero przy bramie.

Dłuższą chwilę tkwił nieruchomo, dysząc ciężko, jakby przebiegł ten dystans, po czym zawrócił wreszcie i pojechał przed siebie, zostawiając pożar z tyłu. Co chwila patrzył z niedowierzaniem we wsteczne lusterko. Z niedowierzaniem, że nadal żyje i ma jedynie poparzoną twarz i dłonie. Tylko trochę. Nic wielkiego.

Przed zakrętem zaparkował samochód na poboczu, wysiadł i ruszył – normalnie déjà vu! – niczym lunatyk przed siebie, na przełaj przez pole, potykając się o grudy ziemi. Dotarł do samotnej gruszy, rosnącej pośrodku pola, usiadł, opierając się o pień, i... patrzył. Po prostu nie mógł oderwać wzroku od piekła, które rozpętał.

Nagle zaczął się śmiać. Gdyby ktoś go teraz widział... Spędziłby tę noc w psychiatryku, jak nic. I następne pewnie też. Na szczęście straż pożarna jeszcze nie dojechała, a gdy się pojawi, on, Łukasz, będzie już całkiem normalny. Jeszcze tylko trochę tu sobie posiedzi i popatrzy.

Znalazła go policja.

Właściwie zainteresowali się samochodem, stojącym pod dziwnym kątem na poboczu drogi. Samochód ów, diesel, śmierdział benzyną na odległość. Mimo że panował już półmrok, policjanci dostrzegli samotną sylwetkę pośrodku pola i chwilę później dotarli do Łukasza, który siedział jak w kinie i oglądał pożar.

– Pójdzie pan z nami – odezwał się surowo starszy z nich.

Łukasz podniósł się bez protestów.

– Ma pan jakiś dokument tożsamości?

Sięgnął do kieszeni nadpalonej marynarki, gdzie powinien być portfel.

– Chyba nie mam – odpowiedział głosem, w którym nadal brzmiało niebotyczne zdumienie.

– Musimy pana zabrać na komisariat.

Zgodził się z nimi i po prostu ruszył przez pole, z powrotem w kierunku drogi. Ciągle jednak oglądał się na płonące budynki, jakby ten pożar go hipnotyzował.

– To pan je podpalił? – rzucił od niechcenia młodszy policjant.

– Oczywiście, że ja. A niby kto? – żachnął się Łukasz.

Obaj spojrzeli na niego, potem na siebie.

– Musimy nałożyć panu kajdanki. To konieczne – odezwał się łagodnie starszy.

Łukasz bez słowa podał mu ręce, które policjant, już całkiem zszokowany zachowaniem aresztanta, skuł pospiesznie, ale nie za mocno, tak by nie obcierały poparzonej skóry.

– Opatrzymy panu dłonie na posterunku – dodał przepraszająco. Właściwie nie miał podstaw do skuwania spokojnie zachowującego się mężczyzny, który nie tylko nie protestował ani słowem, ale wręcz ułatwiał wszystko, czego od niego żądali, ale... to zachowanie mroziło im krew w żyłach. Tak zachowywali się ludzie niepoczytalni. Mógł być to szok, mogło być szaleństwo...

Wsiedli do radiowozu i ruszyli na sygnale, mijając się z dwoma oddziałami straży pożarnej. Nim dotarli na najbliższą komendę, minęli jeszcze dwa.

Łukasza od razu poprowadzono do pokoju bez okien i posadzono na krześle. Siedział tak sobie, patrząc bezmyślnie na skute ręce, gdy ktoś wszedł do pokoju i usiadł naprzeciw niego. Łukasz przeniósł spojrzenie z poparzonych rąk na mężczyznę w mundurze. Chyba w stopniu inspektora.

– Dlaczego pan to zrobił, panie Hardy? – odezwał się inspektor łagodnym tonem. – Jest pan prezesem Farmiki Ltd. i... podpalił pan własną firmę?

Z oczu aresztowanego znikał powoli ten szklisty wyraz, jaki mają ludzie w ciężkim szoku. Nagle jakby oprzytomniał.

– Farmica nie jest moja – sprostował stanowczo. Inspektor odetchnął, wiedząc już, że nie będzie musiał wieźć tego mężczyzny na oddział psychiatryczny. – Należy do mojej narzeczonej i synka mojego przyjaciela.

– Spalił pan więc firmę pańskiej narzeczonej?! I, ot tak, się pan do tego przyznaje?!

Łukasz uśmiechnął się mimowolnie.

– Nie firmę, a laboratorium. Laboratorium, w którym, jak niedawno odkryłem, mój zmarły przyjaciel wyhodował coś, co... okazało się śmiertelnie niebezpieczne. – Te dwa słowa powiedział takim tonem, że policjant aż się cofnął. – Stwierdziłem, że nie mam innego wyjścia, jak tylko wypalić to ścierwo aż do fundamentów. I zrobiłem to.

– Pana narzeczona może nie być wdzięczna – mruknął inspektor.

– Proszę mi wierzyć: będzie.

Policjant milczał. Z takim przypadkiem nigdy się nie spotkał. Jeżeli w tym laboratorium rzeczywiście wyhodowali... jakiegoś ebola czy inne świństwo, które szaleńcom mogłoby posłużyć jako broń biologiczna... To ten facet w osmalonej marynarce, z poparzoną twarzą i dłońmi nie był przestępcą, a... wprost przeciwnie.

– Mogę do niej zadzwonić? – Łukasz zaczął się rozglądać po pustym pomieszczeniu nagle zdenerwowany. Jeśli Kamila dowie się z telewizji czy internetu o pożarze w jednym z oddziałów Farmiki, chyba oszaleje z przerażenia, że Łukasz w nim zginął. – Mój telefon... nie wiem, gdzie go posiałem. Pewnie przepadł razem z portfelem... – mówił bardziej do siebie niż do policjanta, nie zdając sobie sprawy, że znów pogrąża się w szoku.

– Proszę.

Nagle trzymał w dłoni komórkę inspektora, który przyglądał się mu uważnie.

– Tylko niech pan włączy głośnomówiący, przepraszam, ale jest pan podejrzany o podpalenie mienia, narażenie...

Łukasz nie słuchał go. Trochę niesprawnie sobie radząc skutymi i puchnącymi powoli dłońmi, wybrał numer do Kamili i nacisnął mikrofon. Po chwili w pustym pokoju rozległ się pełen napięcia głos:

– Słucham?

– To ja... – zaczął i urwał, bo ona... rozpłakała się. Po prostu się rozpłakała, a inspektor razem z Łukaszem przez parę chwil słuchali jej rozpaczliwego szlochu.

– Gdzie ty jesteś, draniu?! Dlaczego tak się nade mną znęcasz?! Dzwonię do ciebie od kilku godzin, dzwoni Michał, to twój brat, jakbyś nie wiedział, a ty... Nienawidzę cię, Łukasz, rozumiesz?! Nienawidzę!

– Kamila, nie jestem sam – próbował ją zmitygować, a ona aż zachłysnęła się oddechem.

– A jednak masz kogoś... – wyszeptała.

Łukasz jakby mógł, to palnąłby się w czoło.

– Źle mnie zrozumiałaś, jestem na policji, aresztowali mnie.

Obaj usłyszeli jej pełne ulgi westchnienie – na co inspektor, po raz nie wiadomo który tego wieczoru, uniósł brwi ze zdziwienia – a potem pytanie, wypowiedziane już w miarę spokojnym tonem:

– Gdzie jesteś i za co cię aresztowali? I ile mam zebrać pieniędzy, by cię wykupić?

– Jestem... właściwie nie wiem gdzie, a aresztowali mnie... za podpalenie laboratorium.

Kamilę... zatkało. A potem parsknęła śmiechem.

– Wiesz co? Ja cię kiedyś zabiję za te debilne żarty. Naprawdę wariuję ze strachu, że zginąłeś w wypadku, a ty... Podpalił laboratorium, idiota. Kiedy będziesz w domu? – zapytała ostrym tonem.

– Kamila, znów mnie źle zrozumiałaś, to nie są debilne żarty. Ja naprawdę spaliłem laboratorium Farmiki i naprawdę zgarnęła mnie za to policja. Zadzwoń do Michała i powiedz, że siedzę w... – Spojrzał pytająco na inspektora, który przyglądał się mu z dziwnym wyrazem twarzy.

– Babice. Stare Babice – podpowiedział szeptem.

– Siedzę w Starych Babicach pod Wrocławiem i dobrze mnie tu traktują, tylko... – Łukasz nagle poczuł, że pokój, w którym siedzi, chwieje się, a potem obraca pod dziwnym kątem. I nagle wszystko pochłonęła ciemność.

# Rozdział XIV

*Nagietek – taka niepozorna roślinka, ot, parę listków i pomarańczowy dzwoneczek, a jakże cenne ma właściwości! Uspokaja, obniża ciśnienie krwi, działa przeciwzapalnie, dzielnie zwalcza bakterie – nagietek jest bezcenny w ziołowym ogródku.*

Wiosna przyszła w tym roku zadziwiająco wcześnie i z rozbrajającą hojnością rozsypała na świecie, w tym również w Bieszczadach, swe dary. Trawa na pastwiskach zazieleniła się, brzozy i wierzby okryły pąkami liści, kwiaty, te wcześnie kwitnące, już wypuszczały główki ku słońcu, zdobiąc zieleń wszystkimi kolorami, jakie natura wymyśliła. Krokusy, przebiśniegi, sasanki, przylaszczki i oczywiście pierwiosnki, dużo pierwiosnków – Julia siedziała na ganku, grzejąc się w popołudniowych promieniach słońca, i zawzięcie szydełkowała śliczną, zwiewną zazdrostkę. Drugą do pary. Pierwszą skończyła jeszcze w Milanówku, będąc niczego nieświadomą panią Stern, i dziś, gdy przeszukiwała pudło z rękodziełem, właśnie się na nią natknęła. Trzeba szybko zakończyć tamten rozdział, a zrozumienie tego dosłownie pomaga czasem uporać się z przeszłością: dla Julii ta samotna zazdrostka była symbolem jej dotychczasowego życia. Musi szybko wydziergać drugą!

I to właśnie czyniła, w towarzystwie nieodłącznej Bezy, wygrzewającej się na schodku tuż obok.

Hondę Grzesia poznała z daleka. Poobijanej staruszki w różnych odcieniach granatu nie dało się pomylić z żadną inną. Tutaj zresztą każdy jeździł takim samochodem – wysłużonym, ale niezawodnym, sprawdzonym na zdradliwych górskich drogach. Każdy, oprócz Ity Grzecznej – ładne mi „grzecznej" – która przez błotniste, pełne wybojów drogi potrafiła przedzierać się czarnym sportowym porsche. Kto jej potem mył ten samochód? Kochanek?

Grześ wysiadł i ruszył w stronę Julii, która pomachała mu robótką.

– Pracowity dzień? – zapytał, unosząc rąbek zazdrostki i rozkładając go na dłoni. – Piękna. Jeżeli nie masz konkretnego zamówienia, chętnie ją kupię.

Uśmiechnęła się do niego z wdzięcznością. Gdyby jej serce nie było zajęte, a dłoni nie zdobił zaręczynowy pierścionek, zrobiłaby wszystko, by zdobyć miłość tego wyjątkowego mężczyzny. Takich ludzi – prawdziwie dobrych, troskliwych, uczciwych do szpiku kości, a przede wszystkim niesamowicie spokojnych, bo to spokój był główną cechą Grzegorza Bogdańskiego, spokój, który kojąco wpływał na całe otoczenie – nie spotyka się często... Nagle Julii przyszła do głowy pewna myśl, do której musiała się uśmiechnąć.

Tak! To trzeba inteligentnie przeprowadzić, ale tak!

Podniosła zielone oczy na stojącego obok mężczyznę.

– Cieszę się, że ci się podoba – mówiła o zazdrostce – i chętnie ci ją podaruję. Obie, bo to komplet...

– Julia! – przerwał jej, marszcząc groźnie brwi. – Ty masz się utrzymać z dzieła swoich rąk, a nie te dzieła rozdawać! Masz wysoko cenić swoją pracę, bo jest znakomita, i bez certolenia się przyjmować za nią pieniądze. Za „dziękuję" chleba nie kupisz, węgla też nie, a trzeba zamówić tonę czy dwie. Tak więc od dziś jesteś kobietą biznesu, a nie dobrą wróżką rozdającą prezenty, rozumiemy się?

– Rozumiemy – odparła potulnie.

Grzegorz nie mógł wiedzieć, że do niedawna żyła w luksusie, o jakim wielu mogło jedynie pomarzyć, nie musiała zarabiać na chleb czy węgiel, a robótki ręczne czy szycie narzut i haftowanie poszewek, były, ot, takim dziwnym hobby tej Stern, wyśmiewanej bezlitośnie przez męża i córkę. Wstydziła się tego hobby, dobrego dla babć i ciotek, a nie kobiet z jej pozycją zawodową czy raczej z pozycją zawodową jej męża, bo ona, Julia, zawodu nie miała żadnego.

Dopiero tutaj, w Chatce Dorotki, wróciła do rękodzielnictwa i ze zdumieniem odkryła, że nie tylko odnajduje w nim dawną radość i satysfakcję, ale... jest za to jeszcze podziwiana! Niesamowite!

– Naprawdę ci się podoba? – musiała się upewnić.

Wstała i uniosła firaneczkę ku słońcu. Wzór był bardzo oryginalny i dopiero teraz było go widać w pełnej krasie.

– Jest absolutnie piękna. Nigdy takiej nie widziałem, a tutaj w domach często mają szydełkowe firanki. Ta wygląda jak utkana z mgły. Powiedz cenę i biorę ją.

– Najpierw dokończę, potem rozważę łaskawie twoją propozycję – odparła z udaną wyniosłością.

Zaśmiał się, objął ją i cmoknął w policzek, ale w następnej chwili wypuścił z ramion. Julia była jego przyjaciółką. Tylko tyle, a raczej aż tyle.

– Zabieram cię na przejażdżkę – odezwał się, gdy weszli do domu. – Mamy tu w lesie, parę kilometrów od mojego pensjonatu, źródełko mocy. Dziś jest dobry dzień, by je odwiedzić, a dawno tam nie byłem.

Julia odłożyła robótkę na biurko w sypialni i stanęła przed Grzesiem.

– Jestem gotowa! Jedziemy.

Obrzucił ją spojrzeniem od stóp do głów.

– Nie w tej spódnicy i nie w sandałkach. Bluzka też nie pasuje.

– Co jest w nich nie tak? – zdziwiła się Julia.

– Potrzebne ci długie spodnie, wysokie buty, choć adidasy też od biedy mogą być, i solidna bluzka z długimi rękawami. Konno tak sobie nie pojeździsz.

– Konno?! Powiedziałeś „konno"?! – Julia natychmiast wpadła w panikę. – Ja nigdy nie jeździłam konno! Nigdy! Przy najbliższej okazji spadnę, koń po mnie przejedzie i...

– Moje hucuły nawet przypadkiem by na ciebie nie nadepnęły. Pojedziemy wolno i spokojnie, bez obaw. Spodoba ci się...

Grzegorz jak zwykle miał rację.

Wybrany dla Julii niewielki konik od pierwszej chwili zaskarbił sobie sympatię i zaufanie kobiety, biorąc delikatnie z jej ręki kawałek jabłka, a potem stojąc nieruchomo, dotąd, aż usiadła w miarę pewnie i mogli ruszać.

Leśna droga do źródła, przemierzana na kołyszącym się miarowo grzbiecie zwierzęcia, wyglądała zupełnie inaczej niż ta sama z okien samochodu. A przejażdżka, podczas której Julia i Grzegorz donikąd się nie spieszyli, bo źródełko nie wyschnie, nikt na nich nie czeka, a pracę dokończą wieczorem, była przeżyciem wręcz magicznym.

Gałęzie zwisały nad ich głowami, tworząc zielony baldachim – tu z kolei rosły modrzewie i brzozy, a nie świerki i jodły, jak przy

Chatce Dorotki – końskie kopyta stukały miarowo, grzbiet kołysał się lekko...

Julia, która nie musiała się skupiać na niczym innym niż na trzymaniu wodzy, chociaż jej hucuł sam podążał za przewodnikiem i spokojnie mogła te wodze puścić, oddała się podziwianiu okolicy i zwyczajnej radości życia.

Wreszcie Grzegorz wjechał na niewielką polankę, nad którą górował omszały głaz, zeskoczył na ziemię i wyciągnął ręce do Julii, pomagając jej zejść z końskiego grzbietu.

Chwilę przytrzymał ją w ramionach.

– Ależ łatwo byłoby się w tobie zakochać – westchnął. – Jesteś tak piękną i pełną uroku kobietą. Głupcy obaj, jeden z drugim, i Stern, i ten cały Janek, że pozwalają, byś była sama. Gdyby moje serce nie umarło wraz z Joasią, nie wypuściłby cię z rąk... – Ujął twarz Julii w ciepłe, szorstkie od pracy dłonie, pogładził ją kciukiem po policzku i lekko ucałował w usta. – Przepraszam, nie mogłem... chciałem... – Cofnął ręce i odszedł zmieszany, klękając przy źródle.

Julia uklękła obok niego.

– Nie musisz przepraszać i rozumiem cię – szepnęła. – Pragniesz znów pokochać i być kochanym, ale serce i dusza są zmrożone. Gdybym nie odnalazła Janka... nie wiem, jak długo trwałabym w takim zamrożeniu, ale... – Położyła lekko dłoń na jego ramieniu. – Z całego serca życzę ci, byś spotkał kobietę, dla której na nowo się narodzisz. Byle nie była to pani Ita – dokończyła żartobliwie.

Pokiwał głową i zanurzył dłonie w czystej wodzie, a potem uniósł do ust. Julia uczyniła to samo.

Przez chwilę zgodnie, ramię w ramię, delektowali się wspaniałym smakiem źródlanej wody.

– To źródło marzeń – odezwał się Grzegorz półgłosem. – Przyjeżdżam tu za każdym razem, gdy mam dosyć...

Nie dopytywała, czego teraz ma dosyć, skoro odwiedza źródełko. Będzie gotów, sam powie. Po prostu zaczerpnęła jeszcze jedną garść, przymknęła oczy, zamyśliła się i... – Źródło marzeń, powiadasz? – wypiła wszystko. Co do kropelki.

Siedzieli na polanie do nocy, gawędząc albo w milczeniu słuchając odgłosów otoczenia. Źródło cicho szemrało, pasące się spokojnie konie parskały co jakiś czas, gdzieś w oddali zahuczała sowa. Julia czuła się w towarzystwie tego mężczyzny bezpiecznie i... po prostu dobrze. Był wspaniałym kompanem, pamiętał o wszystkim, co potwierdziło się, gdy wyjął z sakwy przy siodle kanapki z kurczakiem i serem. Dopiero zatapiając zęby w chrupkim pysznym pieczywie, Julia poczuła, jak bardzo jest głodna, a popijając kęs wodą ze źródła, jak piękne potrafi być życie.

I jak szybko trzeba łapać chwile takiego właśnie szczęścia, którego czasem nawet nie zauważamy, bo bywa bardzo ulotne...

W kieszeni kurtki rozdzwonił się telefon.

– To moja przyjaciółka – szepnęła Julia, odbierając.

Pierwsze słowa Kamili sprawiły, że uniosła ze zdziwienia brwi, następne zaś poderwały ją na nogi.

Rozłączyła się i chwilę stała bez ruchu, patrząc z niedowierzaniem na komórkę.

– Złe wieści? – domyślił się Grzegorz.

– Tak. Nie. Kurde, nie wiem! Nic nie zrozumiałam! – krzyknęła sfrustrowana. – Jedyne, czego jestem pewna, to tego, że muszę wracać do Milanówka. Gosia mnie potrzebuje.

Wcześniej tego dnia, w tym magicznym miejscu, Julia zdążyła opowiedzieć Grzegorzowi o niezwykłych kobietach z uliczki Leśnych Dzwonków. Wysłuchał historii Kamili i Łukasza, wysłuchał opowieści o Gosi i Jakubie... Teraz bez słowa pomógł wsiąść Julii na koński grzbiet i nie zwlekając, ruszyli w drogę powrotną.

– Kamila była tak roztrzęsiona, że nie zrozumiałam, o co właściwie chodzi – wyjaśniała po drodze. – Aresztowali Łukasza za podpalenie... laboratorium? Jakiego laboratorium?! Z tego, co wiem, firma, którą zarządzał, zajmowała się dystrybucją leków. I nagle z tego aresztu trafił do szpitala. Nie wiem dlaczego i Kamila też chyba nie wiedziała. Pobili go na komisariacie czy co? Boże, biedny Łukasz... biedna Kamila... tych dwojga los naprawdę nie rozpieszcza...

– A Gosia? – wtrącił Grzegorz, przysłuchując się jej słowom.

– Została sama, a ona... nie powinna być sama. Jest w szóstym miesiącu ciąży, ale nie o to chodzi. Może przydarzyć się burza i... Przyspieszmy.

Pojechali od razu do Chatki Dorotki, gdzie zaparkowana była honda Julii. Ona wzięła tylko parę rzeczy na zmianę i już gotowa była do drogi.

– Jedź ostrożnie. Pośpiech nic nie da – poprosił Grzegorz, gdy siedziała za kierownicą i szarpała się z opornym pasem. – O nic więcej się nie martw. Zajmę się twoim domem i kotem. Będziemy tu czekać, jak długo będzie trzeba.

– Dziękuję, Grzesiu – rzekła z głębi serca i po chwili światła starej hondy znikały w mroku nocy.

Mężczyzna zamknął dom, pogłaskał kota ze słowami: „Zajrzę tu do ciebie nad ranem", po czym wskoczył w siodło i pogalopował ku Szarotce. Drugi koń podążył za nim. Beza odprowadziła ich wzrokiem i ze stoickim spokojem usiadła na najwyższym schodku gotowa czekać na powrót swej pani tak długo, jak będzie trzeba.

Julia dotarła do Milanówka przed świtem. Zaparkowała pod domem Gosi, zadzwoniła do furtki i czekała, półprzytomna ze zmęczenia, aż zostanie wpuszczona.

Brama zaczęła otwierać się powoli.

Chwilę później Gosia, która w nocnej koszuli wyglądała jak zbłąkana dusza, wybiegła przyjaciółce naprzeciw. Gdy ta tylko wysiadła, zarzuciła jej ręce na szyję, ucałowała w policzek i krzyknęła drżącym ze zdenerwowania głosem:

– Jula, dziękuję, że przyjechałaś! To jakiś obłęd z tym Łukaszem! Nic nie rozumiem!

– Myślałam, że ty będziesz wiedziała coś więcej – zauważyła Julia, idąc za Gosią do domu.

– Pół dnia Kamila do niego wydzwaniała, ale nie odbierał telefonu, a gdy w końcu odebrał... To jakieś szaleństwo! Podpalił laboratorium Farmiki, tyle Kamili zdążył powiedzieć, a potem zaczęło się jakieś zamieszanie i ktoś, chyba policjant, który przy tej rozmowie wtedy był, krzyknął do telefonu, że Łukasz zasłabł i muszą wezwać pogotowie. To by było na tyle. Co oni mu zrobili?! Teraz się już chyba nie bije aresztantów, co?! Kamila... Wyobrażasz sobie, jak odebrała to Kamila, po tym co już raz, a nawet dwa razy, przeszli? Przecież on jest po wypadku i operacji na otwartym sercu! Na kilka miesięcy stracił wzrok! Czy oni o tym nie wiedzą?! Jego nie wolno bić!

– Gosiu, kochana, uspokój się – zaczęła Julia, próbując zapanować nad własnymi emocjami. – Nie możesz się tak denerwować, nie w tym stanie. Dzisiaj już nikt nikogo nie bije. Połóż się, ja tylko ogarnę się po podróży i przyjdę do ciebie, dobrze?

Małgosia bez przekonania skinęła głową. Najchętniej jechałaby teraz z Kamilą do Wrocławia, ale... nie przekroczyłaby przecież bramy własnego domu... Znów skazała samą siebie na uwięzienie w ponurych wnętrzach, znów wzięły nad nią górę demony przerażenia.

Gdyby Jakub żył, poradziliby sobie z demonami. Gosia już zaczęła panować nad fobią i strachem. Wraz z jego śmiercią nadzieja odeszła, demony wróciły. Ale...

– Mam tego dosyć! – krzyknęła z rozpaczą i uderzyła pięścią w poduszkę. – Nie ma ze mnie żadnego pożytku! Jedyne, co potrafię, to użalać się nad sobą i liczyć na współczucie przyjaciół, a gdy to moja pomoc jest potrzebna... Gardzę tobą, Małgorzato Bielska, rozumiesz?!

– To nie gardź, tylko podejmij przerwaną terapię – odezwała się spokojnie Julia, stojąc w progu sypialni.

Gosia zwróciła się do niej gwałtownie.

– Myślisz, że to takie proste?! Myślisz, że łatwo wpuszczać do domu obcych, gdy serce na ich widok po prostu przestaje bić i nie możesz ruszyć ani ręką, ani nogą, bo ciało sztywnieje z przerażenia?! Myślisz, że to proste odpowiadać na pytania czy mówić o swoich problemach, „chce pani o tym porozmawiać?", gdy nie możesz wydobyć głosu, bo gardło masz tak zaciśnięte, że aż boli?! Starałam się ze wszystkich sił, bo był przy mnie on, Jakub! Trzymał mnie za rękę i stał tuż obok, gdy psycholog czy psychiatra przychodzili pogawędzić o problemach zwariowanej kaleki, która przed burzą chowa się do łazienki, żeby jeszcze własnej... Tylko dzięki Jakubowi byłam w stanie znieść ich obecność, szczególnie po tym, co mi zrobił

Mateusz, ale Jakuba już nie ma! A pierwsze, co próbował zdziałać psycholog, gdy teraz, całkiem niedawno, na prośbę Kamili i Łukasza podjęłam terapię, to dobierać się do mnie!

– Gosiu, co ty...?! – głos uwiązł Julii w gardle.

– Ty wyrzuciłabyś go z własnego domu na zbity pysk, ja daleko bym nie uciekła bez nogi. Czekałam więc, aż skończy ślinić mi rękę i...

Małgosia opadła na poduszkę, blada jak prześcieradło. Czarne włosy, okalające jej szczupłą twarz, jeszcze bardziej podkreślały tę biel.

– Powiedziałaś o tym Kamili? Przecież byłaby przy tobie następnym razem – wykrztusiła Julia, gdy już odzyskała głos.

– Której Kamili? Tej, co ze wszystkich sił próbuje ocalić swój związek i sypiącą się firmę? Czy może tej, co odjeżdżała stąd parę godzin temu, płacząc, bo jej ukochany... właściwie nie wiadomo co?

Julia milczała. Co mogła powiedzieć? Może zapytać samą siebie, gdzie była ona, gdy jej przyjaciele tak bardzo potrzebowali pomocy? Ile razy Gosia prosiła ją, by wróciła do Milanówka i zamieszkała z nią chociaż na parę miesięcy, do narodzin Kubusia i... może jeszcze trochę dłużej, aż Gosia nauczy się sama opiekować maleństwem? Także wtedy gdy pakowała swój dobytek do starej hondy, Julia słyszała błaganie w głosie przyjaciółki, widziała ból i strach w jej oczach. A przecież mogła tu zostać przez te pół roku, prawda?

– Posłuchaj... – zaczęła Julia, ujmując zimną dłoń Małgosi i ściskając ją lekko. – Kamila z Łukaszem mają swoje kłopoty, my swoje. Im za wiele nie pomożemy, ale możemy pomóc sobie nawzajem. Zaczniesz terapię raz jeszcze, nie przerywaj mi, proszę, a ja będę tu, obok ciebie, niech sobie terapeuta czy może raczej terapeutka, bo tym razem znajdę kobietę, jakąś mądrą kompetentną kobietę, mówi, co chce. Nie zostawię cię, Gosiuniu. To możemy obie dla naszych przyjaciół zrobić, prawda?

Małgosia chciała zaprotestować, że wszystko jedno, kto wchodzi do tego domu, i tak boi się obcych, ale wyczerpana do granic, skinęła tylko głową. Wiedziała, że oni wszyscy – Kamila, Łukasz i teraz Julia – mają rację. Niedługo urodzi dziecko i musi być gotowa na jego wychowanie albo będzie tak, jak prosto z mostu walnął całkiem niedawno Łukasz: „jeśli nie weźmiesz się w garść, i to szybko, ty skończysz w psychiatryku, a twój synek, synek Jakuba, w sierocińcu". Tak, Łukasz zawsze potrafił nazwać rzeczy po imieniu...

– Zaśniesz spokojnie, wiedząc, że jestem tuż obok? – zapytała łagodnie Julia. Nie podobał jej się stan Gosi, nie tylko psychiczny, ale i to, jak wyglądała. To nie była promieniejąca szczęściem i zdrowiem kobieta w szóstym miesiącu upragnionej ciąży...

Sama ledwo żywa ze zmęczenia – jechała pół nocy, bojąc się powrotu na uliczkę Leśnych Dzwonków i tego, co tam zastanie – mimo wszystko sprawiała wrażenie... jeśli nie szczęśliwszej, to radośniejszej, no, może pogodzonej z losem. Małgosia zaś... jakby ciągle czekała na kolejny cios...

Obejrzała się przez ramię na przyjaciółkę. Gosia odprowadzała Julię wielkimi przerażonymi oczami, błyszczącymi w mroku przedświtu. Julia bez namysłu zrobiła w tył zwrot.

– Posuń się trochę, boję się spać w nowym miejscu – mruknęła, a gdy Małgosia z westchnieniem ulgi zrobiła jej miejsce, weszła pod kołdrę, po czym odgarnęła z twarzy przyjaciółki kosmyk włosów i pomyślała: „Ech, ty bidoku... Nie wiem, jak przebłagać los, by wreszcie dał ci spokojnie żyć".

Gosia wtuliła się w nią ufnie i wreszcie zamknęła oczy...

# Rozdział XV

*Aster – sprawia, że możemy odciąć się od przeszłości i spojrzeć bez lęku, z nadzieją, w przyszłość. Poczuć, że jesteśmy tu i teraz. Łagodzi lęk przed innymi ludźmi, uwalnia od złych myśli i wspomnień. A przy tym czyż nie jest po prostu piękny?*

– Łukasz, słyszysz mnie? Łukasz? – Czyjś natrętny, niedający spokoju, znajomy głos wwiercał się w otępiały mózg. – Łukasz, otwórz oczy...

Uniósł ciężkie powieki. Pochylała się nad nim pobladła z niepokoju twarz brata.

– Widzisz mnie? – zapytał Michał łamiącym się głosem.

Gdy Łukasz szepnął: „Widzę", z trudem zapanował nad łzami. Gnał tu, do wrocławskiego szpitala, gdzie przewieziono jego brata z komisariatu, łamiąc wszelkie ograniczenia prędkości i bojąc się, że na końcu podróży czeka go straszna wiadomość. O tym, że Łukasz mógł umrzeć – z jakiego powodu, Michał nie wiedział, Kamila nie potrafiła mu tego wyjaśnić, sama półprzytomna z przerażenia – w ogóle nie chciał myśleć, ale bał się, że młodszy brat znów stracił wzrok, a teraz nie było już Jakuba, który o Łukasza zawalczy...

Gdy więc usłyszał: „Widzę", przez chwilę milczał, próbując zapanować nad emocjami, i wreszcie odezwał się spokojnym głosem lekarza:

– Coś ty zrobił? Możesz mi wytłumaczyć, nim wpadnie tu spanikowana Kamila?

– Spaliłem laboratorium – wyszeptał Łukasz. W jego głosie były resztki zdziwienia, z jakim patrzył na płomienie pożerające budynki. – I wszystko, co się w nim się znajdowało. Tak jak tamci sobie życzyli. Kamili nic już nie zagraża... – Zamknął oczy zupełnie wyprany z sił, jakby wypowiedzenie tych kilku zdań było tak wyczerpujące.

– Jesteś poparzony, idioto – wywarczał półgłosem Michał, pochylając się ku bratu. Teraz, gdy strach o jego życie i zdrowie ustąpił miejsca wściekłości, byłby w stanie udusić Łukasza własnymi rękami. – Musiałeś sfajczyć całe laboratorium? Nie wystarczyło spalić w kominku teczkę z HV475?

– Mi by wystarczyło, im nie – odparł Łukasz, nie otwierając oczu.

Michał... nic nie potrafił na to odpowiedzieć, bo w głębi serca czuł, że Łukasz ma rację.

On sam, gdyby ktoś zagroził życiu jego najbliższych, zrobiłby to samo.

– Pójdę do ordynatora, poproszę o osobną salę, gdy tylko wypuszczą cię z OIOM-u, i o najlepszą opiekę – rzekł półgłosem i już wstawał, gdy... usiadł z powrotem i zapytał cicho:

– Co im powiedziałeś?

– Prawdę. – Łukasz nagle uniósł powieki i spojrzał ostro na brata. – Jakub stworzył w laboratorium Farmiki coś śmiertelnie niebezpiecznego. Wypaliłem to do fundamentów.

Michał kiwnął głową. Rzeczywiście była to prawda. Nakazał bratu, by leżał spokojnie i nigdzie się do jego powrotu nie ruszał, zupełnie jakby Łukaszowi były w głowie jakieś wycieczki, po czym wyszedł z sali intensywnej opieki medycznej i... natknął się na inspektora policji.

Rzeczywiście, gdy wbiegał do środka, minął go w drzwiach, nie zatrzymywany. Teraz jednak inspektor odezwał się półgłosem:

– Możemy porozmawiać? – i nie było to pytanie ani uprzejme zaproszenie...

Wyszli na korytarz, pusty o tej porze.

– Niezłego pietra napędził nam pański brat – zaczął inspektor, wskazując wzrokiem leżącego za szklaną taflą Łukasza.

– Mi również – mruknął Michał, pocierając kciukami czerwone z niewyspania oczy.

– On zawsze taki... – Inspektor chciał powiedzieć „szalony", albo coś jeszcze mocniejszego, ale dokończył: – ... spontaniczny?

Michał wzruszył ramionami.

– Rozmawialiśmy o tym, co znajdowało się w podziemiach laboratorium. Widać według Łukasza był to jedyny sposób, by się tego pozbyć raz na zawsze.

– To rzeczywiście był śmiercionośny wirus?

– To rzeczywiście stanowiło śmiertelne zagrożenie. Panie inspektorze, będę z panem szczery – zaczął surowym nawet jak na niego tonem, mierząc policjanta ostrym spojrzeniem. – Spalono prywatną własność. Jeżeli właściciele nie wniosą oskarżenia, policji nic do tego, najwyżej urzędnicy mogą się przyczepić, że bez zezwolenia...

– Było zagrożone ludzkie życie – zauważył tamten.

– Owszem. I Łukasz je swoim czynem, może kontrowersyjnym, ale jednak ocalił.

– Mówię ogólnie...

– Wiem, co ma pan na myśli, i ostrzegam: mój brat stracił przytomność podczas przesłuchania, zapewne nieformalnego, i nie wiem, czy do końca zgodnego z prawem, na pańskim posterunku. Jest po wypadku z nie swojej winy, miał poważny uraz mózgu i operację na otwartym sercu. Stracił wzrok i cudem go pół roku temu odzyskał – Michał mówił to przyciszonym głosem, ale tak, że inspektorowi mimo wszystko ciarki przeszły po grzbiecie. – Jak pan myśli, co napiszą jutro rano gazety, dowiedziawszy się, że człowiek, który być może ocalił kilka ludzkich istnień przed śmiertelnym niebezpieczeństwem, trafia z komendy policji na OIOM?

Nie musiał nic więcej dodawać.

Inspektor uniósł ręce w geście poddania.

– Rozumie pan chyba, doktorze, że będę musiał i tak przeprowadzić dochodzenie?

– Rozumiem, ale mojemu bratu proszę dać spokój.

– Straż pożarna obciąży podpalacza kosztami całej akcji...

– Zapłacimy za wszystko, co do grosza.

– Ma pan odpowiedzi na wszystkie pytania, co?

Michał przyjrzał się policjantowi. Nie, inspektor nie był uprzedzony do Łukasza. Na pewno najadł się strachu, gdy ten stracił nagle przytomność i nie odzyskał jej przez kilka godzin. Wolałby jednak prowadzić spektakularne dochodzenie, bo wreszcie w jego okręgu wydarzyło się coś ciekawszego niż kradzież roweru. Musi się jednak obejść smakiem. Farmica zapłaci za akcję pożarniczą, a Kamila z Gosią nie wniosą oskarżenia. Musiałyby oszaleć, gdyby to zrobiły. Po prawdzie Kamila, która właśnie wbiegała na oddział, wyglądała na szaloną...

Stanął jej na drodze, przytrzymał za ramiona, a gdy spojrzała nań przytomniej, odezwał się łagodnie, ale stanowczo:

– Z Łukaszem już wszystko dobrze. Dajmy mu odpocząć.

Inspektor przyglądał się tym dwojgu, stojąc pod ścianą.

– Co on zrobił? Co ten idiota nawyrabiał? Dlaczego aresztowała go policja? Dlaczego stracił przytomność? Co oni mu zrobili?!

– Uspokój się – syknął. – Wszystko wyjaśnię, tylko zamknij się, usiądź i posłuchaj!

– Najpierw chcę zobaczyć się z Łukaszem – wycedziła, nic sobie nie robiąc z jego słów.

– Jeżeli nie zaczniesz zasypywać go pytaniami i nie dostaniesz histerii, pozwolę ci się z nim zobaczyć.

– Chyba pomyliłeś szpitale. Nie masz tu żadnej władzy – odparowała. Ona, Kamila, to zwykle łagodne cielę, jak ją w myślach określał czasem Michał.

– Więc lekarz prowadzący pozwoli ci się z Łukaszem zobaczyć, o ile...

Nie dokończył, bo wyrwała się i ruszyła wprost do dyżurki lekarskiej.

Michał mógł się jedynie przyglądać przez szybę, jak doktor, mówiąc coś cicho, kiwa przyzwalająco głową i jak Kamila wreszcie podchodzi do łóżka chorego, jak pochyla się nad nim i... siada, jakby ją podcięto, na krześle obok.

No tak, Michał zapomniał ją uprzedzić, czy raczej nie zdążył, że Łukasz ma opuchniętą, zaczerwienioną, obłożoną przeciwoparzeniowymi opatrunkami twarz, że ręce również owinięto mu w chłodzące bandaże. Pożar osmalił mu brwi i włosy, ale... ogólnie... mogło się to skończyć znacznie gorzej. Dużo gorzej. O czym lepiej, żeby Kamila nie wiedziała.

– To żona pana Hardego? – usłyszał pytanie inspektora.

– Narzeczona.

– Ta, której spalił firmę?

– Laboratorium, a nie firmę – odwarknął Michał. – Dlaczego za wszelką cenę próbuje go pan w coś wrobić? Dlaczego nie uwierzy pan, że Łukasz postąpił słusznie? – Wbił w policjanta niemal nienawistne spojrzenie, pod którym tamten w końcu odwrócił wzrok.

– Po prostu się zastanawiam, dlaczego nie zniszczył samych próbek tego czegoś, a musiał spalić budynki włącznie z biurem...

– Bo może to coś wyrwało się spod kontroli? – odpowiedział pytaniem, nadal przyszpilając policjanta wzrokiem.

– To pan jest lekarzem... – wymamrotał tamten i chyba w tym momencie rzeczywiście się poddał, zrozumiawszy, że ta sprawa awansu mu nie zapewni. Pożegnał się i wyszedł.

Michał odprowadził go wzrokiem, po czym przeniósł spojrzenie na Kamilę. Pochylała się nad Łukaszem, mówiąc coś do niego cicho, po czym musnęła jego włosy gestem bezgranicznie czułym, odwróciła się i ruszyła ku drzwiom.

Wyszła na korytarz, ocierając wierzchem dłoni błyszczące od łez oczy, i stanęła przed Michałem.

– Okej – odezwała się w następnej chwili zupełnie innym tonem niż przed chwilą, gdy prosiła Łukasza, by odpoczywał i o nic się nie martwił – siadam, zamykam się i słucham. Słucham uważnie, co ukrywali przede mną dwaj spiskowcy, bracia Hardzi. Wprost zamieniam się w słuch...

Powtórzył jej to, co powiedział inspektorowi.

Tymi samymi niemalże słowami, bo każde z nich było prawdziwe. Bez wyjaśnienia pozostawił tylko drobne niedomówienie, że to, co spalił Łukasz, nie stanowiło śmiertelnego zagrożenia dla ludzkości (wręcz przeciwnie!), a jedynie dla Kamili. Jeśli Kamila ma się kiedyś o tym dowiedzieć, to nie od niego, nie od Michała.

– Więc to tym się zamartwiał przez ostatnie dni... – szepnęła, patrząc na spowitego w lecznicze opatrunki Łukasza. – Zachowywał się... – Urwała, nie chcąc być nielojalną.

– Jak wariat – mruknął Michał.

– Powiedział ci, co to dokładnie jest? – skierowała nań spojrzenie złotych oczu.

Czy potrafi jej skłamać? Inspektor nie drążył tematu, bo pewnie sam, jak na zadufanego w sobie śledczego przystało, dopowiedział sobie to, co chciał, ale Kamila...

– Coś, dla czego mój brat ryzykował życiem – odparł Michał bardziej ostro, niżby chciał. – A ty to uszanuj i jeśli kiedyś będziesz chciała wiedzieć więcej, jego pytaj, nie mnie. Pójdę porozmawiać z lekarzem, żeby Łukaszowi niczego nie zabrakło, a potem zabieram cię do hotelu. I nie protestuj! On musi przespać ten szok, ty sama jesteś w niewiele lepszym stanie. Wiem, wiem, obiecałaś: „Będę przy tobie", ale bardziej mu się przydasz, siedząc od rana na krześle przy jego łóżku, niż zajmując łóżko obok.

Musiała się zaśmiać, mimo że nie było jej do śmiechu. Rzeczywiście zamierzała warować tutaj, na szpitalnym korytarzu, niczym wierny pies, ale nawet pies potrzebuje snu. Wróci jutro, spędzi na sali OIOM-u parę chwil, bo na dłużej jej nie pozwolą, i będzie tu sobie siedziała na korytarzu, aż jej nie wyproszą. I tak codziennie, dopóki Łukasz nie wyjdzie ze szpitala.

On zaś...

On leżał i myślał.

To dziwne, Jakub, że nie wpadłeś na ten sam pomysł... Może miałeś inny plan, ale nie zdążyłeś go zrealizować? A może nie uwierzyłeś w ich groźby? Czyżbyś pierwszy i ostatni raz w życiu zlekceważył potężnego wroga? To do ciebie niepodobne, przyjacielu...

A jeśli... było inaczej?

Może naprawdę nie potrafiłeś podjąć decyzji, bo to, co dla mnie było wrednym zlepkiem liter i cyfr, które zagrażały Kamili – HV475 – dla ciebie było dziełem życia? Jestem pewien, że pracowałeś nad tą szczepionką razem z laborantami, że śledziłeś z zapartym tchem postępy badań i ich wyniki. Gdy okazały się obiecujące, może piliście szampana? Za HV475? Tak, już samo laboratorium było twoim oczkiem w głowie, mówiłeś o nim z taką dumą jak o nowo narodzonym dziecku, dla mnie natomiast... nie znaczyło nic. Było ostrzem wiszącym nad głową kogoś, kogo kocham, niczym więcej.

Wierz mi, bez wahania podlałem je sowicie benzyną i podpaliłem, bo miałem świadomość, że kupuję tym życie twojej córki a mojej ukochanej.

Jednak ty... nie potrafiłbyś tego zrobić. Mogłeś natomiast nie podejmować decyzji, wiedząc, że uczynię to za ciebie. Spalić laboratorium i HV moimi rękami, a sam... może śledziłeś, tak jak tamci, każdy mój ruch? Może ukryłeś się w lesie i, jak oni, patrzyłeś na pożar?

Wiesz, gdy tak sobie teraz leżę i myślę, a czasu mam sporo... odkąd podali mi środek przeciwbólowy, ręce i twarz przestały wściekle piec, więc nic nie odwraca mojej uwagi, wokół panuje cisza i miły półmrok, jak wtedy, po moim wypadku... Gdy więc tak sobie rozmyślam, co ja bym zrobił na twoim miejscu, chcąc żyć i pragnąc, by żyły one obie: Kamila i Gosia... Otóż, drogi Jakubie – bogaty jak sto pięćdziesiąt i czasami równie bezwzględny – pożyczyłbym ze świeżego grobu jakieś ciało, byle w miarę pasujące, rozumiesz, rozmiarem i płcią, potem wynająłbym dwóch Ukraińców wraz z dwoma TIR-ami, pojechał z nimi na jakąś mało uczęszczaną dwupasmówkę i, gdy akurat droga byłaby pusta, a nikt nie wie, jaki tego dnia panował tam ruch, kazałbym wprasować swojego jaguara pod jeden z nich. Straszny wypadek, deszcz, mrok, kierowca nie miał szans wyhamować. Zwłoki były zmasakrowane tak, że potrzebne było DNA Kamili do porównania. Żaden problem. Co to dla ciebie podmienić próbki czy sfałszować wyniki. Przecież nikt nie miał co do twojej śmierci w nieszczęśliwym wypadku żadnych wątpliwości.

Aż do teraz.

Teraz, drogi Jakubie, pozamiatane.

Pytanie: czy naprawdę dałeś się im zabić, czy może żyjesz i czekasz, by cudownie zmartwychwstać? Pragnąłbym tego drugiego, chociaż... jeżeli rzeczywiście sfingowałeś swoją śmierć, chyba ukatrupię cię własnym rękami za ból, jaki nam wszystkim zadałeś.

Czy było warto?

Dwa dni później, gdy został przeniesiony do jednoosobowego pokoju na oddziale poparzeń, Kamila z Michałem mogli go odwiedzać bez przeszkód.

Właśnie spotkali się zaraz po obchodzie przy łóżku Łukasza, a ten spojrzał najpierw na brata, potem na narzeczoną i powiedział coś, co wprawiło w osłupienie oboje:

– Kamisiu... mam do ciebie prośbę... słyszałaś o konflikcie serologicznym, prawda? – Kiwnęła głową. – Wiesz, że cię kocham, chcę wziąć z tobą ślub, gdy tylko będziesz gotowa, i mieć dużo dzieci...

W tym momencie Kamila rzuciła zawstydzone spojrzenie Michałowi, rumieniąc się po cebulki włosów. Ten Łukasz... nie mógł jakoś tak... bardziej kameralnie...? A Łukasz nadal umiejętnie ją podchodził.

– Chcę być pewien, że nie mamy tego konfliktu. Serologicznego. Że nasze dzieci będą bezpieczne. – W tym momencie Michał rzucił mu niedowierzające, wręcz wściekłe spojrzenie, ale Łukasz wytrzymał to z dzielnym uśmiechem człowieka cierpiącego, który nie do końca jest świadom tego, co wygaduje. – Pozwól, Kamilko, pobrać Michałowi od siebie trochę krwi, on będzie wiedział, ile potrzeba, i zrobić to badanie, okej? Zrób to dla mnie.

– Konflikt serologiczny, mówisz – zaczęła Kamila powoli. – Może chcesz zbadać mnie pod kątem HIV albo chorób wenerycznych? Jeśli podejrzewasz mnie o coś takiego... – Spojrzała nań z urazą. – Oczywiście, zgadzam się, ale... – dodała w następnej chwili, widząc rozczarowanie na jego twarzy.

Łukasz odetchnął z ulgą. Nie miał pojęcia, jak w inny sposób, natychmiast!, zdobyć materiał do badań porównawczych. Tylko ten przyszedł mu nad ranem do głowy.

– Michał, zdobądź jakąś probówkę i idźcie gdzieś to zrobić.

– Mówiąc „to", masz na myśli pobranie krwi? – upewniła się Kamila żartobliwie, choć... prośba Łukasza i jego pokrętne tłumaczenia coraz bardziej upewniały dziewczynę, że coś jest nie tak i że to wszystko ma związek z laboratorium. Może on przypuszcza, że została już tym czymś zarażona?! Ta myśl sprawiła, że spojrzała wyczekująco na Michała.

– Na co czekamy? Prośba Łukasza jest dla nas rozkazem – rzekła stanowczo i ruszyła do drzwi.

Michał patrzył jeszcze chwilę na brata.

– Masz 0Rh-minus, idioto, nie możesz mieć konfliktu serologicznego nawet z rezusem – syknął, po czym pospieszył za Kamilą.

Idiota czy nie, dobrze wiesz, czego od ciebie oczekuję, braciszku – pomyślał Łukasz, odprowadzając oboje wzrokiem.

Kamili nie mógł zdradzić prawdziwego celu badań. Jeśli okaże się tak, jak podejrzewał, niech dziewczyna cieszy się nadzieją na powrót ojca, jeśli nie... on, Łukasz, opłacze Jakuba w samotności. Po raz drugi.

Pukanie do drzwi przerwało te rozmyślania.

Po chwili do pokoju wszedł ktoś, kogo Łukasz wezwał, bo bez rozmowy z tym człowiekiem wszystko, czego dokonał, mogło się okazać fiaskiem.

Zenon Jasiak, kierownik laboratorium, stanął przy łóżku chorego, tkwił tak przez chwilę, obracając w rękach bukiecik kwiatów, po czym podniósł na Łukasza pełne wyrzutu spojrzenie i rzekł:

– Musiał pan to zrobić, panie prezesie? Musiał pan spalić całe laboratorium? Przecież materiały były w jednym segregatorze. Dlaczego... dlaczego tak wszystko...? Ludzie, pracownicy czyli, są w szoku... mówią, że ktoś spalił firmę, a pan próbował gasić pożar i sam został poparzony, to od nich te kwiaty, ale ja swoje wiem...

– Ci, o których pan mówił, podłożyli ogień – zaczął Łukasz cicho, ważąc każde słowo. – Ledwo uszedłem z życiem. Tylko panu mogę o tym powiedzieć, bo tylko pan wie, co było ich celem: zniszczyć HV475. – Mężczyzna kiwnął głową, ale ból z jego oczu nie ustąpił. – Tak jak mówię: zwabili mnie do środka i próbowali spalić z całą resztą, na szczęście udało mi się uciec przez uchylone okno. Gdyby nie to... – zawiesił głos. Widział, że ten człowiek wierzy w każde jego słowo. Każde było prawdopodobne. – Nie zostawię ludzi bez pracy, proszę się tym nie martwić, każdy dostanie etat gdzie indziej...

– Nie o to mi chodziło, panie prezesie! – przerwał mu Jasiak z żarem w głosie. – To znaczy o pracowników też, ale... pani prezesie... tej szczepionki tak żal... – Starszemu mężczyźnie łzy stanęły w oczach. – Prezes Kiliński cieszył się jak dziecko, gdy okazało się, że działa... A teraz...

– Teraz jest pan, a ja nadal żyję – wpadł mu w słowo Łukasz. – Ja odbuduję laboratorium, pan odtworzy szczepionkę...

– To niemożliwe! – kierownik ponownie mu przerwał. – Cała dokumentacja była w sejfie! Spłonęła razem z resztą, wiem, bo pozwolono mi sprawdzić! Podpalili sejf i wszystko, co się w nim znajdowało, na własne oczy widziałem resztki banknotów... Bo nie po pieniądze przyszli...

Łukasz milczał, patrząc, jak mężczyzna otwarcie ociera łzy.

– Nie da się odtworzyć procedury, ot tak! – Jasiak pstryknął palcami. – To lata pracy, a oni... zdążą przed nami. Będą teraz czujni. Wszystko poszło z dymem, panie prezesie.

– Może Jakub zachował gdzieś kopie? – zapytał Łukasz powoli.

– Nie było żadnych kopii. Wiedział, co się święci, i zniszczył wszystkie, poza tą jedną. Ona wydawała się bezpieczna. W sejfie, dwa piętra pod ziemią... – dokończył z goryczą i umilkł.

Gdyby Łukasz nie musiał zachować pokerowej miny, chyba uniósłby teraz oba kciuki w górę.

I o to mi chodziło, kochany panie Zenku, ale nie mogę tego panu powiedzieć, bo wydrapałby mi pan oczy. A wzroku tracić po raz drugi nie zamierzam.

Czekał w milczeniu, aż mężczyzna pozbiera się, złoży mu życzenia powrotu do zdrowia i wyjdzie, po czym zapatrzył się w okno... Nikomu nic więcej nie miał do powiedzenia.

Nazajutrz o świcie, gdy cały oddział niemrawo budził się do życia, do pokoju Łukasza weszła żwawa mimo wczesnej pory, uśmiechnięta pielęgniarka. Już wiedziała co nieco o tym pacjencie, chodziły słuchy, że był cichym bohaterem, który próbował ugasić pożar w swojej firmie.

– Nie śpi pan, panie Łukaszu? – zapytała.

Łukasz odpowiedział grzecznie, że nie, obudził się przed chwilą. Tak naprawdę źle spał tej nocy. I nie zaśnie spokojnie, dopóki...

– Kwiaty i list od cichej wielbicielki. – Pielęgniarka podała mu jedno i drugie z filuternym uśmiechem. – Wstawić róże do wazonu? – zapytała, ale nie spojrzał na nią.

Pociemniałe oczy miał wbite w kopertę, którą trzymał koniuszkami palców, jakby parzyła.

– Nie. Ktoś się nimi później zajmie – powiedział, pilnując, by głos mu nie zadrżał, a gdy w końcu pielęgniarka wyszła, otworzył powoli kopertę, podpisaną jego imieniem i nazwiskiem, wyciągnął kartkę, przeczytał dwa słowa, zaklął i opadł na poduszkę.

# Rozdział XVI

*Narcyz – jest chyba najpiękniejszym kwiatem wiosny. Na trawniku jeszcze gdzieniegdzie leżą płaty śniegu, a oto rozkwitają pęki żółtych lub białych narcyzów. I jaki mają zapach! Kąpiel w ich płatkach koi lęki i stres, dodaje urody, a zapach potrafi odurzyć. Jesień? Szaro i ponuro? Trzeba posadzić mnóstwo narcyzów, niech zakwitną wiosną...*

Zupełnie spontanicznie – tak jakoś wyszło – Julia z Gosią przeniosły się do Sasanki. Na czas nieobecności prawowitych właścicieli, rzecz jasna.

Zaczęło się od śniadania, które w ponurym i ciemnym domu Małgosi obu kobieto stawało w gardle.

– Może... zjemy je na tarasie u Kamili? – zapytała naraz Gosia. – Zawsze mnie do siebie zapraszała, więc i teraz nie powinna mieć nic przeciwko temu.

– Chyba powinnyśmy ją zapytać. Może zadzwonimy?

– Takim drobiazgiem będziemy zawracać jej głowę, podczas gdy Łukasz leży na OIOM-ie?

– Masz rację. Jutro.

Z jutra zrobiło się pojutrze. Taras w Sasance był dużo milszym miejscem do spożywania posiłków niż dom Małgosi. Ani się spostrzegły – naprawdę tak jakoś samo wyszło – oprócz tarasu zaanektowały dwie sypialnie na piętrze. I jadalnię, którą przerobiły na pracownię.

Julia przez tych kilka dni, gdy miała obok siebie Gosię na co dzień, gdy jadła z nią wszystkie posiłki, pracowała ramię w ramię – Małgosia rzeźbiąc w grafice komputerowej, ona, Julia, zawzięcie szydełkując nowe zazdrostki – wreszcie kładła się spać w pokoju obok, po długich rozmowach, ciągnących się czasem do późnej nocy, zauważyła jedno: Gosia odżywa.

Małgosia Bielska z dala od swojego domu stawała się zupełnie inną kobietą. Zaczęła jeść za dwoje – i dobrze, było ich dwoje! – lepiej spała czy raczej w ogóle spała, cienie spod oczu znikły, a zamiast nich pojawił się w tych oczach uśmiech i – wreszcie! – blask, jaki powinna mieć przyszła matka, która nie może się już doczekać chwili, gdy utuli swoje maleństwo w ramionach.

Julia patrzyła na tę przemianę z jednej strony szczęśliwa i dumna, zupełnie jakby to ona tego cudu dokonała – i tak po trosze było – z drugiej, z niepokojem. Gdy wrócą Kamila z Łukaszem... może nie będą mieli nic przeciwko temu, by zamieszkała z nimi Gosia... oczywiście nie na zawsze... ale do chwili gdy... No tak, to oczywiste! Gdy znajdzie nowy dom dla siebie i dla Kubusia! Że też nikomu nie przyszło to wcześniej do głowy! Małgosia musi natychmiast opuścić te katakumby, które nie dość, że przypominały jej o tragicznej śmierci rodziców, to jeszcze o utraconej miłości...

Tylko czy sama Gosia się na to odważy?

Pani psycholog była już u niej trzy razy. W obecności Julii, bo takie było życzenie pacjentki, przeprowadziła z Małgosią długi wywiad, a potem zaczęła dość niekonwencjonalną terapię. Za pomocą hipnozy. Julia już po pierwszym seansie wolałaby nie widzieć i nie słyszeć, jak Małgosia od nowa przeżywa wszystkie swoje traumy, ale... dała słowo. Będzie przy niej.

I była.

Płakała cicho w swoim kącie razem z pogrążoną w hipnozie Małgosią.

Trzymała ją za rękę, gdy ta, wyczerpana do granic wytrzymałości, leżała jeszcze długo po wyjściu terapeutki.

Potem razem wracały do pracy albo wychodziły do ogrodu powygrzewać się na wiosennym słońcu. Gosia z każdą chwilą coraz bardziej ożywiona, Julia chyba wprost przeciwnie i... tak to trwało od trzech dni.

Czas poważnych decyzji zbliżał się wraz z każdą chwilą.

Łukasz lada moment wyjdzie ze szpitala i będzie chciał wracać do domu.

Czy Gosia będzie zmuszona wrócić wtedy do tego swojego grobowca? Julia była gotowa paść przed Kamilą i Łukaszem na kolana i w imieniu przyjaciółki błagać, by Gosi nie wyrzucali. A jeśli to nie pomoże, zabrać ją do siebie, do Chatki Dorotki.

To jest myśl! Tam, w ciszy i spokoju bieszczadzkich lasów i łąk, Gosia będzie szczęśliwa, tak jak szczęśliwa była przez te wszystkie dni ona, Julia. Mimo pieca, co gasł, mimo kuny harcującej na strychu... Zresztą żadna kuna nie byłaby im straszna, gdyby zamieszkały we dwie!

Taaak... i Gosia urodzi w przydrożnej stajence, bo w decydującej chwili stara honda odmówi posłuszeństwa, strumień wyleje, zasięg trafi szlag i nawet Grzegorz tym razem nie przyjedzie z odsieczą, bo nie będzie miał pojęcia, że potrzebują pomocy.

Może lepiej niech Małgosia zostanie tutaj, nawet w tych katakumbach?

Kubuś przyjdzie na świat, trochę go odchowają i dopiero wtedy...?

Julia rzuciła przyjaciółce, zatraconej w tworzeniu folderu dla Armiki, współczujące spojrzenie. Tak się cieszyła ze swojego pomysłu. Tak w niego wierzyła. Już niemal widziała oczami wyobraźni, jak Małgosia, dostojnie niczym okręt flagowy, brodzi przez ukwieconą bieszczadzką łąkę...

– Tak, Julcia? Chcesz mnie o coś zapytać, tylko nie wiesz jak albo nie masz odwagi? – Gosia spojrzała nagle na przyjaciółkę. – Pytaj. Przed tobą nie mam tajemnic. Wszystkie wyśpiewałam podczas hipnozy – dodała żartobliwie.

– Raczej wypłakałaś. Nie wiem, czy coś pamiętasz z tych seansów czy nie, ale za każdym razem zalewasz się łzami tak, że poduszka jest mokra – odparła Julia. Jej wcale nie było do śmiechu.

– Wszystko pamiętam. Wszystko powraca. Ale tym razem... jest inaczej – zaczęła Małgosia w zamyśleniu. – Oglądam to oczami tej drugiej, bezpiecznej tu, w Sasance, i... godzę się ze wszystkim, co mnie spotkało. Po prostu żegnam przeszłość. Zostawiam ją za sobą tam, gdzie powinna być. Przeszłość i strach, że zły los znów uderzy. Zresztą wszystko to wiesz... – zakończyła cicho.

Julia skinęła głową.

Wolałaby nie widzieć i nie słyszeć tego wszystkiego, ale Gosia domagała się jej obecności, a dla przyjaciółki – widząc, jak ta hipnoza pomaga – Julia uczyniłaby wszystko, szczególnie po tym jak zostawiła Małgosię własnemu losowi i uciekła użalać się nad sobą w Chatce Dorotki...

– Twój Janek... – Małgosia nagle zmieniła temat. – Dzwoni? Pisze?

Julia posmutniała. Oprócz tego jedynego esemesa, że złożył pozew o rozwód, a żona nie zamierza czynić przeszkód, nie odezwał się więcej.

– Chyba jest tak, jak obie z Kamilą przewidywałyście: stara śpiewka napalonego samca...

– A może chce zamknąć wszystkie sprawy i stanąć przed tobą jako wolny człowiek? Wiesz, wyjątki od reguły czasem się zdarzają.

Julia spojrzała na Gosię, mówiąc bez słów: „Chcesz mnie pocieszyć i za to jestem wdzięczna, ale lepiej nie robić sobie nadziei i dać się mile zaskoczyć, niż za dużo sobie obiecywać i spaść z nieba na ziemię". Bolesny byłby to upadek...

Pracowały dalej w zgodnym milczeniu. Dzwonek telefonu przerwał ciszę.

– To Kamila – szepnęła Julia do Gosi, porwała komórkę i wyszła z nią do ogrodu. Chciała z właścicielką Sasanki przeprowadzić poważną rozmowę i lepiej, żeby Gosia tej rozmowy nie słyszała.

– Wracamy! – zaśpiewała nieomal dziewczyna. – Łukasz wypisał się na własne żądanie i wracamy! Będziemy pewnie wieczorem. Ej, Julcia, u was wszystko w porządku? Jakaś milcząca jesteś. No tak, bo nie dałam ci dojść do słowa – zaśmiała się, a Julii aż ciepło się zrobiło na sercu, słysząc ten szczęśliwy śmiech. Kamila sporo w życiu przeszła. Zasługiwała na szczęście.

– Julia, jesteś tam?

– Jestem, jestem i... jakby ci to powiedzieć, macie lokatora – zaczęła Julia niepewnie.

– O rany, szczur?!

– Nieee, to nie jest szczur i nie każę ci zgadywać dalej. To Gosia.

Po drugiej stronie zapadła cisza.

– Posłuchaj, jakoś tak nazajutrz po moim przyjeździe obie przeniosłyśmy się do twojej Sasanki, wiesz, zjeść śniadanie na tarasie i... chyba zostałyśmy na stałe. To znaczy ja wyjeżdżam, gdy tylko wrócisz, ale Małgosia... Ona tutaj odżyła. To zupełnie inna kobieta niż jeszcze parę dni wcześniej. Zresztą sama zobaczysz. Błagam, nie wyrzucaj jej natychmiast po przyjeździe. Pozwól zostać na parę dni, nim coś wymyślę. Ona nie może wrócić do tych cholernych katakumb!

– Nikt Gosi nie będzie wyrzucał – ucięła Kamila stanowczo, a Julia aż przysiadła na schodkach tarasu, prowadzących do ogrodu, oddychając z ulgą. – Wolałabym pobyć z Łukaszem we dwoje, dopóki znów nie wpadnie w pracoholizm, ale skoro jest tak, jak mówisz, Gosia zostanie w Sasance.

– Dzięki, Kamilko. Bałam się, jak zareagujesz.

– Naprawdę okupujecie mój dom od trzech dni?

– Naprawdę.

Kamila znów się zaśmiała, życzyła obu przyjemnej okupacji i rozłączyła się.

Julia z lekkim sercem mogła wracać do Małgosi, która siedziała nieruchomo przy stole, patrząc na nią poprzez tarasowe okno.

– O czym spiskowałaś z Kamilą? – zapytała, gdy Julia wróciła do pokoju.

– Zaraz „spiskowałaś". Gadałyśmy...

– Mogę tu zostać? – padło krótkie pytanie.

Julia uniosła brwi ze zdumienia.

– Skąd wiedziałaś...?

– Mogę?

– Możesz. Przecież wiesz, jak Kamila cię kocha. Obie cię kochamy. – Objęła Gosię z całych sił i przytuliła. Gdy ta spojrzała na Julię, jej oczy były pełne łez.

– Chyba bym umarła, gdybym musiała tam wracać.

Julia kiwnęła głową niezdolna wykrztusić słowa przez zaciśnięte gardło.

– Ale nie mogę przecież zostać tu na stałe. Muszę sprzedać dom i kupić coś... gdzie indziej...

– I mieszkać gdzie indziej sama, z twoimi lękami? Przecież umrzesz z głodu, jeśli fobie wrócą, a nikt z nowych sąsiadów nie zrobi ci zakupów. Poza tym jest taki zastój na rynku nieruchomości – wiem, bo Kamila o tym wspominała – że domu tak szybko nie sprzedasz i w końcu będziesz musiała do niego wrócić. Choćby Kamila nie wiem jak cię kochała, bardziej jednak kocha Łukasza.

To było dla Gosi oczywiste, że tych dwoje pragnie być razem, a jej obecność – nawet jeśli Gosia będzie całymi dniami siedziała w sypialni gościnnej – stanie się dla nich krępująca. Za nic nie chciałaby stawać między Kamilą a Łukaszem. Oni tak rzadko ostatnio byli razem...

– Masz jakiś pomysł? – spojrzała na Julię żałośnie.

– Mam, o ile dotrzesz do mojego samochodu, a potem z niego wysiądziesz, nie tracąc przytomności ze strachu. Chatka Dorotki. Gosiuniu, nie przerywaj mi!, to piękne i spokojne miejsce, wokół tylko las, zero ludzi. No, jestem tam ja, ale mnie się nie boisz. Moglibyśmy zamieszkać razem, miejsca jest dosyć, a nawet więcej niż dosyć. Ty byś sobie pracowała w jednym pokoju – tam jest śliczna sypialnia na parterze z tarasem wychodzącym na góry, odstąpię ci ją – ja w drugim. Nie wchodziłybyśmy sobie w drogę! Miałabyś opiekę, ja towarzystwo... Co ty na to, Gosiu? – Przyklękła i chwyciła dłonie kobiety, patrząc na nią błagalnie.

– Naprawdę tego chcesz? Opiekować się ciężarną kaleką?

– Nigdy tak o sobie nie mów! – krzyknęła Julia ze złością. – Kalectwo to stan umysłu, a nie ciała! I owszem, chcę się tobą opiekować, choć to raczej ja potrzebuję twojej opieki!

– Julia, przepraszam, nie płacz. Nie chciałam cię urazić. – Gosia objęła przyjaciółkę, ale sama... nie czuła nic. Ani żalu za swoje słowa, ani radości, że Julia zaproponowała jej wspólne zamieszkanie. Będzie dla przyjaciół wiecznym balastem, z którym nie wiadomo co robić. A gdy jeszcze na świat przyjdzie mały Kubuś...

– Naprawdę doceniam twoją propozycję. Jest...

– To nie doceniaj, tylko ją przyjmij. – Julia otarła łzy i wstała. – Ty tego nie widzisz, ale trzy dni dobrej terapii i trzy dni z dala od tamtego miejsca uczyniły z ciebie innego człowieka. Gdybyśmy miały więcej czasu...

– Ale nie mamy, bo wraca Kamila z Łukaszem.

– W Chatce Dorotki będziemy go mieć pod dostatkiem!

– Tylko... skąd weźmiemy terapeutę?

Julia spojrzała na Gosię z niedowierzaniem.

– A więc zgadzasz się? Pojedziesz ze mną do Bogumiłej?

– Pojadę. Tylko na wszelki wypadek naucz się odbierać porody.

Parsknęły śmiechem.

– Skąd wiesz, że tego się najbardziej obawiam?

– Bo mnie samą jedynie to martwi.

– Grześ, nasz sąsiad – ale nie martw się, mieszka daleko – ma stado hucułów. Na pewno nieraz pomagał przy porodzie...

– Klaczy?

Znów musiały się roześmiać.

– A czy pomagał przy porodzie beznogiej klaczy? – dopytywała dalej Gosia.

– Zabiję cię, jak będziesz ciągle o tym wspominała!

– Nim mnie zabijesz, przygotujmy Sasankę na powrót właścicielki.

Spoważniały wreszcie.

– Ja upiekę coś pysznego. Na pewno będą głodni i zmęczeni.

– A ja przewietrzę dom i zmienię pościel.

Obie zgodnie ruszyły do swoich zajęć. Tymczasem Kamila...

# *Rozdział XVII*

*Bez – symbol polskiej wsi, krzew, skromny przez okrągły rok, wiosną po prostu zniewala... Kiście kwiatków, małych gwiazdek w najprzeróżniejszych odcieniach fioletu, różu i bieli, zachwycają urodą, lecz przede wszystkim zapachem. Koi nerwy i wzbudza optymizm. Zaprośmy bez do naszych ogrodów!*

Kamila stała przy szpitalnym łóżku, obok milczącego Michała, i patrzyła z góry na swego ukochanego. Łukasz już oznajmił obojgu, że wychodzi na własne żądanie, i oczywiście spotkał się z protestem i dziewczyny, i brata. Rzecz jasna, nic sobie z tego nie robił. Nie ma zamiaru leżeć jak kukła w szpitalnym łóżku, chce jak najszybciej wrócić do domu. O pracy pomyśli, kiedy wygoją się ślady oparzeń z twarzy i rąk. Na razie wyglądał jak homar, z czerwoną opuchniętą, łuszczącą się skórą.

– Mam to, czego sobie życzyłeś – odezwała się nagle Kamila, machając Łukaszowi przed nosem fiolką wypełnioną krwią.

– Daj Michałowi. On wie, co z nią zrobić.

– Nic z tego, mój drogi... – Kamila uśmiechnęła się, choć ten uśmiech nie sięgnął oczu. Prawdę mówiąc, wyglądała na wściekłą. – Konflikt serologiczny? Naprawdę uważasz mnie za taką idiotkę?

– Nie uważam...

– Od jakiegoś czasu coś przede mną ukrywasz. Ty i twój uroczy brat, który grubszej igły chyba nie mógł znaleźć, a ja chcę wiedzieć, co knujecie. Wymyśl nieco bardziej prawdopodobną bajeczkę, to dostaniesz tę krew.

Łukasz milczał równie wściekły co ona.

– No, kochanie, konflikt, konfliktem, do czego jest ci potrzebna? Ostatnio pobierano mi krew do badań porównawczych DNA...

Łukasz z Michałem mimowolnie wymienili spojrzenia, co nie uszło uwagi Kamili.

– W co wy mną pogrywacie, do jasnej cholery?! – wybuchnęła nagle.

– Ciszej... – próbował mitygować ją starszy z Hardych, ale ona nie zamierzała dłużej siedzieć cicho.

– Znikałeś na całe tygodnie, w porządku, jakoś to znosiłam, bo wiedziałam, że ciężko pracujesz. Powoli zamieniałeś się w zombie, to też rozumiałam, próbowałeś utrzymać dwie firmy, w tym jedną naprawdę dużą, starałam się i to rozumieć, ale ostatnimi dniami przeszedłeś samego siebie, Łukasz – ciągnęła cicho, bojąc się, że znów zacznie krzyczeć. – Podpaliłeś laboratorium i o mało sam przy tym nie spłonąłeś, aresztowali cię, potem straciłeś przytomność podczas przesłuchania, a teraz fiolka z krwią?! I śmiesz wciskać mi kit o konflikcie serologicznym?! Zastanów się, czy nie potrzebna ci głupsza i bardziej naiwna narzeczona...

Odwróciła się na pięcie i zaciskając fiolkę w dłoni, ruszyła ku drzwiom.

Zatrzymał ją Michał.

– Powiedz jej prawdę – zwrócił się do Łukasza, który przez cały ten czas milczał, patrząc tylko na Kamilę nieruchomym spojrzeniem.

– Okej – odezwał się nagle. – Skoro oboje uważacie, że to konieczne. Okej. Tylko usiądź – zwrócił się do dziewczyny – bo ta prawda może zbić cię z nóg.

Usiadła zmrożona tonem jego głosu.

– Jakub, twój ojciec, nie zginął w wypadku, został zamordowany. Dlaczego, Kamilko, tak zbladłaś? Chciałaś prawdy. – Bez cienia współczucia patrzył, jak dziewczyna próbuje zapanować nad szokiem. – Powiedziałbym w bardziej odpowiednim momencie, choćby na tarasie naszego domu, gdzie czułabyś się bezpieczniej, a ja obejmowałbym cię i mówił to, czego nie chcesz wiedzieć, ale skoro się domagałaś... Jakub więc został zamordowany z powodu tego, co wynalazł w swoim ukochanym laboratorium. Dostał ostrzeżenie i... zignorował je. Dlatego zginął. Drugie ostrzeżenie dostałem ja. Pamiętasz kuriera, który dostarczył przesyłkę do rąk własnych?

Kiwnęła głową, nie będąc w stanie powiedzieć choć krótkiego „tak".

– Treść była krótka: odpuszczę HV475 albo skończę tak jak Jakub. I oczywiście nie zgłoszę tego listu na policję. Po tym, co spotkało mojego przyjaciela, nie zamierzałem sprawdzać czy ten, który przesłał ostrzeżenie, żartuje. Po prostu zrobiłem to, co uznałem za jedynie słuszne. Zniszczyłem HV475 razem z całym laboratorium. Bo, widzisz, taki jestem głupi, że cię kocham. Kocham nad życie. Gdy wyobraziłem sobie, że stoisz nad moim grobem i rozpaczasz tak jak wtedy, gdy żegnaliśmy Jakuba...

Zaczęła płakać. Bezgłośnie. Łzy spływały jej po policzkach i wsiąkały w kołnierzyk bluzki. Chciał zamknąć ją w ramionach, utulić, pocieszyć czy choćby nie ranić więcej, ale... zaraz padnie następne pytanie, a on musiał odpowiadać rozważnie. Już i tak z lekka mijał się z prawdą, bo to Kamili grożono, nie jemu. O tym ona jednak nie musi wiedzieć. Była wystarczająco przerażona i wstrząśnięta. Michał nie śmiał odezwać się ani słowem, a tylko on znał całą prawdę.

Czy raczej cały ten kawałek prawdy, którym Łukasz się z nim podzielił. Resztę, mimo bezgranicznego zaufania, jakim brata darzył, musiał zachować tylko dla siebie. Przeniósł wzrok z Kamili, płaczącej z pochyloną głową i przygarbionymi ramionami, na Michała, który stał bez ruchu, patrząc niewidzącym spojrzeniem w okno. Jego dotychczasowe, proste życie lekarza, gdzie dobro było dobrem, a zło złem, nagle zostało wywrócone do góry nogami. W tym świecie, w którym się parę dni temu znalazł, można było mordować ludzi za wynalezienie szczepionki przeciwko HIV. Można było straszyć śmiercią jego bliskich. Brat, którego uważał za człowieka ze wszech miar godnego szacunku, musiał w obronie tych, których kocha, stać się przestępcą i aresztowali go jak zwykłego zbira. Nie w takim świecie Michał chciał żyć...

– Po co... po co ci była potrzebna moja krew? – padło w końcu pytanie, którego obaj się obawiali.

– Jakub nie był głupi – zaczął cicho Łukasz. – Nie dałby się, ot tak, zabić. Podejrzewamy, ja z Michałem, i mam nadzieję, że tylko my, że mógł upozorować swoją śmierć.

Kamila poderwała głowę. To, czego się zaczynała domyślać, nagle zostało wypowiedziane na głos.

Nie pytała: „Jak to?! Dlaczego?!", bo po prostu odebrało jej mowę.

Nagle wstała, bez słowa oddała fiolkę Michałowi i wyszła z pokoju.

– Idź do niej, spróbuj ją uspokoić – poprosił Łukasz. – Ja zacznę się ubierać. Nie zostanę w tym cholernym szpitalu ani chwili dłużej.

Michał skinął głową i Łukasz został sam.

Chwilę nasłuchiwał, czy nie wracają, po czym podniósł się i wyjął spod poduszki kartkę, którą dostał dziś rano, razem z kwiatami. Rozłożył ją i raz jeszcze przeczytał wiadomość od bandziorów.

GRZECZNY CHŁOPIEC

Złożył kartkę na czworo i z trudem powstrzymał się, by nie parsknąć śmiechem. Bandyci byli z niego zadowoleni. On z siebie także.

Gdy wszedł do sejfu – nim zdecydował się rozlać pierwszy kanister benzyny – obrzucił uważnym spojrzeniem wnętrze pomieszczenia. Na regałach stały równymi rzędami segregatory pełne dokumentów. Łukasz mógł się tylko domyślać, że stanowią efekt wieloletnich badań, jakim Jakub i jego pracownicy z taką pasją się oddawali. Pieniądze, które leżały na najniższej z półek, zupełnie Łukasza nie interesowały. Omiótł pliki owinięte w banderole obojętnym wzrokiem, szukając czegoś cenniejszego niż forsa. Czegoś, za co Jakub zapłacił najwyższą cenę.

Gdzie mógł ukryć dokumentację HV475?

Jak postąpiłby na jego miejscu Łukasz? Wybrałby coś niepozornego, zwykłą szarą teczkę, o właśnie taką jak ta, wciśniętą między kolorowe segregatory. Już miał po nią sięgnąć, ale... odwrócił obojętnie wzrok.

W sejfie znajdowały się kamery, które rejestrowały każdy jego ruch. Mógł przypuszczać, że obraz z tych kamer na bieżąco przeglądają główni zainteresowani. Jeśli chce z nimi mimo wszystko wygrać, musi to zrobić... inteligentnie.

Przez chwilę krążył po ciasnym pomieszczeniu, zastanawiając się, co robić. Może spróbuje spalić tylko zawartość sejfu? Szkoda było sprzętów i stanowisk pracy piętro wyżej. Same komputery były warte majątek... Ułożył w stos kilka segregatorów, wylał na nie trochę benzyny i pstryknął zapalniczką, by w następnej sekundzie odskoczyć z krzykiem. Zupełnie nieudawanym. Ogień buchnął pod sufit, ale szybko przygasł. Plastik i grube ryzy papieru nie dawały pożywki dla ognia, za to dużo dymu, i owszem.

Rozkasłał się, ugasił ognisko własną marynarką, dokładnie, aż wszystko zgasło. Za chwilę rozleje parę ładnych litrów benzyny w tym pomieszczeniu. Jeśli pozostała choć jedna iskra, on, Łukasz, wyleci w powietrze, a sejf z zawartością pozostanie nienaruszony. Gdy upewnił się, że jego małe ognisko już nie płonie, na próbę polał je odrobiną cuchnącego płynu. Nic. Mógł rozpoczynać dzieło zniszczenia.

Opróżnił zawartość dwóch kanistrów i zaczął kursować w górę i w dół, aż pomieszczenia laboratorium zostały zalane benzyną od piwnic po parter.

Ci, którzy przez oko kamer mogli obserwować jego mrówczą robotę, na pewno nie zauważyli, jak w kłębach dymu, po pierwszej próbie podpalenia, wciska za pasek spodni ową szarą teczkę, ukrywa ją pod koszulą, a potem wynosi na powierzchnię do samochodu, wrzuca za siedzenie i wraca do laboratorium z kanistrami pełnymi łatwopalnego płynu. Odegrał przedstawienie przekonująco – przynajmniej taką miał nadzieję – jak bardzo, okaże się już niedługo.

Potem uczynił to, co zaplanował.

Wrzucił do środka butelkę Frugo jako zapalnik i... mało przy tym nie stracił życia.

Gdy w panice dotarł do samochodu, zupełnie zapomniał o szarej teczce, pragnąc tylko jak najszybciej wydostać się z piekła, które sam rozpętał. Ale HV475 przypomniało Łukaszowi o sobie... To wtedy gdy zawracał na wąskiej drodze i już miał uciekać ile mocy pod maską, do ogarniętego paniką mózgu Łukasza przedarła się jedna, bardzo wyraźna myśl: nie pozwól im wygrać!

Zwolnił.

Zaparkował furgonetkę na poboczu, wysiadł i powlókł się przez pola do samotnej gruszy. Tam usiadł ciężko, opierając się plecami o chropowaty pień, i długą chwilę łapał oddech, jak po szaleńczym biegu, nie mogąc oderwać wzroku od płonących budynków.

Chłód wieczoru i wiatr od strony lasu otrzeźwiły go.

Wyciągnął spod koszuli szarą teczkę, otworzył i rzucił cicho: – Bingo! Mam cię, ty... – zabrakło mu celnego określenia na to, co znalazł w środku. Opisy doświadczeń, notatki z badań, sekwencje kwasu rybonukleinowego, Łukasz niespiesznie wertował zawartość teczki. Nie po to, by coś z niej zrozumieć, a dlatego by nacieszyć się chwilą triumfu.

Prawie wygraliście, skurwiele – myślał, kopiąc w miękkiej ziemi niewielki dół – zmusiliście mnie do zniszczenia laboratorium, właśnie płoną lata pracy wielu ludzi, dzieło życia mojego przyjaciela i własność jego dzieci, ale HV475 przetrwa. Ta pieprzona HV475 przetrwa...

Owinął teczkę w reklamówkę, w którą wcześniej były zapakowane soki, złożył w płytkim grobie, jeszcze chwilę na nią patrzył, po czym zasypał ziemią, uklepał i usiadł, jak poprzednio opierając się o pień i patrząc na palące się budynki.

Parę chwil później znaleźli go policjanci. Odszedł z nimi zakuty w kajdanki, nie oglądając się za siebie. Może kiedyś tu wróci, a może nie. Może odkopie teczkę i wskrzesi HV475, a może zrobi to jakiś zwierzak. Świat może usłyszy jeszcze o szczepionce przeciwko HIV, wynalezionej w laboratoriach Farmiki, a może została pochowana na zawsze. Łukasz ani myślał zastanawiać się nad tym prowadzony przez dwóch policjantów do radiowozu. Prawdę mówiąc, zamierzał zapomnieć o wszystkim, co związane z tym cholerstwem... na długi, długi czas.

Przypomnieli mu o tym tylko raz, krótką wiadomością: „GRZECZNY CHŁOPIEC".

Naprawdę dołożył wszelkich starań, by nie roześmiać się w głos...

Michał dogonił Kamilę na szpitalnym korytarzu. Szła przed siebie, nie myśląc, dokąd ani po co idzie. Słowa Łukasza... po prostu... Oparła się plecami o ścianę, bo chyba by upadła. Podtrzymało ją ramię Michała. Pomógł jej dojść do najbliższego krzesła i usiąść. Przyklęknął naprzeciw niej i ujął zimne, drżące ręce dziewczyny w swoje własne.

– Kamila – zaczął miękko, ale pokręciła głową, nie chcąc słuchać tego, co ma do powiedzenia.

On jednak nie nosiłby nazwiska Hardy, gdyby, ot tak, odpuścił.

– Wiem, że to, co powiedział mój brat, wydaje ci się okrutne. Sposób, w jaki to zrobił, ton... Ja sam zdzieliłbym go za to w pysk, gdybym nie był pewien, że musiał tak postąpić.

Milczała, utkwiwszy wzrok w ścianie naprzeciwko.

– Nie proszę, byś mu wybaczyła, on sam o to poprosi w lepszym momencie, ale... Kamila, spójrz na mnie, to daje nam nadzieję.

Niewielką, wręcz mikroskopijną, ale nadzieję. – Uścisnął jej ręce. Spojrzała na niego przytomniej.

– Nadzieję? – szepnęła.

Skinął głową.

– Być może Jakub żyje. Tego się trzymajmy, dopóki nie dostanę wyników badań, dobrze? Jesteś Łukaszowi potrzebna, jesteś dla niego całym światem, proszę cię, bądź przy nim właśnie teraz, gdy jest tak strasznie rozbity, poparzony, zmęczony życiem i walką o przetrwanie. Swoje własne i firmy. Proszę cię, Kamila, nie odwracaj się od Łukasza. Bądź przy nim.

Patrzył, jak dziewczyna prostuje ramiona, jak ociera zdecydowanym gestem błyszczące od łez oczy i mokre policzki.

– Nie mam nikogo, oprócz cioci Łucji. Ona i Łukasz są moją jedyną rodziną – odparła cicho, ale zdecydowanie i wstała. – Pomogę mu się ubrać. Te poparzone ręce... muszą go bardzo boleć.

Wracali do Milanówka, do domu. Prowadziła Kamila. Srebrna astra mknęła na północ.

– Naprawdę wierzysz, że Jakub żyje? – odezwała się wpatrzona w drogę przed sobą.

– Czepiam się tej nadziei rozpaczliwie, jak niczego dotąd – odparł cicho.

Rzuciła mu krótkie spojrzenie. To nie był mężczyzna, jakiego poznała rok temu. Gdzie się podział tamten, niemal chłopięcy, uśmiech na jego twarzy? Gdzie blask w szarych oczach? A może to ona, Kamila, je zgasiła?

Może Julita, matka Łukasza, gdy wykrzyczała Kamili, że jest jego przekleństwem, miała rację? Jak go o to zapytać?

Uprzedził ją.

– Zjedź na najbliższy postój, bardzo cię proszę – odezwał się naraz.

Ponownie spojrzała nań krótko, tym razem z przerażeniem. Jeśli on odejdzie... Kamila nigdy się po tym nie pozbiera. Nigdy też nie wybaczy sobie, że go straciła. Z sercem bijącym ze strachu tak mocno, że aż bolało, skręciła na parking przy stacji benzynowej. Łukasz skrzywił się lekko.

– Długo nie będę w stanie zatankować samochodu – mruknął, wysiadając. – Chodź tu do mnie – wyciągnął do Kamili rękę, a gdy delikatnie, by nie urazić jego ran, podała swoją, przyciągnął dziewczynę do siebie i rzekł łagodnie, ale stanowczo: – Nie zamierzam czekać na ciebie ani dnia dłużej, chociaż parę dni będę pewnie musiał poczekać. Kocham cię, Kamila, i czy tego chcesz czy nie, masz przyjąć moje oświadczyny tu i teraz, w przeciwnym razie nie ruszę się z kolan.

W tym momencie ukląkł przed osłupiałą Kamilą, ucałował jedną jej dłoń, potem drugą i dodał:

– Mówię zupełnie poważnie. Zostajemy tu tak długo, aż powiesz „tak".

Poczuła, że... świat dookoła niej pojaśniał, mimo że wieczór zapadł już dawno. Patrzyła na klęczącego u jej stóp mężczyznę, t e g o mężczyznę, i czuła, jak jej biedne serce, które jeszcze przed chwilą umierało ze strachu, że on odejdzie... zaczyna znów bić. Tylko dla niego.

Ujęła jego kochaną, wymizerowaną twarz w dłonie, delikatnie, z czułością, i pocałowała go w usta.

– Tak, kochany. Tak – wyszeptała i pociągnęła go w górę, by pocałować jeszcze raz. – A jeśli już sobie wszystko wyznajemy: ja też cię kocham i nie pragnę niczego więcej, niż budzić się w twoich ramionach i w nich zasypiać. Kochać się z tobą i kłócić, ale to ostatnie rzadziej. Chcę czekać na ciebie w domu, gdy będziesz wracał po nocy ze Stanów czy gdzie cię tam poniesie, i chcę, żebyś ty czekał na mnie. Ale... nie tylko dlatego powiedziałam „tak". I nie dlatego, że mnie szantażujesz! – dodała żartobliwie. – Lecz... – Ujęła jego dłoń i położyła na swym płaskim jeszcze brzuchu. A gdy uniósł na nią niedowierzające spojrzenie, skinęła głową. – Dla tego maleńkiego ktosia albo ktosi też mówię „tak".

Oczy mu pojaśniały. Takiego szczęścia dawno w nich nie widziała.

– Jesteś pewna? – zapytał zdławionym ze wzruszenia głosem.

Skinęła głową i uśmiechnęła się. Jeżeli czegokolwiek na tym świecie mogła być pewna, to miłości Łukasza i nowego życia, które od paru tygodni nosiła pod sercem...

# *Rozdział XVIII*

*Słonecznik – małe słońce w twoim domu, zaproś je w ponury dzień, a od razu wokół pojaśnieje. Słonecznik wspiera rozwój wewnętrzny i współpracę z innymi. Uwaga: sprzyja poczęciu dziecka! Nie zapędź się za daleko z magią słonecznika, bo mogą się urodzić nawet bliźnięta...*

– No i gdzie oni są? – pytała retorycznie Julia, po raz kolejny wyglądając przez kuchenne okno, wychodzące na ulicę. – Wszystko wystygło!

W tym momencie zamiast samochodu podjeżdżającego pod dom usłyszała dźwięk telefonu.

– Kamila, gdzie wy jesteście?!

– Otóż, Julijko, postanowiliśmy zrobić sobie postój – odparła dziewczyna, uśmiechając się do Łukasza, siedzącego obok niej na łóżku i próbującego właśnie... – Oboje jesteśmy zmęczeni, pomyśleliśmy więc, że nie będziemy się tłuc po nocy, tylko spędzimy ją w hotelu. Przepraszam, wiem, że czekacie z kolacją, ale...

– Rozumiem, oczywiście, że rozumiem, ale nie mogłaś uprzedzić wcześniej? Pół godziny temu dzwoniłaś, że niedługo będziecie!

Rzeczywiście, dzwoniła. Nie wiedziała jednak, że chwilę potem Łukasz zażąda ślubu, ona zapragnie go poślubić jak najszybciej – gdyby byli teraz w Las Vegas, pewnie wróciliby do Sasanki jako mąż i żona – i to wyznawanie sobie nawzajem miłości sprawi, że... zaczną się rozglądać za najbliższym hotelem, wynajmą w nim najpiękniejszy pokój i ledwo zamkną się za nimi drzwi, zaczną się całować w korytarzu, a skończą w łóżku, przerywając jedynie na ściągnięcie z siebie bluzki, koszuli i spodni. Oczywiście same pocałunki im nie wystarczą i... Cóż, zamierzali pozostać w tym łóżku do rana, kochając się tyle razy, na ile wystarczy im sił. Dziewczyny muszą poradzić sobie bez nich jeszcze tę jedną noc.

To właśnie powiedziała Julii, tłumiąc chichot, bo Łukasz przez całą rozmowę próbował... dłonią zwrócić na siebie uwagę, a że Kamila pragnęła czuć we wnętrzu nie jego dłoń, a coś więcej... szybko się rozłączyła, obiecując Julii, że na śniadanie zdążą na sto procent.

– Ja nie byłbym tego taki pewien – wyszeptał, nakrywając ją swoim ciałem. – Na obiad... może zdążymy, ale na śniadanie? Na śniadanie, moja kochana, to ja zamierzam skonsumować ciebie, nie bułeczki z powidłami...

Nagle wszystko odnalazło swoje miejsce.

Kamila z Łukaszem wrócili do domu znów nieprzytomnie w sobie zakochani. O tym, żeby Małgosia wracała do ponurego domiszcza obok czy wyjeżdżała na koniec świata, choćby nie wiem jak Julia potrzebowała jej towarzystwa, nie było mowy.

– To niebezpieczne, Gosiu, dla ciebie i dla dziecka – uciął Łukasz stanowczo wszelkie dyskusje. – Urodzisz tu, w Grodzisku albo w Warszawie, trochę małego Kubusia odchowamy i możesz zabierać go choćby na antypody, ale stara chata pośrodku Wielkiego Nic? Nie ma mowy.

– To nie jest żadne Wielkie Nic, tylko całkiem cywilizowana wieś! – uniosła się honorem Julia. – No, obrzeża tej wsi – dodała, gwoli ścisłości.

– Całkiem niedawno zachwycałaś się, a może to była skarga, a nie zachwyt, że mieszkasz na pustkowiu zupełnie sama, a od najbliższego sąsiada dzieli cię parę ładnych kilometrów – przypomniała jej Kamila. – Łukasz ma rację, Gosia zostanie z nami do wakacji. W lecie przyjedziemy do ciebie wszyscy.

– Wszyscy? – Julia uniosła ze zdziwienia brwi. Chatka Dorotki była spora, ale w s z y s t k i c h, kogokolwiek ma Kamila na myśli, jednak nie pomieści!

Dziewczyna, widząc konsternację na twarzy przyjaciółki, roześmiała się.

– Nie martw się, przyjedziemy wszyscy troje: Gosia, Kubuś i ja. Łukasz pewnie będzie akurat między Stanami a Kanadą czy gdzieś pośrodku Atlantyku.

– Który to będzie miesiąc? – zapytał niespokojnie mężczyzna.

– Lipiec, najpóźniej sierpień – odpowiedziała mu Julia, ale on patrzył groźnie na Kamilę.

– Czwarty – odrzekła, a Julia z Gosią nagle zrozumiały i... przyszła mama utonęła w ich objęciach.

– Dzieci są największym szczęściem – wyszeptała Małgosia przez łzy.

O ile są – pomyślała Julia, nagle smutniejąc. Ona straciła Sandrę zupełnie. Córka już nawet nie udawała, że matka ją interesuje. Sama nie zadzwoniła ani razu, przestała odbierać telefony od Julii, a gdy łaskawie odbierała, rozmowa trwała krótko: Sandra odpowiadała zdawkowo i głosem tak odpychającym, że... Nieraz po takiej rozmowie Julia, płacząc w poduszkę, pytała samą siebie: co zrobiłam nie tak? Nigdy nie podniosłam na nią ręki, kochałam ją całym sercem i starałam się jej to okazywać, zawsze brałam jej stronę, gdy Tymek próbował ją po swojemu tresować. Co zrobiłam nie tak?

Cichy głos podpowiadał: „Byłaś za dobra, a ludzie nie szanują tych, co są dla nich dobrzy", ale Julia buntowała się przeciw niemu ze wszystkich sił. Aż uznała swoją porażkę. Straciła Sandrę, jedyne dziecko, i... gdy teraz składała gratulacje Kamili, zakochanej w swym Łukaszu bezgranicznie, błagała ją w myślach, by nie popełniła jej, Julii, błędów.

– Najpierw Gosia, potem Iza, teraz ty – odezwała się na głos. – Plaga dzieci w Milanówku.

Wszyscy troje spojrzeli na Julię ze zdumieniem. Ona sama mało nie palnęła się w usta, tak okropnie i chłodno to zabrzmiało.

– Plaga?

– Przepraszam – odezwała się pokornie. – Chciałam powiedzieć... że cieszę się twoim szczęściem. Tylko... chyba zacznę się pakować.

– Wiesz, że jesteś tu mile widziana. – Kamila ujęła jej dłoń. – Możesz zostać, jak długo zechcesz. Miejsca jest dosyć.

– Dziękuję, kochana, ale Beza wzywa. – Julia wyswobodziła rękę i raz jeszcze uśmiechnęła się do Kamili przepraszająco. – Jeśli nie mogę wrócić z Gosią, bo ją zaaresztowaliście do czerwca, pojadę sama.

– To dla jej dobra – powtórzył Łukasz łagodnie. – Nawet ze względu na terapię. Nie powinna jej teraz przerywać, skoro przynosi świetne rezultaty.

Julia musiała mu przyznać rację. Sama się nieraz zastanawiała, skąd wytrzaśnie w Bogumiłej dla Małgosi tak dobrą terapeutkę jak pani Iza...

– Ale kto będzie Gosię trzymał za rękę?! – To był chyba ostatni argument Julii.

– Ja – odparła Kamila. – Jeśli będzie taka potrzeba, potrzymam cię, Gosiu, za rękę – dodała stanowczo.

Małgosia uśmiechnęła się tylko. Z jednej strony podobało się jej to, że Łukasz z Kamilą podejmują za nią decyzje, z drugiej... bardzo jej się to podobało. Po raz pierwszy od ponad ośmiu lat nie musiała sama walczyć z losem. Tylko Jakub dawał jej poczucie bezpieczeństwa, ale on tak szybko odszedł... Teraz bez wahania złożyła swoje życie w rękach dwojga najbliższych przyjaciół, którym on na pewno by zaufał.

– Wracaj do Bezy, pewnie tęskni. Ja tu jeszcze trochę zostanę, a gdy nadejdzie lato... – Uśmiechnęła się, kładąc dłoń na brzuchu.

– To nie *fair*, was troje na mnie jedną – mruknęła raz jeszcze Julia i poszła na górę spakować skromny bagaż, z którym tu przyjechała. Idąc po schodach, myślała jednak, że Łukasz z Kamilą mają rację. Co one biedne by uczyniły, gdyby Gosia zaczęła rodzić w środku nocy czy nie daj Boże podczas wiosennej nawałnicy, strumień by wylał, samochód stanął pośrodku drogi, a zasięg...

Podróż do domu zawsze trwa krócej niż ta w odwrotnym kierunku. Szczególnie jeśli się ten dom zdążyło pokochać, a Julia pokochała Chatkę Dorotki bardziej niż najpiękniejszą z willi, w których do tej pory mieszkała. A jeśli jeszcze jest się w tym domu tak niecierpliwie wyczekiwaną...

Gdy stara honda skręciła w dobrze sobie znaną drogę, Julia nieświadomie przyspieszyła. Tym razem nie zatrzymywała się, by podziwiać piękno gasnącego powoli dnia czy posłuchać szmeru strumyka i szeptu drzew.

Dom wzywał. Biała puchata kotka siedziała nieruchomo na najwyższym stopniu ganku. Szczupły, niebieskooki mężczyzna stał obok niej, osłaniając oczy od słońca, które wspaniale zachodziło nad wzgórzem. Wreszcie...!

Kotka pierwsza usłyszała warkot silnika, zeskoczyła ze schodów i wybiegła swej pani naprzeciw. Mężczyzna po chwili ruszył w jej ślady, a gdy samochód wynurzył się zza zakrętu, przyspieszył kroku. Julia zaś na jego widok... krzyknęła z niedowierzaniem, a chwilę potem już tonęła w jego ramionach, gładząc go po włosach, zaglądając w roześmiane oczy i pytając, między pocałunkami:

– Skąd tu się wziąłeś?! Długo czekasz?! Dlaczego nie powiedziałeś, że przyjeżdżasz?!

– Nie byłoby niespodzianki – odparł Janek, wziął ją na ręce i zaniósł prosto do sypialni...

Parę kwadransów później mogli spokojnie porozmawiać nasyceni miłością. Na tę chwilę przynajmniej.

– To... już koniec? Jesteś wolny? – zapytała nieśmiało Julia.

Pokręcił głową.

– Jeszcze nie, ale rozstałem się z Moniką. Mieszkamy osobno. Dogadaliśmy się też co do podziału majątku: ona dostaje mieszkanie, ja firmę. Będę musiał wrócić do Kielc i pozostać tam tak długo, aż wszystko sprzedam, i dopiero wtedy...

– Wtedy? – Pocałowała go z takim żarem, że oboje przez chwilę łapali oddech. Czy to Julia, ta zwykle bierna, poddająca się mężowi Julia, potrafiła tak całować? Tak... prowokować?

Spodobała się sobie w tej roli. Żadnych wiernopoddańczych związków więcej! – coś zakrzyczało w jej duszy, i... to też się Julii Staneckiej spodobało. Dziś była dojrzalsza o ładnych kilkanaście lat, sporo przeszła, parę razy poległa, lecz też kilka potyczek z losem wygrała. Choćby ta Chatka. Odmieniła jej życie. A przecież dorzucanie do pieca w nocy i nad ranem... Nie każda by sprostała takiemu wyzwaniu, prawda?

Julia uśmiechnęła się do siebie zwycięsko.

Może straciła córkę – ta porażka bolała najbardziej – ale odzyskała siebie. Z czasem odbuduje swoje życie tutaj, w Bogumiłej. Może u boku mężczyzny, który właśnie przytulał ją do siebie, szepcząc miłosne zaklęcia, a może... nie? Wiedziała jedno: nie chce już sprzedawać tego domu i wracać do miasta. Tu, na polanie otoczonej świerkami, jest jej miejsce. Tu, w domu, którym ją obdarowano, będzie tkać zarówno swoje rękodzieła, jak i swoją przyszłość. Tak postanowiła.

Niech zimą zasypuje ją śnieg – dawała mu radę ciocia Dorota, da radę i Julia.

Niech strumień zalewa polanę, najwyżej trzeba będzie zgromadzić zapasy na tydzień czy dwa, jak radził Grzegorz – przeżywała powódź ciocia, przeżyje i ona, Julia.

Gdy przyrzeka się miłość na dobre i na złe, wszystko jedno, czy ukochanemu mężczyźnie, czy miejscu, które nazwało się swoim domem, trwa się w tym przyrzeczeniu nie tylko wtedy, gdy świeci słońce i śpiewają ptaki, ale także, a może szczególnie wtedy, gdy wszystko dookoła ogarnia chaos i mrok, a światło na ganku jest jedynym jasnym punktem we wszechświecie...

Julia odetchnęła głęboko, czując jednocześnie ulgę i szczęście, tak wielkie, że aż bolało. A potem... pozwoliła się kochać.

Kamila cichła z dnia na dzień. Łukasz również. Gosia wyczuwała narastające napięcie, ale nie śmiała ich wypytywać. Może miało ono związek z jej obecnością w Sasance? Przecież zdawała sobie sprawę, że dwoje młodych, zakochanych w sobie ludzi potrzebuje intymności. Tymczasem w domu zawsze była ona. I Łukasz, który nie chciał się jeszcze ludziom pokazywać na oczy. Nie wtedy, gdy poparzona skóra zaczęła schodzić płatami z twarzy i rąk i sam sobie wydawał się odrażający.

Może to powodowało owo trudne do zniesienia milczenie, narastające między Kamilą a Łukaszem? Czyżby dziewczyna odsunęła się od niego z powodu... tej skóry? O to Gosia również nie mogła zapytać. Jak niby ma to uczynić? Jakimi słowami? „Odrzucasz Łukasza, bo jest brzydki? Wypięknieje!" Na to jednak wyglądało.

Kamila wyjeżdżała do Warszawy wcześnie rano, wracała późnym wieczorem. Łukasz zaszywał się na całe dnie w sypialni na parterze. Po pustym domu, niczym duch w ciąży, włóczyła się Małgosia, nieszczęśliwa, że być może z jej powodu tych dwoje bliskich sobie ludzi oddala się z dnia na dzień coraz bardziej.

– Mam dużo pracy w Armice – tłumaczyła Kamila, siadając do kolacji, blada ze zmęczenia i zdenerwowania. Wpatrywała się przy tym w Łukasza z takim natężeniem, jakby chciała coś odczytać w jego oczach, ale on odwracał wzrok.

Małgosia nie mogła tego znieść. Po prostu nie mogła.

Wytrzymała tydzień.

– Wracam do domu – odezwała się cicho podczas śniadania, które jeszcze jedli razem, ale przed chwilą Kamila zapowiedziała, że jutro musi wyjechać wcześniej... – Wracam do domu – powtórzyła Gosia głośniej i bardziej stanowczo, by przerwać tę okropną ciszę.

Oboje zastygli w bezruchu, chyba po raz pierwszy od tygodnia nie tylko patrząc na Gosię, ale ją widząc.

– Jesteś w domu – zauważył Łukasz.

– Nie wiem, co się z wami dzieje, ale nie zniosę tego dłużej! – wybuchnęła tak nagle, że Kamila aż drgnęła. Rzadko widywała Gosię doprowadzoną do ostateczności. To był ten raz. Mimo zaskoczenia po chwili przeniosła spojrzenie, to samo, które Małgosia widywała coraz częściej, na Łukasza. Ten zacisnął szczęki, rzucił widelec na stół i... wyszedł.

Gosia pobladła.

– Kamila, na miłość boską, co się dzieje? – wyszeptała z rosnącym przerażeniem. – Chyba nie zamierzacie się rozstać? Nie po tym jak siedem dni temu...

– Nie, Gosiu, nie zamierzamy – odszepnęła Kamila, walcząc ze łzami. – To nie ma nic wspólnego z nami czy z tobą. Po prostu...

W tym momencie rozdzwonił się telefon, który Łukasz zostawił na stole, choć zwykle się nie rozstawał z komórką ani na chwilę. Kamila spojrzała na wyświetlacz, oczy rozszerzył jej strach. Chwyciła telefon i wybiegła za Łukaszem, zostawiając Małgosię samą.

Dopadła go na tarasie, wcisnęła komórkę w rękę i wstrzymała oddech. Dzwonił Michał. To na wiadomość od niego czekali w takim napięciu już od siedmiu dni – dni, które zdawały się ciągnąć w nieskończoność. Łukasz odebrał połączenie, patrząc na pobladłą Kamilę.

– Przykro mi, bracie – usłyszał i łzy nabiegły mu do oczu. – To był Jakub.

Łukasz chyba do tej chwili nie zdawał sobie sprawy, jaką nadzieją żył przez ostatnie tygodnie. Nadzieją, że Jakub jednak żyje. Że wypadek był upozorowany. Że kiedyś stanie przed drzwiami starej willi jak gdyby nigdy nic i zapyta, czy Kamila z Łukaszem wpuszczą go z powrotem do swego życia.

Jakże trzymał się tej nadziei...

Teraz, gdy zgasła, po prostu rozsypał się.

Podczas pogrzebu to on podtrzymywał Kamilę, nieprzytomną z rozpaczy. To on dawał oparcie Małgosi, zastygłej z bólu. Teraz te dwie kobiety próbowały ukoić jego żal. Żal, który rozrywał wprost serce.

Nie. Łukasz nie płakał. Oprócz tych pierwszych dwóch łez nie popłynęły następne. On tylko zgiął się wpół, jak od ciosu w splot słoneczny, i krzyczał bezgłośnie, a Kamila, przerażona do granic, próbowała go pocieszyć. Głaskała mężczyznę po plecach, próbowała przytulić, szeptała słowa pełne miłości, choć sama czuła rozpacz i sama potrzebowała pocieszenia, jednak Łukasz... on żył nadzieją znacznie dłużej...

– Co się stało?! – Małgosia wypadła na taras. – Łukasz, co się stało?! Ktoś z twoich bliskich?!

Uciszył ją gestem dłoni. Kamila błagała spojrzeniem, by odeszła. Zawróciła więc, choć całym sercem pragnęła im pomóc w tej godzinie rozpaczy. Kogo opłakiwali? O tym Małgosia nigdy nie może się dowiedzieć.

Łukasz wyprostował się wreszcie. Otarł oczy i spojrzał na piętro domu, gdzie w oknie stała Małgosia i przyglądała się im zrozpaczonym wzrokiem.

– Ona nigdy nie może się o tym dowiedzieć – powtórzył ochrypłym głosem.

– Nie dowie się.

– Chodź, pojedziemy na cmentarz. Pożegnamy się z nim po raz ostatni – dodał.

Godzinę później klęczeli oboje przy grobie Jakuba Kilińskiego, żegnając w myślach i jego, i tę nadzieję, którą dziś rano utracili.

Łukasz wreszcie wstał i podał dłoń Kamili. Odeszli w milczeniu, zostawiając przeszłość za sobą. Jakub będzie żył w ich pamięci i sercach. I w małym Kubusiu Bielskim.

Tylko tyle. I aż tyle...

# *Rozdział XIX*

*Róża – królowa kwiatów. Zniewala pięknem, oczarowuje zapachem. Chcesz powiedzieć: „Kocham Cię" – podaruj tej jedynej bordową różę. Biała jest symbolem niewinności, czystości uczuć. Herbaciana to tylko – lub aż! – przyjaźń i oddanie. Różowa – zapowiedź głębszego uczucia. Żółta zaś może być subtelnym sygnałem zazdrości, ale też troski. Różany ogród, pełen barw i aromatów – oto marzenie marzeń...*

Chcieli wziąć skromny ślub, szczególnie po przeżytej niedawno rozpaczy, ale gdy dowiedzieli się o tym rodzice Łukasza, Julita i Leon, powiedzieli stanowczo: „Nie!".

O dziwo, ciocia Łucja, którą Kamila oczywiście zaprosiła i której właśnie skarżyła się pół żartem, pół serio na przyszłych teściów i ich „nie!", zamiast poprzeć siostrzenicę, której matkowała przez osiem lat, poparła... ich! Dziewczyna wprost kipiała z oburzenia! Oczywiście udawanego, bo któraż kobieta w głębi serca nie marzy o ślubie jak z bajki? Szczególnie z takim mężczyzną – dobrym, mądrym i kochającym – jak Łukasz Hardy?

– Ja chcę kupić ci suknię i nie ma zmiłowania. – Ciocia okazała się równie stanowcza jak rodzice Łukasza. – Jaką tylko zapragniesz.

Jutro przyjeżdżam i dotąd będziemy chodziły po salonach mody ślubnej – och, Kamisiu, jak ja o tym marzyłam! – aż znajdziemy tę jedyną, stworzoną właśnie dla ciebie.

Kamila, która też marzyła o pięknej sukni, tej jedynej właśnie, nie zamierzała tym razem protestować. Ciocia przyjeżdża i będą biegały po salonach ślubnych! Czy można w to uwierzyć? Po tylu latach smutku i samotności?!

To właśnie wykrzyczała Małgosi szczęśliwa do granic, gdy tylko zakończyła rozmowę z Łucją.

Gosia chyba dopiero teraz uwierzyła, że Kamila z Łukaszem znów są szczęśliwi i nie zamierzają się rozstać. Nigdy nie zamierzali, a to, co się wydarzyło kilka dni temu, było... Lepiej nie pytaj, Małgorzato Bielska, i zapomnij, bo najwyraźniej ani jedno, ani drugie nie ma zamiaru ci się z tego zwierzyć.

Cieszyła się więc radością przyjaciółki i już okiem znawczyni, która urządzała niejedno przyjęcie dla najwybredniejszych i najbardziej snobistycznych gości, mierzyła jadalnię w Sasance. O ile wesele odbędzie się właśnie tutaj. Bo coś się Gosi zdawało, że rodzice Łukasza chcą czegoś wystawniejszego niż stara willa w Milanówku. Zresztą wcale się Julicie nie dziwiła, po tym, co ta kobieta przeżyła, gdy jej najmłodszy, najukochańszy syn Łukasz cudem przeżył wypadek samochodowy, a potem stracił wzrok...

Julita chyba do tej pory nie doszła do siebie po tamtym wstrząsie. Wciąż walczyła z anoreksją, ale teraz pragnęła żyć, a wtedy chciała umrzeć – to duża różnica. Leon starał się być dawnym Leonem, kochającym i cierpliwym mężem, ale... coś między nimi pękło i nie udawało się tego skleić. Może to on stracił bezgraniczne zaufanie do żony – zaufanie, na którym zbudowany był ich związek – a może ona? Nigdy się nad tym nie zastanawiali, a na pewno nie wspólnie. Julita unikała rozmów o tamtych dniach, Leon też do nich nie tęsknił. Po prostu żyli jak gdyby nigdy nic, a że oddaleni od siebie...? Tak bywa. Ich małżeństwo będzie trwać do śmierci, bo czasem przyjaźń jest trwalsza od miłości. Dziś połączył ich ślub cudem ocalonego Łukasza, najmłodszego syna, beniaminka Julity i reszty Hardych. Musi to być wyjątkowe, niezapomniane wydarzenie, już Julita się o to postara...

– A ty, synuś, nie protestuj – ucięła stanowczo, gdy Łukasz próbował tłumaczyć, że planowali z Kamilą cichy ślub, w gronie najbliższych. – Ślub to nie schadzka, a Kamila to nie pierwsza lepsza z dyskoteki, musimy pokazać, jak bardzo się cieszymy z drugiej córki.

Łukasz nie okazał matce, jak jest zdumiony tymi słowami. Jeszcze parę miesięcy temu Kamila była jej wrogiem numer jeden. Dziś „córka"? Ale bardzo go to ucieszyło. Pragnął wielkiej, zgodnej rodziny, w której wszyscy się kochają albo przynajmniej lubią i szanują. Może istnieją szanse na spełnienie tego marzenia?

– Niech ci będzie – odmruknął z udawanym niezadowoleniem, ale Julita znała syna zbyt dobrze, by się nabrać na jego gniewne miny. Objęła go i ucałowała, a potem pobiegła naradzić się z przyjaciółkami, gdzie najlepiej urządzić ślub stulecia.

Łukasz tylko westchnął i pokręcił głową. Wynajmą Zamek Królewski?

To był dzień wprost wymarzony na piękny ślub dwojga dusz, które odnalazły siebie pośród miliardów innych, pokochały i połączyły się na zawsze.

W majowe popołudnie kościół wypełnił się gośćmi. Przez wielkie witrażowe okna wpadały do środka potoki kolorowego światła, co czyniło to wnętrze i tę chwilę wręcz mistycznymi.

Zabrzmiały pierwsze tony *Ave Maria* Bacha, rozległ się krystalicznie czysty sopran... Julii, bo okazało się, że to ona zaśpiewa dla Kamili i Łukasza. Wszyscy obecni zwrócili w tym momencie oczy na galeryjkę, podziwiając piękny głos i piękną sopranistkę. Ale zaraz potem kto inny przyciągnął ich uwagę. Przez kościół przepłynęło pełne zachwytu westchnienie, bo oto w drzwiach stanęła, prowadzona przez wzruszoną do łez Łucję... panna młoda. Śliczna, jaśniejąca blaskiem, w sukni wprost z dziewczęcych marzeń, zwiewnej i eterycznej, w długim welonie wyszywanym lśniącymi w świetle witraży kryształkami... po prostu zapierała dech w piersiach.

Łukasz patrzył na tę zjawiskową piękność i nie wierzył, po prostu nie wierzył, że dobry Bóg obdarowuje go tą kobietą i tą chwilą. Aż bał się tego szczęścia, pamiętając, jak bardzo jest ulotne.

Kamila szła ku niemu, widząc tylko Łukasza, swoją miłość. Gdy Łucja złączyła ich dłonie, oddając siostrzenicę temu mężczyźnie, poczuli, że oboje należą do siebie. Od pierwszego spotkania, na poboczu leśnej drogi. Musieli pomyśleć o tym w tej samej chwili, bo uśmiechnęli się do siebie. A potem Kamila stanęła obok niego i słuchała pięknych słów *Hymnu o miłości*, powtarzając w duchu:

Miłość cierpliwa jest, łaskawa jest...

Miłość nie zazdrości, nie unosi się gniewem, nie pamięta złego...

Wszystko znosi, wszystkiemu wierzy, we wszystkim pokłada nadzieję...

Wszystko przetrzyma...

– Miłość nigdy nie ustaje... – wyszeptał Łukasz, trzymając w mocnym uścisku jej dłoń.

Patrzyła, jak wsuwa na jej serdeczny palec obrączkę, powtarzając słowa przysięgi. Ona sama, choć głos drżał jej z emocji, bez wahania przysięgła mu miłość, wierność i uczciwość małżeńską, dopóki śmierć ich nie rozłączy. Tego właśnie pragnęła. Dotrzymać przysięgi temu mężczyźnie. A potem... potem usłyszała, że oto w obliczu ludzi i Boga stali się mężem i żoną. Łukasz uniósł welon skrywający spłonioną twarzyczkę dziewczyny i delikatnie, czule ucałował pannę młodą. W jego szarych oczach widziała czystą miłość...

– Boże, co to był za ślub! – Julia padła na łóżko obok Małgosi. – Czy widziałaś kiedykolwiek piękniejszą i bardziej zakochaną parę?

– Nie widziałam – odparła Gosia z przekonaniem.

Zbliżał się świt, a one dopiero teraz znalazły się w pokoju na piętrze podwarszawskiego pałacyku, w którym piętro niżej nadal trwało wesele.

– Będzie im ze sobą dobrze, prawda? Już nic ani nikt Kamili i Łukasza więcej nie skrzywdzi.

– Właśnie tak.

Nie żadne „mam nadzieję" albo „wierzę w to gorąco", ale krótkie: „właśnie tak". Gosia od jakiegoś czasu myślała wyłącznie pozytywnie, nie wracając do przeszłości i z niezachwianą wiarą patrząc w przyszłość. Kamila z Łukaszem będą szczęśliwi, bo są sobie przeznaczeni, a ona, Gosia, urodzi zdrowego, ślicznego chłopczyka i wychowa go na dobrego człowieka. Sama w pojedynkę, z pomocą przyjaciół, ale dokona tego. Nigdy więcej strachu i bezradności. Jest silna i po prostu tak będzie... będzie... uuuch, chyba za chwilę!

– Gosia? Gosiu, co się dzieje?! – Julia poderwała się gwałtownie, patrząc na pobladłą twarz przyjaciółki i jej palce, z całej siły zaciśnięte na brokatowej narzucie.

– Chyba się zaczęło – wyszeptała Małgosia, gdy skurcz ustąpił i mogła wydobyć głos.

– Jesteś pewna?! – w głosie Julii zabrzmiała panika.

– Nie jestem, bo rodzę pierwszy raz, ale biegnij po Micha-aa-ała!

Julia wypadła z pokoju, nie pytając o nic więcej. Pokonując po dwa schodki naraz, zbiegła na parter, a potem do sali balowej, gdzie Michał tańczył romantyczną przytulankę ze swoją żoną. Oderwała go od Hani jednym szarpnięciem i nim zdążył się zdziwić tak obcesowym „odbijanym", wyszeptała w panice:

– Gosia zaczęła rodzić, zrób coś!

– Ale... termin miała w czerwcu, to jeszcze miesiąc...

– Jej to powiedz! A raczej Kubusiowi, który ani myśli czekać dłużej!

Michał zaszeptał do Hani, ta skinęła głową i już z Julią biegł do pokoju, w którym leżała blada, cierpiąca, ale mimo wszystko spokojna Małgosia. Lekarzowi wystarczył jeden rzut oka na jej pociemniałe z bólu oczy, by chwycić słuchawkę hotelowego telefonu i dzwonić do szpitala.

– Wiozę wam rodzącą. Będziemy za kilka minut.

Do pokoju w tym momencie wpadł Łukasz.

– Co się...? – nie musiał kończyć.

– Pomóż mi sprowadzić ją na dół. Gośka, trzymasz się?

– T-trzymam – wydusiła.

– Urodzisz śliczne, zdrowe dziecko. Bądź dzielna, słyszysz?

– S-słyszę.

Kubuś Bielski przyszedł na świat godzinę później, w piękny majowy poranek. Gdy podano Małgosi kwilące zawiniątko i spojrzała synkowi w oczy... cały świat przestał istnieć.

Niepotrzebna już była żadna terapia, fobie odeszły jak ręką odjął. Wystarczyło bowiem spojrzeć w oczy nowo narodzonego dziecka, by odzyskać sens życia. To dziecko nim było. Maleńki cud, którym Małgosię na pożegnanie obdarował Jakub. Z trudem oderwała rozkochane spojrzenie od błękitnych oczu maleństwa i zwróciła je ku oknu, przez które wpadały potoki światła. Wierzyła, że gdzieś tam jest Jakub, patrzy teraz na swojego synka i uśmiecha się, równie szczęśliwy jak ona.

Ktoś zapukał. Drzwi do pokoju uchyliły się i do środka zajrzała Kamila, a zaraz za nią Julia z Łukaszem.

– Cześć, Gosiu kochana, jak się czujesz? Możemy wejść?

Uśmiechnęła się w odpowiedzi i skinęła głową. Była niebotycznie zmęczona, ale jeszcze bardziej szczęśliwa i chciała się tym szczęściem podzielić z całym światem, a przede wszystkim z przyjaciółmi, którzy przez tę godzinę siedzieli na szpitalnym korytarzu i czekali, aż pielęgniarki przywiozą ją i dziecko z sali operacyjnej – zaraz po przywiezieniu Gosi do szpitala lekarze stwierdzili, że bezpieczniej jest wykonać cesarskie cięcie.

Teraz, już po wszystkim, tuliła do piersi owiniętego w błękitny kocyk Kubusia i mimo wyczerpania wprost promieniała...

– Boże, jaki śliczny – wyszeptała Kamila, pochylając się nad noworodkiem i ujmując jego małą łapkę. Zacisnął na jej palcu drobniutkie paluszki, a dziewczyna mało się nie rozpłakała ze wzruszenia. – Mój maleńki, jedyny braciszek... Mały cud... Jest po prostu skończenie piękny, doskonały.

Łukasz stał obok niej i patrząc na rozpromienioną Małgosię i jej synka, dziękował w duchu Jakubowi za ten ostatni podarunek.

– Mogę go potrzymać? – odezwał się nagle.

– A umiesz? – zapytała podejrzliwie Kamila.

– Nie wiem, nigdy nie próbowałem – mruknął, biorąc delikatnie maleństwo z rąk matki. Wszystkie trzy kobiety, patrząc, z jaką czułością je tuli, uznały, że Łukasz stworzony jest do roli ojca.

– Witaj na świecie, Kubusiu. Będziesz kochany, mogę ci to obiecać – wyszeptał zapatrzony w niebieskie ślepka. – Gosia, weź go ode mnie, bo gotów jestem zabrać tego szkraba ze sobą. – Oddał go matce. – Gdybyś czegoś potrzebowała, dzwoń. Postaraliśmy się, byście mieli najlepszą opiekę, to znaczy firma, twoja własna, się postarała. Chodźcie, dziewczyny... – zwrócił się do Kamili i Julii, które najchętniej zostałyby tutaj do wieczora, zachwycając się maleństwem. – Niech oboje prześpią się parę godzin. Wpadniemy po południu...

Małgosia uśmiechnęła się do niego z wdzięcznością. Łukasz zawsze wiedział, czego ktoś potrzebuje.

„Szczęściara z tej Kamili" – pomyślała sennie, gdy za gośćmi zamknęły się drzwi.

Kamila przyjechała do szpitala wprost z wesela. Zdążyła przebrać się tylko w spodnie i bluzkę. Mimo zmęczenia całonocną zabawą, zakończoną zupełnie niespodziewanym wydarzeniem – termin porodu wypadał za cztery tygodnie! – nadal wyglądała promiennie i czuła się podwójnie szczęśliwa: za siebie i za Małgosię, a nawet potrójnie, licząc Łukasza.

Dojechali do Sasanki. Julia, próbując powstrzymać się od ziewania, życzyła im dobrej nocy czy raczej dobrego ranka i poszła na górę przespać się choć kilka godzin.

Kamila z Łukaszem zostali sami w sypialni na parterze. Jeśli jednak ona miała nadzieję, że za chwilę, już jako żona, spocznie obok niego w łóżku i choć raz, nim oboje zapadną w sen po wyczerpującej nocy, jeszcze się pokochają, musiała się rozczarować. Zamiast na łóżko pociągnął ją do jadalni, stamtąd na taras i do ogrodu. Zwrócił dziewczynę twarzą do siebie i objął wpół.

Ujęła jego twarz w dłonie – poparzenia wygoiły się bez śladu już kilka tygodni temu – pocałowała pytająco w usta, a gdy nie odpowiedział pocałunkiem, zadała pytanie wprost:

– Czym się martwisz?

Czytała w tym mężczyźnie, swoim mężu, jak w otwartej książce, przynajmniej jej się tak wydawało, bo Łukasz ukrywał przecież parę mrocznych tajemnic... Teraz uniósł na Kamilę pociemniałe spojrzenie i rzekł, zupełnie ją zaskakując:

– Mam dla ciebie prezent ślubny, kochana.

– I to cię tak martwi? – zaśmiała się.

Przytaknął poważnie.

– No dobrze, czekam.

Ku jej rosnącemu zdumieniu sięgnął do kieszeni spodni, wyciągnął niewielkie pudełeczko z granatowego aksamitu i podał jej z wyraźnym wahaniem.

Co to może być?! Pierścionek już miała, na kolię z brylantów było za małe... Może to bransoletka? Z szafirami, o jakiej Kamila zawsze marzyła? Z podekscytowanym uśmiechem uniosła wieczko i... uśmiech znikł. Zastąpiło go niebotyczne zdumienie.

– To... klucze.

Rzeczywiście, na białym atłasie spoczywały trzy klucze. Jeden większy i dwa mniejsze.

– Kupiłeś mi w prezencie domek letniskowy? – Przeniosła spojrzenie z tak niespodziewanego prezentu na Łukasza.

– Kupiłem ci, czy raczej nam, nowy dom – odparł bez cienia uśmiechu, spodziewając się reakcji, jaka nastąpi po tych słowach.

– Po co nam drugi dom?! Mamy Sasankę! Nie zamierzam jej opuszczać! Jestem tutaj szczęśliwa, jesteśmy szczęśliwi, prawda? Prawda?! Łukasz, powiedz coś! Co to za żarty?!

– Nie możemy zostać w tym domu – odparł po prostu.

Od samego początku, gdy otrzymał pierwszą wiadomość, wiedział, był pewien, że oboje z Kamilą są obserwowani. Bandyci nie spuściliby przecież swojej ofiary z oka, dopóki nie zyskaliby pewności, że on, Łukasz, zrobił to, czego chcieli.

Gdy wyszedł ze szpitala, to uczucie zamiast zmaleć – bądź co bądź okazał się „grzecznym chłopcem" – nasiliło się. Któregoś dnia, gdy Kamila z Łucją szalały po Warszawie, poszukując sukni ślubnej, a Gosia poszła do domu obok nieco go z pomocą Julii ogarnąć – wieczorem mieli się pojawić potencjalni nabywcy – Łukasz zadzwonił do firmy detektywistycznej i nakazał w tempie przyspieszonym przeszukać Sasankę. Było, tak jak myślał: mikrofony ukryto we wszystkich pokojach.

Być może nadal ich podsłuchiwano, być może nie. Tego fachowcy nie byli w stanie stwierdzić, ale Łukaszowi zupełnie nie czyniło to różnicy. Nagrywali go! Ci skurwiele, kimkolwiek byli, od Bóg wie kiedy nagrywali jego i Kamilę. Gdy oboje jedli śniadanie i kolację, gdy się kłócili i godzili, wreszcie – aż zgrzytnął zębami z furii – gdy kochali się do utraty tchu we własnej sypialni! Każdy jęk, każde wyznanie było nagrywane... Co za draństwo. Co za skończone, cholerne draństwo.

Mikrofony zostały zniszczone. Dom był „czysty", ale... Łukasz stracił do Sasanki serce. Teraz, kiedy Kamila chciała się z nim kochać, on myślał tylko o tym, że poprzednim razem ich nagrywano, i... wymawiał się na wszelkie sposoby. Wszędzie indziej mógł, jak najbardziej – w hotelu, w domu Sterna, do którego się kiedyś wymknęli, czy nawet w ogrodzie – owszem, ale we własnej sypialni nie.

Kamila nic nie podejrzewała i... nie chciał, żeby czuła to co on. Kochała Sasankę, tu odnalazła szczęście i spokój, tu Łukasz dał jej miłość i poczucie bezpieczeństwa i... niech tak zostanie.

– Musimy wyjechać na jakiś czas do Kanady – odparł teraz, pilnując, by jego głos brzmiał stanowczo, zdecydowanie, a przede wszystkim prawdziwie. – Na rok, dwa, może dłużej.

– Ale... – próbowała zaprotestować, lecz nie pozwolił jej na to tym razem.

– To konieczne. – Ton jego głosu po prostu zmroził dziewczynę. – Musimy wyjechać z kraju.

– Czy to ma związek z nimi...? – zapytała cicho, dotykając jego twarzy w miejscu, gdzie widniała niewielka blizna po poparzeniu.

– Tak – odrzekł, a ona mimowolnie odetchnęła. Gdyby odparł, że to jego decyzja, bo przenosi firmę do Kanady, nie licząc się ze zdaniem wczoraj poślubionej żony, chyba by jej serce pękło. – Kiedyś wrócimy. Nie sprzedamy Sasanki. Będziemy przyjeżdżać tu co jakiś czas, może na wakacje, ale teraz musimy wyjechać.

– Kiedy? – spojrzała na niego pociemniałymi z bólu oczami. Ten ból czuł jak własny, wiedział jednak, że Kamila jest gotowa wyjechać z nim choćby zaraz, i był jej za to nieskończenie wdzięczny. Oto prawdziwy dowód miłości... Uniósł jej dłonie i ucałował, najpierw jedną, potem drugą.

– Gdy tylko będziesz gotowa – odparł cicho.

– Co z Gosią? Zostawimy ją samą? Z maleńkim dzieckiem?

– Najpierw znajdziemy dobrą nianię, która zajmie się obojgiem. Gosia i Kubuś muszą mieć dobrą opiekę. Najlepszą.

Kiwnęła głową, łykając pierwsze łzy. A więc... to prawda. Łukasz nie droczył się z nią, nie żartował. Opuszczają Sasankę...

Poczuła, jak rozwiera jej palce i zamyka na trzech chłodnych kluczach.

– Podczas ostatniego pobytu znalazłem dla nas ten dom. Mam nadzieję, że pokochasz go choć w połowie tak jak to miejsce. Może nie ma tam różanego ogrodu, ale stoi nad jeziorem, w pięknej, cichej okolicy. Spodoba ci się...

Chciała zaprzeczyć. Chciała wykrzyczeć, że żaden dom, choćby najpiękniejszy, nie zastąpi jej Sasanki, ale... poczuła nagle, że stratę starej willi jest w stanie znieść. Straty Łukasza by nie zniosła. A to jego życiu zagrażali ci, którzy zabili jej ojca.

Zdecydowanym gestem otarła oczy.

Mój dom jest tam, gdzie moje serce. A ono należy do ciebie – pomyślała, patrząc w szare oczy mężczyzny, którego kochała ponad wszystko.

– Kiedy lecimy? – zapytała po prostu.

Przeprowadzka miała jednak trochę potrwać. Łukasz nie ograniczał się bowiem do zamieszkania w Kanadzie. On przenosił tam całą Farmikę Ltd. Od tej pory główna siedziba firmy miała się znajdować w Toronto, godzinę drogi od ich nowego domu. Trzeba było zamknąć oddziały w Polsce i Wielkiej Brytanii, więc Kamila znów widywała Łukasza rzadko czy raczej wcale.

Spędzili zaledwie kilka dni w podróży poślubnej, która zaczęła się w Milanówku, skończyła we Wrocławiu – doprawdy, rodzice Łukasza byli zbulwersowani, że nie zabrał nowo poślubionej żony co najmniej na Seszele, ale on nie zamierzał się nikomu innemu niż jej tłumaczyć ze swoich poczynań.

Z Wrocławia Łukasz ruszył do Londynu, Kamila, na szczęście nieświadoma prawdziwego powodu przeprowadzki, wróciła do Sasanki.

Akurat w samą porę, by odebrać Gosię z maleństwem ze szpitala.

Sypialnię na parterze na przyjęcie nowego mieszkańca Sasanki i jego mamy miała przygotować Julia podczas owej krótkiej podróży poślubnej Kamili i Łukasza i... uczyniła to, wkładając w każdy drobiazg całe serce. Podwójne łoże zniknęło, ustępując miejsca wygodnej sofie, na której Gosia mogła przysiąść z dzieckiem u piersi. Pod przeciwległą ścianą stanęło łóżko nakryte piękną, patchworkową narzutą, a zaraz obok kołyska z baldachimem. Pościel, firanki w oknie, obrus na niewielkim okrągłym stoliku – wszystko to ozdobione było ręcznym haftem, wszystko dopieszczone w najmniejszych szczegółach i piękne, po prostu piękne – to rzekła na głos Kamila, gdy już ten głos odzyskała, stając w progu pokoju.

– Jula, jesteś po prostu... artystką! Nie wiedziałam, że masz aż taki talent! Myślałam, że siedzisz sobie i coś tam dziergasz, ale to jest po prostu genialne i... mam pewien pomysł. Może zajęłabyś się wnętrzami jednej z naszych kamieniczek? Łukasz stwierdził, że idealnie nadaje się na kameralny, ekskluzywny hotel, i wprawdzie my się przeprowadzamy, ale Armika będzie nadal istnieć, więc...? – zawiesiła głos, spoglądając na oniemiałą z zaskoczenia przyjaciółkę.

– Ty... mówisz poważnie? Naprawdę podoba ci się ten pokój? Myślałam, że jest zbyt... No wiesz... zbytni.

Obie parsknęły śmiechem.

– Idealnie pasuje do domu i do Gosi. W głębi serca o takim pokoju marzyła, całym w koronkach i firaneczkach, bo jest romantyczką chyba większą niż my obie. Chociaż nigdy by się do tego nie przyznała. Zresztą po tych okropnych katakumbach – rzuciła spojrzenie na dom obok, którego okna na piętrze stąd widziały – przyda się jej nieco bieli i światła. Wracając do ciebie, droga Julio: masz chęć wypróbować swój talent na większą skalę, a przy tym zarobić nieco grosza? Powiedziałabym nawet, że sporo tego grosza? Dekoratorka wnętrz, którą poprosiłam o wstępną wycenę, zażyczyła sobie dziesięć tysięcy za każdy pokój. Pomnóż to razy dwanaście i będziesz miała swoje wynagrodzenie.

Julia ponownie straciła głos.

Prawdę mówiąc, powodziło jej się gorzej niż marnie. Nikt nie kupował pięknych narzut i szydełkowych firanek. Janek wyjechał do Kielc i próbował sprzedać firmę, ona została sama w Chatce Dorotki i zaczęła już tracić nadzieję, czy zarobi na podstawowe potrzeby, a tu nagle spada jej z nieba taka propozycja. Tak wspaniałe, cudowne wyzwanie.

– Nie dajesz mi tej pracy z litości? – musiała się upewnić.

Kamila pokręciła głową.

– Prawdę mówiąc, od ciebie zależy los Armiki. Łukasz stwierdził, że albo przerobimy ostatnią kamieniczkę, jaka nam została, na hotel, albo sprzedamy ją i zamkniemy firmę, a ja chciałabym... by Kubuś z Gosią mieli coś własnego tu, w Polsce. Ona jeszcze tego nie wie, ale sporządziłam akt darowizny. Zrzekam się swoich udziałów w Armice na rzecz brata.

Wzruszenie odebrało Julii głos.

– To bardzo wielkoduszne – wykrztusiła po dłuższej chwili, mając na myśli nie tylko ten dar, ale i ofertę pracy dla siebie. – Byłabym skończoną idiotką, gdybym powiedziała „nie", a że odrobina rozumu jeszcze mi została... Muszę tylko wrócić w Bieszczady i spakować nieco dobytku, bo zostanę w Warszawie przez ładnych parę tygodni. Dwanaście pokoi... Muszę pomyśleć nad każdym z nich. Zrobić projekty. Każdy będzie inny, niepowtarzalny. Kamisiu – krzyknęła nagle, chwytając dziewczynę za ręce – normalnie zaraz zwariuję ze szczęścia!

– Nim zwariujesz, jedźmy po Małgosię i Kubusia – odrzekła Kamila, ciesząc się jej radością, choć sama w głębi serca była smutna. Ona nie będzie miała po co wracać. I firma, i Sasanka staną się własnością Kubusia, bo... Jakub tego by właśnie chciał. Kamila była o tym bardziej niż przekonana.

– Ciekawe, jak Gosi spodoba się ten pokój i nasz pomysł – dodała na głos.

Pokój Małgosię zauroczył. Zaś fakt, że Julia pozostanie w Sasance na dłużej, spodobał się jej jeszcze bardziej. Natomiast wiadomość, że Kamila z Łukaszem wkrótce wyjadą na stałe... po prostu ją zdruzgotała...

Ona oczywiście będzie mogła zostać w Sasance, właściwie bardzo ją o to oboje proszą, bo kto, jak nie Gosia, najlepiej zadba o tę willę? Nie, nie wyjadą, dopóki nie znajdą kogoś godnego zaufania dla Małgosi i jej synka. Ale czy obca osoba zastąpi przyjaciółkę, która była przy na wpół szalonej Gosi przez te wszystkie straszne miesiące przed poznaniem Jakuba i po jego śmierci? Czy cokolwiek może się równać z poczuciem bezpieczeństwa, jakie dawał jej Łukasz Hardy?

– Będziemy jedynie dzień drogi stąd – mówiła Kamila przez łzy. – To właściwie tak blisko jak ze Szczecina do Krakowa. – Wtedy zaczęły się obie śmiać, rzeczywiście: z Kanady do Milanówka było dosłownie o rzut beretem, ale teraz, gdy do Gosi docierało, że naprawdę ich traci... sama traciła całą pewność siebie i siłę, jakich nabrała przez ostatnie miesiące.

Odzyskam je dla ciebie – przyrzekła, patrząc na synka. – Znów będę silna, przyrzekam, Kubuniu, tylko muszę się pozbierać. Gdy Kamila z Łukaszem wyjadą... wezmę się w garść. Na razie strasznie się boję.

Dziecko spało ufnie w jej objęciach, jak tylko szczęśliwe i bezpieczne niemowlęta spać potrafią.

Gosia siedziała na sofie w swoim nowym, pięknym pokoiku na parterze zachwycona dziełem Julii.

– Gosiu – zaczęła Kamila, przysiadając obok – mam do ciebie jeszcze jedną prośbę, oprócz opieki nad domem. Tylko musisz mi przyrzec, że nie odmówisz.

Kobieta spojrzała na nią ze smutkiem. Tak bardzo chciałaby, żeby Kamila została... Choć na kilka miesięcy... Aż Gosia nauczy się być matką...

– Czy mogłabym ci czegoś odmówić, kochana? Po tym wszystkim, co dla mnie zrobiłaś? – odrzekła, dzielnie walcząc ze łzami.

– Akurat tego mogłabyś. Mam prezent dla ciebie, a właściwie dla mojego brata. – Kamila spojrzała na śpiące niemowlę i uśmiechnęła się mimowolnie.

Widok Kubusia, tak podobnego do ojca, nieodmiennie ją wzruszał. Teraz chciała podarować temu dziecku coś szczególnego... Wstała, wyszła z pokoju i wróciła z granatową teczką ozdobioną srebrnym orłem. Parę miesięcy temu podobną ofiarował jej Jakub Kiliński.

– Proszę, przyjmij to w jego imieniu – powiedziała, sama nie wiedząc, czy ma na myśli ojca czy brata.

Gosia spojrzała na nią pytająco.

– Sasanka i połowa Armiki – w głosie Kamili zabrzmiała determinacja, ale i pewność: tego właśnie pragnęła. Żeby oboje mieli dach nad głową i pewne utrzymanie.

– Ja nie mogę tego przyjąć. – Małgosia przeniosła niedowierzające spojrzenie z granatowej teczki na Kamilę.

– Nie możesz, a musisz. Dla twojego synka. – Uśmiechnęła się dziewczyna.

– Kamila, połowę firmy, dobrze, niech ci będzie, zawalczę o nią za nas dwie, ale dom? Ten dom? Twoją ukochaną Sasankę?! Przecież tu wrócisz! Wrócicie, za kilka lat, prawda?!

– Myślę... że nigdy już nie wrócimy – odparła smutno Kamila. – Jestem pewna, że Łukasz taką podjął decyzję, tylko chciał mnie stopniowo do niej przyzwyczajać. Do tej całej Kanady. A dla mnie nie liczy się nic więcej, tylko on, Łukasz. Tylko... powiedzmy, że zapomniałam mu o tym powiedzieć, jeszcze wściekła o tę Kanadę. Ale pewnie niedługo powiem. – Westchnęła z głębi duszy. – Będzie mi łatwiej, wiedząc, że w Sasance mieszkacie wy, że nie będzie stała pusta i niszczała powoli, że jest kochana i zadbana.

– I tak bym o nią dbała – zapewniła Małgosia gorąco – ale rozumiem. Dobrze, Kamilko, przyjmę ten podarunek w imieniu Kubusia, możesz umawiać notariusza. – Nagle wstała i objęła przyjaciółkę. – Jesteś najcudowniejszą istotą, jaką dane mi było spotkać. I rzeczywiście Kanada jest zaledwie dziewięć godzin drogi stąd... Drogi powietrznej – sprecyzowała – ale czy to ma znaczenie?

# Rozdział XX

*Jaśmin – ciemnozielone liście są tłem dla białych gwiazd o złotych oczkach, które wprost zniewalają zapachem. Kwiaty te dodają uroku zakochanym i wzmagają namiętność w związku. Herbatka z jaśminowych płatków łagodzi stres i jest ponoć skutecznym afrodyzjakiem!*

Czy może być coś milszego niż słoneczne letnie popołudnie w pięknym różanym ogrodzie, z filiżanką aromatycznej herbaty i talerzykiem pysznego domowego ciasta? Czy może być coś milszego niż ciepły, pachnący różami dzień, spędzany w towarzystwie przyjaciół i maleńkiego, śpiącego słodko pod jabłonią chłopczyka?

Ogród Kamili, chociaż teraz powinno się nazywać go ogrodem Gosi, był magicznym miejscem. Niedostępny dla świata zewnętrznego, otoczony starym, zmurszałym murem, po którym pięły się krzaki dzikich róż, teraz obsypane odurzająco pachnącymi kwiatami, stał się azylem, bezpieczną przystanią dla trzech młodych kobiet, które tu właśnie połączyła głęboka przyjaźń. Kamila i Gosia cieszyły się pięknem, ciszą i spokojem sobotniego dnia, niespiesznie popijając herbatę, a także ostatnimi chwilami, jakie ze sobą spędzają przed długim rozstaniem, być może na zawsze.

Kamila, wiedząc, że niedługo będzie musiała opuścić ten dom, wykorzystała każdy dzień, niemal każdą minutę, jaka jest pozostała przed wyjazdem, by zachować Polskę i wszystko, co kocha, jak najgłębiej w sercu. A właśnie takie popołudnie, wśród serdecznych przyjaciół, spokojne, niemal senne, było ze wszech miar godne zapamiętania.

Siedziały więc na kamiennej ławeczce przy fontannie, gawędząc o tym i owym albo po prostu milcząc. W towarzystwie tych, których kochasz, nawet milczenie daje radość.

Synek Małgosi, niedawno nakarmiony i przewinięty, spał tak słodko i głęboko, jak tylko szczęśliwe i kochane niemowlęta potrafią spać. Uśmiechał się leciutko do swoich snów, co przyglądające się chłopczykowi kobiety nieodmiennie rozczulało.

– Jest taki do niego podobny – westchnęła Kamila z głębi duszy.

Blask słoneczny nad ogrodem nagle przygasł.

Zgasł też uśmiech na twarzy Małgosi. Tak, mały Kubuś był podobny do ojca, którego nigdy nie pozna...

Kamila ujęła dłoń przyjaciółki i uścisnęła lekko. Małgosia spróbowała się dzielnie uśmiechnąć, a przynajmniej zapanować nad łzami, ale nie przyszło jej to łatwo. Nadal bolało. Czas leczy rany, to prawda, lecz po niejednej zostają głębokie blizny, które nie pozwalają zapomnieć i cieszyć się życiem jak gdyby nigdy nic.

– Masz małego Jakuba – szepnęła Kamila, a serce Gosi natychmiast stopniało.

– Mamy – poprawiła przyjaciółkę, patrząc na śpiącego synka z bezgraniczną miłością.

Dziewczęta zasłuchały się w szmer fontanny, przymknęły oczy i cieszyły się ciepłem słonecznych promieni, przenikających przez liście jabłoni. W ogrodzie zapanował sielski spokój.

– Co za cisza – westchnęła Gosia.

– Byle nie cisza przed burzą – dodała Kamila, nie otwierając oczu.

Zupełnie jakby sprowokowała tymi słowami dramat, który za chwilę miał się rozegrać zaledwie parę ulic dalej...

Janka Krasowska – niegdyś mieszkanka uliczki Leśnych Dzwonków, z której podli ludzie wygryźli ją rok temu – dziś wracała do domu. Byłego domu, choć Janka nigdy nie przestała o nim myśleć jak o swoim własnym. Jeśli bowiem pokochasz jakieś miejsce tak bardzo, że nazwiesz je swoim domem, pozostanie nim do końca twoich dni, choćbyś mieszkała teraz w willi na słonecznej Teneryfie.

Mój dom. Tak właśnie myślała Janka, przedzierając się przez zakorkowaną Warszawę wynajętym samochodem z lotniska do Milanówka.

Owszem, Wyspy Kanaryjskie ze swą wieczną wiosną i wiecznie uśmiechniętymi ludźmi wydawały się rajem na ziemi, ale każdy raj może się znudzić. Janka tęskniła do starej willi, którą wyremontowała z prawdziwą miłością, pracując ramię w ramię z robotnikami. Tęskniła do ogrodu, w którym zasadziła każdy krzaczek róż, a trawnik pielęgnowała z poświęceniem godnym większej sprawy. Za zwariowanymi sąsiadkami: Kamilą, piszącą maile do faceta, który zostawił ją osiem lat temu, i Gosią – ta to dopiero była szalona! – tęskniła również. W towarzystwie przyjaciółek Janka czuła się naprawdę sobą. Nie musiała grać nikogo innego. Lubiły ją taką, jaka była. Ot co.

Dlatego Janka, gdy tylko dowiedziała się o wydarzeniach ostatnich tygodni i decyzji Łukasza o wyjeździe do Kanady, wsiadła w samolot i przyleciała do Polski, by raz jeszcze zobaczyć swój dom i po raz ostatni spotkać się z przyjaciółkami w magicznym ogrodzie Kamili.

Jaka szkoda, że Kamila przeprowadza się do Kanady... Owszem, Gosia zostanie w Sasance, pytanie tylko: na jak długo? Małgosia Bielska, która chowała się przed burzą w jej, Janki, łazience i nie potrafiła sama pójść do sklepiku za rogiem po zakupy, teraz zostaje sama z maleńkim dzieckiem na opustoszałej ulicy? A jeśli coś się stanie... coś zupełnie nieprzewidywalnego... kto pospieszy jej z pomocą?

Te smętne rozmyślania przerwał Jance klakson samochodu jadącego za nią zderzak w zderzak. Widać zamyśliła się za bardzo i zwolniła tak, że kierowca się zniecierpliwił.

Rzuciła okiem we wsteczne lusterko. Facet po trzydziestce, mniej więcej w jej wieku, w wielkim SUV-ie i z komórką przy uchu, cały czas próbował wyprzedzić clio Janki, nie zważając na drobny fakt, że znajdują się na ruchliwej dwupasmówce, przedzielonej na pół linią ciągłą.

– Idiota – prychnęła kobieta do siebie.

Nie zamierzała przyspieszać tylko dlatego, że tamten się niecierpliwił.

– Zadzwoń na 0-700, niech cię tam któraś zdalnie ukoi – dorzuciła.

Wjeżdżała właśnie do Milanówka.

Wróciły wspomnienia. I te dobre, i te złe. Lecz dobrych było dużo, dużo więcej... Senna uliczka... Szum sosen po drugiej stronie... Śpiew ptaków... Długie rozmowy z przyjaciółkami, jakich nigdy przedtem nie miała i nigdy już mieć nie będzie...

Łzy zaszkliły się w pięknych błękitnych oczach Janki. Otarła je gniewnym gestem, czując złość i na siebie, że pozwoliła to sobie odebrać, i na tych, co pozbawili ją domu i przyjaciół.

Gdy dojeżdżała do skrzyżowania, światło zmieniło się na zielone, ale... widząc kobietę podbiegającą do przejścia dla pieszych, zwolniła, czując szóstym zmysłem, że tamta, nie zważając na nic... Na ułamek sekundy spotkały się wzrokiem i nagle kobieta wbiegła na jezdnię. Janka zahamowała z piskiem opon, zatrzymując się centymetry od niej. Zamarła. W następnej chwili... Potworny huk i szarpnięcie... A potem uderzenie i krzyk... Czy to krzyczała, ona, Janka, czy tamta kobieta...?

Janka siedziała przez sekundę czy dwie, patrząc przed siebie, a potem wyskoczyła z samochodu. Kobieta leżała w połowie przejścia dla pieszych i, krzywiąc się z bólu, próbowała wstać.

– Proszę się nie ruszać! Zaraz wezwę pogotowie! – Janka doskoczyła do rannej, spanikowanym spojrzeniem ogarniając całą jej sylwetkę.

Z otartej dłoni sączyła się krew, także policzek wyglądał na zraniony. I chyba coś było nie tak z nogą, bo gdy kobieta próbowała nią ruszyć, jęknęła głucho i zaczęła cicho płakać, przygryzając wargę.

– Już dzwonię, proszę nie wstawać... – Janka trzęsącymi się dłońmi sięgnęła po komórkę.

W tej samej chwili, tuż za sobą, usłyszała głos mężczyzny, opanowany, niemal zimny, który właśnie relacjonował wypadek komuś spod numeru alarmowego.

– Zabiję cię, skurczysynu, gdy tylko skończysz... – wysyczała, słysząc ten spokojny ton. Wreszcie rozłączył się, a ona mogła przyskoczyć do niego, unieść zaciśniętą pięść i... Chwycił ją za nadgarstek i odepchnął.

– Co z tobą, wariatko? Potrąciłaś na przejściu dla pieszych kobietę i rwiesz się do bicia?!

– Ja?! Ja potrąciłam?! – Janka aż zachłysnęła się własnymi słowami z oburzenia. – Ja zdążyłam się zatrzymać! To ty we mnie wjechałeś, palancie, bo zamiast uważać na drogę, nawijałeś przez telefon! O, tu jest kamera! Nagrała wszystko! I jeżeli tej biedaczce coś się stanie, pójdziesz siedzieć!

Nie czekając na jego reakcję, pochyliła się nad ranną i delikatnie ujęła jej dłoń, która drżała tak jak całe ciało nieznajomej.

– Jak ma pani na imię? – zapytała cicho.

– Anna. Przepraszam. To ja wybiegłam na czerwonym świetle.

– A ja zdążyłam się zatrzymać! To ten kretyn... – Janka rzuciła wściekłe spojrzenie mężczyźnie, który stał dwa kroki dalej, nie wiedząc, co ze sobą zrobić. Na twarzy miał wyraz konsternacji i niedowierzania. Czyżby rzeczywiście to on był winien wypadku?

A jeśli tak...

Poszedł do swojego samochodu i wrócił z kocem. Przyklęknął obok rannej i okrył ją, unikając wzroku Janki. Dookoła stała już całkiem pokaźna grupa gapiów, wymieniająca się uwagami i niepochlebnymi komentarzami na temat wariatek za kierownicą, co potrącają pieszych na pasach...

Janka pomyślała mimochodem, nie wypuszczając dłoni rannej kobiety z rąk, że teraz w ogóle może zapomnieć o powrocie do Milanówka. Mieszkańcy już zawsze będą ją pamiętać jako tę, co przejeżdża Bogu ducha winnych przechodniów. Odwróciła spojrzenie od rosnącego tłumu i pochyliła się nad ranną, poprawiając zsuwający się z jej ramion koc.

– Ja... Ja nie chcę do szpitala – wyszeptała Anna. – Jestem tylko poobijana. Już mogę wstać. Wezmę coś przeciwbólowego i...

– Nie ma mowy – ucięła stanowczo Janka. – Nawet jeśli to tylko stłuczenia, musi panią obejrzeć lekarz. Nie puszczę cię, moja kochana, do domu, bo spać bym po nocach nie mogła.

– Pani nie ma tu chyba nic do powiedzenia – zauważył mężczyzna. – Skoro nic się nie stało...

– Stało się! – warknęła Janka. – I jeśli ktoś ma tu zamilknąć, to raczej ty, kretynie, nie ja!

– Uprzejmie proszę zważać na słowa.

– A ja uprzejmie proszę się zamknąć, najlepiej w swoim samochodzie, i czekać na policję!

Umilkł, ale nie odszedł.

W oddali rozbrzmiał sygnał karetki i zbliżał się z każdą sekundą. Wreszcie pogotowie zatrzymało się tuż obok i po chwili ranna, rozglądając się wokół przerażonym wzrokiem, zniknęła we wnętrzu auta.

– Przyjadę do ciebie – uspokoiła ją Janka. – Nie zostawię cię. Gdy tylko policja pozwoli mi odjechać, znajdę cię w szpitalu i... – Trzaśnięcie drzwiami przerwało jej w pół słowa. Znów rozbrzmiał sygnał i karetka ruszyła w stronę Grodziska. Tam był najbliższy szpital.

Do nich za to podjechał radiowóz, z którego wysiadło dwóch policjantów z marsem na twarzach. Nie lubili kierowców, co potrącają pieszych...

Dwie godziny później Janka była wolna. Tamten facet, Piotr Mazur, też. Oboje mieli się jeszcze zgłosić na przesłuchanie, ale protokół został już spisany. Rzeczywiście kobieta wtargnęła na przejście dla pieszych na czerwonym świetle. Rzeczywiście Janka zdążyła zahamować, choć uczyniła to gwałtownie. Rzeczywiście tamten („głupi jednokomórkowiec", jak nie przestawała go w myślach nazywać) uderzył w jej samochód, który z kolei potrącił pieszą. Dalsze wyjaśnienia oboje złożą na komendzie. Ranna również, gdy tylko dojdzie do siebie. Na razie oboje są wolni, „tylko proszę stawić się na każde wezwanie".

Policja odjechała. Gapie już dawno się rozeszli. Zostali we dwoje – Janka i Piotr – patrząc na siebie wilkiem.

– Gdyby pani... – zaczął, ale przerwała mu gniewnie:

– Tylko nie próbuj znów zwalać winy na mnie!

Prychnął.

– Chciałem zaproponować podwiezienie. Pani zabawka jest całkiem skasowana.

– Bo pan ją skasował, przypominam uprzejmie!

– Niech będzie. Ja – westchnął. – Możemy do szpitala pojechać moim wozem. – Wskazał na nietkniętego niemal SUV-a. No, może samochód miał kilka rys na zderzaku...

W pierwszej chwili chciała unieść się honorem i odmówić – już lepiej wziąć taksówkę, niż korzystać z łaski bezmózgiego jednokomórkowca – ale słysząc kpiące: „Chyba się mnie pani nie boi?", uniosła dumnie głowę i rzucając mężczyźnie wyzywające spojrzenie, wsiadła do SUV-a.

Uśmiechnął się lekko i siadł za kierownicą. Po chwili ruszali w stronę grodziskiego szpitala.

– Nie przejął się pan zbytnio tym wypadkiem – zauważyła kąśliwie. Jej nadal trzęsły się ręce.

– Przejąłem się na tyle, na ile powinienem – odparł. – Ale nie czuję się specjalnie winny, skoro jedna wariatka wybiega na czerwonym świetle wprost pod nadjeżdżający samochód, a druga równie gwałtownie hamuje...

– Miałam ją przejechać?!

– Nie, oczywiście, że nie, ale – jak mówię – nie uważam, by to była moja wina.

– Gdyby nie pitolił pan przez telefon, zamiast patrzeć na drogę... – zaczęła Janka.

– Mam podzielną uwagę – wpadł jej w słowo. – Poza tym prowadzę sprawy dużej firmy i...

– ... są one ważniejsze od ludzkiego życia – dokończyła zjadliwym tonem.

Posłał jej zimne spojrzenie. A ona po raz pierwszy przyjrzała się temu mężczyźnie uważnie. Był przystojny i dobrze ubrany. Nieco dłuższe jasnoblond włosy, surowe, męskie rysy twarzy i gładko ogolone policzki, do tego niespotykanej barwy szarozielone oczy, rzucające gniewne błyski, sprawiły, że Janka mimo woli, mimo całej wściekłości, jaką do niego pałała, poczuła miłe ukłucie gdzieś tam w głębi serca. To był godny przeciwnik.

On również przyglądał się kobiecie, oczywiście na tyle, na ile mógł sobie pozwolić, prowadząc samochód. I w duchu musiał przyznać, że Janka jest niezwykle piękną i pociągającą istotą, choć bardzo irytującą z tym wyzywająco wysuniętym podbródkiem i równie zimnym spojrzeniem co jego własne. Długie pszenicznej barwy włosy, spięte w koński ogon, niezwykle błękitne oczy, podkreślone perfekcyjnym makijażem, sylwetka modelki, a do tego opalenizna, której nie nabiera się w solarium... tak, ta kobieta była warta grzechu. Choć na pewno nie ludzkiego zdrowia czy życia.

– Przepraszam – mruknął nieco skruszony. Nie chciał mieć w niej wroga.

– Anię będzie pan przepraszał. I niech się pan modli, by była jedynie trochę potłuczona, bo jeśli coś poważnego jej się...

Przerwał Jance dzwonek komórki.

Oboje rzucili wzrokiem na wyświetlacz. „Prezes Muszyński". Piotr zawahał się na moment: odebrać czy nie? Jednak w następnej chwili, nic sobie nie robiąc ze wściekłego spojrzenia Janki, sięgał po telefon. Po śliczny, drogi telefon, w eleganckim etui z szarej skóry. Ale nim odebrał, Janka wyjęła mu go z ręki i rzuciła na tylne siedzenie, a potem wycedziła:

– Wiesz, facet, czym się różnisz od kury? Tym, że kura swej jedynej szarej komórki używa do myślenia, a ty swojej do dzwonienia.

Uniósł brwi i... roześmiał się serdecznie.

Janka zaś milczała wymownie do momentu, gdy zatrzymali się na szpitalnym parkingu, a potem dodała jeszcze:

– Oby było panu tak wesoło, gdy będziemy wychodzić.

– Nie „panu", Piotr jestem – wyciągnął do niej dłoń. Niechętnie podała swoją, którą on przytrzymał nieco dłużej, przyglądając się Jance z lekkim uśmiechem. Była nie tylko piękna, ale i charakterna. Lubił takie kobiety...

# *Rozdział XXI*

*Bratek – któż nie zna i nie lubi tej rośliny? Pięć aksamitnych płatków, niebieskich, białych, bordowych, pomarańczowych, a w środku złote oczko. Z bratków można tworzyć różnobarwne kobierce, można zaprosić dzięki nim tęczę do ogrodu. To symbol przyjaźni na dobre i na złe, lojalności i wierności. Bratka koniecznie trzeba w swoim ogrodzie mieć!*

Anna, leżąca w szpitalnym łóżku, wydała się obojgu drobna i zagubiona, niczym dziecko. Piotr już się nie śmiał. Może dopiero teraz – na widok bandaży, którymi miała owinięte ramię i kawałka wygolonej skóry na głowie, z nałożonymi szwami – dotarło do niego, że mało nie zabił tej kobiety. Janka również milczała, znów przeżywając tamten szok.

Podeszła do łóżka, przygryzając wargę, by się nie rozpłakać, i ujęła drobną, posiniaczoną dłoń rannej. Ta próbowała się uśmiechnąć.

– Przepraszam cię – wyszeptała, patrząc na Jankę wielkimi szarymi oczami, w których nadal gościł cień przerażenia.

– Ty mnie przepraszasz?! – wykrzyknęła cicho, z niedowierzaniem. – To ja powinnam...

– Wiesz, za co cię przepraszam – Anna wpadła jej w słowo i Janka nagle umilkła.

Tak. Wiedziała. Spojrzenie, które rzuciła jej Anna tuż przed wejściem na jezdnię, było... bardzo wymowne. Janka też kiedyś popatrzyła tak na nadjeżdżający samochód – wtedy był to rozpędzony TIR – i... w ostatniej chwili straciła odwagę. Cofnęła się. Anna była widać bardziej zdesperowana.

Janka nie zdążyła zapytać o nic więcej, bo ordynator oddziału intensywnej terapii, stary, kochany doktor Staśko, wszedł do pokoju i patrząc nieprzyjaźnie na Piotra, zapytał ostrym tonem:

– Pan jest mężem pacjentki?

Mężczyzna, który od momentu gdy znalazł się tutaj, uważnie przyglądał się Annie, a zwłaszcza siniakom na jej twarzy i ramionach, pokręcił wolno głową.

– Chciałbym z nim porozmawiać – nie ustępował doktor.

– Jeżeli o tych siniakach, to ja również – odparł Piotr dziwnym tonem.

– No pewnie, że o siniakach! – prychnęła Janka. – Ty sam te siniaki biedaczce zafundowałeś!

– I tu się mylisz. – Piotr patrzył nie na nią, a na Annę, która wbiła wzrok w swoje dłonie, usiłując powstrzymać ich drżenie. I jeszcze łzy, napływające do oczu. Janka wreszcie zrozumiała, zarówno ton Piotra, jak i milczenie doktora. Poczuła zimny dreszcz spływający wzdłuż kręgosłupa. A potem furię, rozlewającą się w sercu. Nie zdążyła jednak wybuchnąć, bo doktor Staśko odezwał się łagodnie:

– Pani Aniu, muszę panią wypisać, bo badania wypadły dobrze. Nie ma złamań. Nie ma obrzęku mózgu. Tylko parę otarć i kilka szwów. Czy będzie miała pani się dokąd udać?

– Ja... wrócę do męża – wyszeptała kobieta łamiącym się głosem.

– Może przez jakiś czas zatrzymałaby się pani u przyjaciółki? – zaoponował doktor.

– Ja... nie mam przy... – zaczęła Anna, ale Janka przerwała jej stanowczo:

– Masz. Mnie. Może całkiem od niedawna, ale jednak. A wraz ze mną masz również dwie moje przyjaciółki, które chętnie cię ugoszczą przez kilka dni.

Anna spojrzała na nią żałośnie, ale naraz w jej szarych oczach pojawił się promyk nadziei. Maleńki, jeszcze nieśmiały, ale gotów rozbłysnąć jaśniej.

– Kilka dni – nalegała Janka. – Potem wrócisz, dokąd będziesz chciała, albo i nie, dobrze?

Anna skinęła głową. Wszyscy troje – Janka, Piotr i doktor Staśko – odetchnęli lekko. Każde z nich zetknęło się z tym, co nosiło eleganckie określenie „przemoc w rodzinie", a było zwykłym bandytyzmem wobec bliskich. Janka była kiedyś ofiarą takiego jednego, co potrafił skatować ją niemal na śmierć. Miała takie samo przerażenie i beznadzieję w oczach, jak jeszcze przed chwilą Anna.

Piotr nigdy nie podniósłby ręki na kobietę, bo wpojono mu tak niemodne dziś wartości, jak opiekuńczość, honor, wrażliwość na krzywdę, ale jego siostra przez długie lata nosiła takie siniaki jak Anna, tłumacząc je swoją niezdarnością czy skłonnością do wypadków. Gdy Piotr poznał prawdę, było już za późno... Teraz stał, patrząc na młodą kobietę, której mógł pomóc – jeszcze był czas, jeszcze była szansa – i... chciał dorwać bydlaka, który się nad nią znęcał. Pogadać z nim tak, jak powinien lata temu pogadać ze swoim szwagrem. Może ocaliłoby to życie Gabrysi...

Doktor Staśko zaś, który niejedno już w życiu widział i niejednej zagubionej istocie pomógł, patrząc na Jankę i Piotra, oboje przejętych do głębi, poczuł, że może oddać pacjentkę w ich ręce, bo zrobią dla niej to, co przyjaciele zrobić powinni.

– Zostawię teraz państwa samych – odezwał się swym miły, łagodnym głosem, któremu jednak wszyscy na oddziale dawali posłuch. – Pani Ania nie miała przy sobie żadnych rzeczy osobistych, dokumentów również nie. W niedalekiej przyszłości tym również trzeba się będzie zająć.

– Zajmiemy się – zapewniła go żarliwie Janka. – Ja podzielę się z Anką własną garderobą i szczoteczką do zębów, Piotr skombinuje nowe dokumenty.

– Jak...?! Skąd...?! – Mężczyzna spojrzał na nią skonsternowany i w następnej chwili, widząc jej niewinny uśmiech, pokręcił tylko głową. – Tak. Jasne. Własnoręcznie podrobię. Idę szykować matrycę...

– Nie chcę sprawiać kłopotu – odezwała się cicho Anna, po raz nie wiadomo który od momentu wyjścia ze szpitala. – Ja naprawdę sobie poradzę.

– Nie marudź, laska – odparła Janka również po raz enty. – Jedziemy do miejsca, gdzie przyjmą nas z otwartymi ramionami.

– Nie do twojego domu? – zaniepokoiła się tamta.

– Mój dom znajduje się obecnie na Teneryfie, ale tutaj, w Polsce, jest takie jedno cudowne miejsce, sto razy lepsze niż Teneryfa, wierz mi, bo wypełnione magią i miłością. Tam cię właśnie ukryjemy przed panem „Ciężka Ręka".

– On i tak mnie znajdzie. – Anna, która jeszcze przed chwilą wydawała się pełna nadziei, teraz zmalała, zupełnie jakby chciała zniknąć, przestać istnieć, zmienić się w maleńki, niewidoczny pyłek.

– Może mi pani zdradzić, kim jest ten człowiek? Chętnie bym się z nim rozmówił... – odezwał się Piotr, który do tej pory prowadził w milczeniu samochód. Jakoś nie przejawiał już chęci do odbierania niemilknącego telefonu.

– Mój mąż... jest trudny w rozmowach... – odparła z wahaniem Anna. – To bardzo wpływowy człowiek... z nikim się nie musi liczyć...

– Proszę mi wierzyć, że ja też potrafię być przekonujący – w głosie Piotra brzmiała taka pewność, że kobieta zapragnęła mu uwierzyć. Sięgnęła po jego telefon, ten sam, który Janka cisnęła wcześniej na tylne siedzenie, a który dzwonił właśnie po raz kolejny i... podała go mężczyźnie tak, by widział wyświetlacz, a na nim: „Prezes Muszyński".

Janka uniosła brwi. Piotr także w pierwszej chwili nie zrozumiał.

– Mam odebrać?

– Chciał pan rozmówić się z moim mężem – odparła Anna. – Ma pan okazję.

Samochód zahamował gwałtownie. Piotr odwrócił się w stronę kobiety i wykrzyknął z niedowierzaniem, bo nie mógł, po prostu nie mógł uwierzyć:

– On jest pani mężem?! Prezes Muszyński?!

– To jego numer – przytaknęła bez cienia wątpliwości.

Mężczyzna opadł na oparcie fotela. Janka również wyglądała na wstrząśniętą. Tylko Anna siedziała spokojnie, trzymając w dłoni dzwoniącą komórkę. Tę samą, która już zmieniła jej przyszłość, a może nawet ocaliła życie. Piotr wyciągnął rękę, podała mu telefon, który w następnej chwili wyłączył i wrzucił do schowka.

– Prezes? – mruknęła Janka ni to do siebie, ni do niego.

Spojrzał na kobietę niemal odpychająco. Muszyński był dla podwładnych niczym ojciec: kochający, choć wymagał wiele. Sprawiedliwy, ale i surowy. Dla niejednego mógł być wzorem człowieka i szefa. Jeśli Anna mówiła prawdę – a dlaczego miałby jej nie wierzyć? – ten wizerunek był fasadą, za którą krył się psychopata, jakich wielu chodzi po tym świecie. W Annie Piotr widział swoją siostrę Gabrysię, której nie pomógł, gdy pomocy potrzebowała, bo wierzył bardziej psychopacie niż własnym oczom. I której już nie pomoże...

Poczuł nagły gniew. Na byłego szwagra, na obecnego szefa, wreszcie na samego siebie, a że pod ręką była Janka, przyglądająca się mu w milczeniu, naskoczył na nią.

– Co taka zdziwiona? Myślałaś, że tłuc żony potrafią tylko degeneraci spod budki z piwem?

Janka chwilę na niego patrzyła z nieodgadnionym wyrazem twarzy, a potem odparła powoli:

– Nie jestem zdziwiona. Mnie również omal nie zatłukł na śmierć taki jeden nobliwy biznesmen.

Zapadła cisza, którą przerwał spokojny głos Anny:

– Jedźmy do tej arkadii, którą mi obiecałaś.

Teraz to ona zaciskała palce na drżącej dłoni Janki...

Ogród Kamili, jak na arkadię przystało, tonął w potokach złocistego światła, zapachu róż i ciszy czerwcowego popołudnia. Tutaj, przez wysoki mur opleciony pnącymi różami i winobluszczem, nie docierał zgiełk i zło świata zewnętrznego. Tu wszyscy czuli się bezpiecznie, każdego już od furtki ogarniały spokój i pewność, że znalazł miejsce, gdzie będzie kochany. To właśnie uczucie owładnęło Anną, gdy tylko przekroczyła zaczarowany próg tego miejsca. Kobiety, które wyszły im naprzeciw, uradowane, że nie tylko doczekały się powrotu przyjaciółki z dalekich krajów, ale i dwojga miłych gości, oczarowały Annę również.

Spokój i piękno ogrodu wyciskały łzy z oczu, serdeczne przyjęcie sprawiło natomiast, że te łzy spłynęły po policzkach.

Kamila i Gosia nie pytały o nic.

Po prostu przygarnęły Annę, Jankę i Piotra do swego grona, umościły im wygodne gniazdko na fotelach nieopodal fontanny, zastawiły stół domowymi smakołykami, przyniosły czajniczek z herbatą i dzbanek lemoniady, a potem po prostu usiadły wokół gości i przyglądały się – z macierzyńską niemal czułością – jak zajadają ciasta i galaretki.

Janka opadła wreszcie na oparcie fotela z westchnieniem absolutnego ukontentowania. Spojrzała na przyjaciółki rozjaśnionymi oczami. Odpowiedziały tym samym.

– Będę mogła się tu zatrzymać na parę dni? – zapytała, choć doprawdy nie musiała pytać.

– Oczywiście. Sypialnia na piętrze zawsze jest gotowa na przyjęcie gości – odparła Kamila.

Janka kiwnęła głową. Taką odpowiedź miała nadzieję usłyszeć, przyjeżdżając w to miejsce.

– Ania będzie potrzebowała azylu na nieco dłużej niż parę dni – zaczęła ostrożnie.

Gosia zwróciła się do Anny, ot tak, po prostu:

– Możesz tu zostać, jak długo zechcesz.

– Ja... będę pracować... – zaczęła Anna poruszona tą niezwykłą życzliwością, którą ogród zdawał się wypełniony. – Będę pomagać ci w domu. Opiekować się twoim synkiem. Kocham dzieci. Bardzo. – Mówiła coraz szybciej, by Gosia nie zdążyła się rozmyślić. – Sama nie mogę ich mieć, ale potrafię się opiekować maluszkami. Miałam czworo młodszego rodzeństwa... – Umilkła, patrząc błagalnie na Gosię, choć ta przecież już Annę zaprosiła pod swój dach.

– Marzenia się spełniają – zwróciła się do Małgosi Kamila. – Szukałaś opiekunki, która pokocha Kubusia i pomoże ci w domu, a tutaj, proszę, los zsyła ci idealną kandydatkę.

Chłopczyk w tym momencie otworzył oczy, ziewnął rozkosznie, a widząc gości, nie rozpłakał się, jak uczyniłoby to niejedno niemowlę, tylko uśmiechnął się nieśmiało. Gdy Anna, z równie nieśmiałym uśmiechem wyciągnęła do niego ręce, bez protestów pozwolił się przytulić, gaworząc coś w sobie tylko znanym języku.

Taki oto sielski-anielski obrazek ujrzał Łukasz, stając w oknie tarasu. I nieee, zupełnie nie zdziwiło go to, że gdy wyjeżdżał rano do Warszawy, zostawiał w domu dwie kobiety i dziecko, a gdy wrócił po południu, zastał... zaraz, zaraz, jeśli dobrze liczyć... cztery kobiety, dziecko i mężczyznę. Dobrze ukrywając zaskoczenie, zszedł po schodkach i ucałował Kamilę, która wybiegła mu naprzeciw.

Przywitał się z Janką i wysłuchał historii Anny, która z tego, co zrozumiał, od dziś będzie mieszkać w jego domu. To znaczy w domu Kubusia i Gosi, bo Kamila przecież im podarowała Sasankę. Dobrze, że mieli tyle wolnych sypialni... Na koniec przedstawiono mu faceta, którego mierzył podejrzliwym spojrzeniem już w momencie wyjścia na taras.

Łukasz nie lubił nieznajomych mężczyzn. Nie po tym, co przeszedł z HV475. Czy ten cały Piotr Mazur był od n i c h? Może wypadek Anny – znów wypadek! – był zaaranżowany, by obcy facet mógł się dostać do Sasanki? Jak niby można to sprawdzić? Jak sprowokować tamtego, by się zdemaskował?

A może... Łukasz zaczyna popadać w paranoję i staje się podejrzliwy wobec Bogu ducha winnych ludzi, którzy rzeczywiście nieszczęśliwie czy przez swoją głupotę, bo z opowieści Janki wynika, że Piotr zagadał się przez telefon, potrącają pieszych na przejściu? Zresztą... to już nie ma znaczenia. On z Kamilą odlatują niedługo do Kanady, a Gosi nikt zagraża. Taką Łukasz miał przynajmniej nadzieję.

Nagle spojrzał na nową mieszkankę Sasanki, która dosłownie spadła im jak z nieba. Przecież szukali godnej zaufania niani, która zaopiekuje się i Gosią, i jej synkiem! I oto pojawia się ta nieśmiała, ale widać, że kochająca dzieci kobieta, dla której ten dom okazał się szansą na normalne życie. Życie bez strachu przed sińcami i upokarzaniem. Dogadają się obie z Małgosią, o tak... Łukasz wyzbył się w tym momencie wszelkich obaw. Ten Piotr również wydaje się całkiem w porządku, ale jeszcze chwilę mu się przyjrzy...

– Niezwykłe miejsce – odezwał się półgłosem Piotr odprowadzany przez Jankę do samochodu.

Ona skinęła tylko głową. Tak, ogród Kamili, ta uliczka... to było rzeczywiście niezwykłe miejsce.

– Cieszę się, że Anna właśnie tu znalazła bezpieczną przystań, w której będzie mogła ukryć się przed całym światem – odezwała się. A potem dodała przekornie: – Pamiętaj, co obiecałeś: męską rozmowę z panem „Ciężka Ręka". Wprawdzie nie wiedziałeś wtedy, że to twój uwielbiany szef, ale... słowo się rzekło.

Piotr przyglądał się przez chwilę kobiecie, która stojąc naprzeciw niego, w letniej, niemal dziewczęcej sukience, z rozpuszczonymi włosami, spływającymi aż do talii, iskrzącymi się w promieniach zachodzącego słońca i z zaczepnym błyskiem w błękitnych pięknych oczach, wydawała się istotą nie z tego świata, a potem odrzekł powoli:

– Porozmawiam, jeśli ty mi coś obiecasz...

Przechyliła głowę, niczym ciekawski wróbel.

– Będziesz tutaj, gdy wrócę – dokończył.

– Będę – odparła po prostu, a potem umknęła, by nie rzec ani słowa więcej.

Zamknęła furtkę ogrodu, oparła się o nią plecami. Przez długą chwilę patrzyła na przyjaciółki, bawiące się z małym chłopczykiem, by wreszcie ruszyć ku nim, czując radość w sercu i lekkość w duszy. Tutaj, w tym magicznym ogrodzie, naprawdę spełniały się marzenia...

# *Rozdział XXII*

*Nasturcja – wśród ładnych zielonych liści ze srebrzystymi żyłkami zwisają kolorowe, radosne, żółte i pomarańczowe, kielichy nasturcji. Nic dziwnego, że ten kwiat dodaje nadziei i chęci do życia, a nawet łagodzi depresje. Ma kojący wpływ na związek, usuwa chłód i dystans. Nie może nasturcji zabraknąć w naszym ogrodzie.*

Był lipiec. Gorący i słoneczny.

Mały Jakub Bielski kończył dwa miesiące, gdy Łukasz uprzedził Kamilę, że wszystko jest gotowe do przeprowadzki.

– Na kiedy zarezerwować bilety? – zapytał, a Kamila rozejrzała się wokół w panice.

Najchętniej odparłaby: na nigdy, ale taka opcja nie wchodziła w grę.

– Daj mi jeszcze parę tygodni na pożegnanie. Chcę odwiedzić ciocię Łucję. Obiecałam też Julii, że zobaczę jej chatkę w górach...

– Dwa tygodnie.

– Dwa tygodnie – powtórzyła pokornie. Już się bała, że Łukasz powie dwa dni...

Kamila poderwała się na równe nogi, czując, że nagle zaczyna brakować jej czasu. Wpadła do pokoju Gosi, gdzie kobieta kończyła właśnie przewijać dziecko. To, co zdawało się jej jeszcze miesiąc temu niewykonalne – ona, kaleka bez nogi, opiekująca się niemowlęciem?! – teraz przychodziło jej tak zwyczajnie, jakby była niepełnosprawną matką od lat.

Przeniosła rozkochane spojrzenie z synka, który oglądał uważnie, z niedowierzaniem, swoje rączki, na Kamilę i uśmiech w jej oczach zgasł.

– Wyjeżdżasz? To już?

Dziewczyna kiwnęła głową.

– Ale muszę pożegnać się jeszcze z ciocią Łucją. No i z Julią. Pamiętasz, co jej obiecałam: przed wyjazdem ją odwiedzę. Chcę zobaczyć tę legendarną Chatkę Dorotki, może poznam równie legendarnego Grzesia Bogdańskiego? I koniecznie wielką miłość Julii, czyli...

– ... Romea – wpadła jej w słowo Małgosia.

– Tak, Romea, noszącego swojskie imię Jan.

– Zabierzesz mnie ze sobą? To znaczy nas? – rzuciła Gosia, nim zastanowiła się, o co pyta.

– Kurczę, pewnie! – Kamila aż pisnęła z radości. – Przecież obiecałyśmy to Julii! Słowa padły! Jedziemy we troje!

– We czworo, jeśli już. Samych was z dzieckiem w podróż przez pół Polski nie puszczę – odezwał się spokojnie, ale stanowczo Łukasz, który od dłuższej chwili stał w drzwiach i przysłuchiwał się tej rozmowie.

Kamila zauważyła w duchu, że po pożarze laboratorium Łukasz Hardy w ogóle stał się bardzo stanowczy. I na szczęście równie spokojny. Kochała go takiego jeszcze mocniej, jeśli w ogóle to możliwe.

– No to jedziemy – zgodziła się Małgosia, zupełnie tym Kamilę zaskakując. – Ania dostanie na te kilka dni wolne, niech pozałatwia swoje sprawy albo po prostu powygrzewa się na słońcu, a mi dajcie kwadrans na spakowanie pieluszek.

Łukasz parsknął śmiechem, widząc minę swojej żony.

– Damy ci całą godzinę, choć Kamila pewnie chciała jechać jutro albo pojutrze. To co, moja kochana – zagarnął dziewczynę ramieniem – w godzinę będziesz gotowa do drogi?

Mimo obaw obu kobiet, jak niemowlę zniesie tak długą podróż samochodem, Kubuś spał słodko w nosidełku, budząc się tylko dwukrotnie, na karmienie. Łukasz zauważył ze śmiechem, że rośnie im mały podróżnik.

– Po mnie to ma – dodał. – Ja też uwielbiałem długie podróże. Gdy nie chciałem zasnąć, mama pakowała mnie do samochodu i dotąd jeździła po Otwocku, aż zapadałem w słodki sen. Gdy tylko się zatrzymywała, otwierałem oczy i tak przez kilka godzin.

– Ja nie chcę! – krzyknęła półgłosem Małgosia. – Nie chcę, by Kubuś odziedziczył po tobie właśnie coś takiego! Nie masz innych cech na zbyciu? Bardziej przyjaznych dla samotnej matki?

Zaśmiali się wszyscy troje. Cicho, żeby nie budzić dziecka, choć dziecku ich śmiech wcale nie przeszkadzał.

Z radia płynęły złote przeboje, Kamila siedziała obok Łukasza, patrząc na wijącą się przed nimi drogę, a Gosia z tyłu walczyła ze snem. Wreszcie ułożyła się wygodniej i zamknęła oczy.

Samochód, duży terenowy land rover, specjalnie wynajęty na tę podróż, zjechał z asfaltowej drogi na szutrową. Pół godziny później zakołysało nim na wybojach. Jechali wzdłuż górskiego strumienia, dokładnie tak, jak narysowane było na mapce, którą przed powrotem do domu zostawiła Kamili Julia.

Gosia otworzyła raptownie oczy i rozejrzała się półprzytomna.

– Jak tu pięknie – wyszeptała.

– Prawda? – zgodziła się z nią Kamila. – Wcale się Julii nie dziwię, że nie chce wracać.

– Nasz dom stoi w równie pięknej okolicy – rzucił Łukasz, prowadząc ostrożnie.

– Sasanka? Gór i jodłowej puszczy, że o strumieniu nie wspomnę, jakoś nie zauważyłam...

Łukasz posłał jej krótkie spojrzenie.

– Mówię o nowym domu – rzekł łagodnie.

– Wiem, wiem... – Westchnęła. – Trudno się do tej myśli przyzwyczaić – dodała zbolałym głosem i nagle wykrzyknęła – Patrzcie, to tu! Jesteśmy na miejscu!

Na ganek domku, który na polanę otoczoną srebrnymi świerkami został chyba przeniesiony prosto z bajki, wypadła Julia i z okrzykiem radości rzuciła się w ich stronę.

– Przyjechaliście! Naprawdę tu jesteście! Chodźcie, kochani, chodźcie! Pokażę wam dom, potem okolicę... Janka nie ma. Pojechał do Kielc. Znów jestem słomianą wdową, która ma za towarzystwo jedynie kota – paplała uradowana jak dziecko i jak dziecko dumna ze swego domu.

Zaczęła oprowadzać całą trójkę – a jeśli liczyć Kubusia, to czwórkę – od piwnicy, gdzie stał czekający na pierwsze przymrozki piec, aż po strych, gdzie od czasu do czasu nadal harcowała kuna.

– I jak?! Jak wam się podoba?! – pytała co chwila. – A tu są dwie sypialnie. Odnowiłam je niedawno, sama samiuteńka. Położyłam tapety, pomalowałam okna... Narzuty, dywaniki, zazdrostki... wszystko to moje dzieło!

Gosia z Kamilą wymieniły się spojrzeniami. „Sama samiuteńka"? Janek Julii nie pomógł? Obie przeniosły to spojrzenie na przyjaciółkę, która umilkła naraz, zwróciła się do nich i po chwili rzekła zupełnie innym tonem niż przed chwilą:

– Tak naprawdę to chyba przegrywam z firmą Janka. Dostał rozwód i mógłby się ze mną ożenić, zamieszkać tutaj, ale on ma zawsze tyle spraw w Kielcach do załatwienia. I wiecie co? Przestałam się tym przejmować. Facet, który nie chce takiej kobiety jak ja, to zwykły frajer. Niech spada – ucięła wszelkie próby pocieszenia.

– Tak trzymaj, Jula. – Łukasz klepnął ją w plecy i to było lepsze od współczucia przyjaciółek.

Roześmiała się i poprowadziła ich dalej.

– A to jest najpiękniejszy pokój z widokiem za milion dolarów – rzekła z dumą, otwierając drzwi do swojej sypialni.

Przez duże okno wpadały potoki lipcowego słońca. Firankę unosił lekki wiatr. Wyszli na taras i spojrzeli na daleką panoramę gór. Rzeczywiście, to miejsce było ze wszech miar godne zachwytu. I miłości, jakim obdarzyła je najpierw Dorota Stanecka, a potem jej bratanica.

– Zobacz, przygotowałam zaciszne gniazdko dla Kubusia, bo mam nadzieję, że na kilka dni zostaniecie. Możesz go tu położyć – wskazała starą, rzeźbioną kolebusię, kunsztownie odnowioną, która stała przy łóżku pod przeciwległą ścianą. Gosia złożyła słodki ciężar i okryła kołderką, którą Julia własnoręcznie ozdobiła haftem angielskim.

– Tę sypialnię oczywiście odstąpię tobie – pospieszyła z zapewnieniem dumna właścicielka Chatki Dorotki. – Jeszcze pokażę wam kuchnię, spiżarnię, i to właściwie koniec zwiedzania.

Kamila ruszyła za nią, Łukasz po chwili też. Gosia została w pokoju. Ciągnęło ją na taras. Na słońce. Na powietrze tak czyste, tak pachnące, że aż zapierało dech.

Nagle na dróżce prowadzącej do lasu wyłoniła się postać mężczyzny. Szedł w kierunku domu. Małgosia osłoniła oczy od słońca i nagle... zbladła. Z jej gardła wyrwał się krótki, bolesny krzyk.

– Jakub!

Łukasz, słysząc go, odwrócił się na pięcie i wpadł do sypialni w chwili, gdy Gosia chwytała się framugi okna, by nie upaść. Podtrzymał kobietę ramieniem, spojrzał w kierunku, który wskazywała.

– To nie Jakub, Gosia – wyszeptał, gładząc kobietę po policzku. – Przykro mi, ale to nie Jakub...

Mężczyzna, który szedł środkiem polany, rzeczywiście w pierwszym momencie mógł przypominać Jakuba, ale... to nie był on.

Łukasz chwycił kobietę na ręce i położył na łóżku. Przysiadł obok, rozcierając jej drżące dłonie. Na poduszkę spłynęły łzy. Kamila z Julią, które weszły do pokoju, gadając o domu, stanęły jak wryte.

– Co się stało?!

– Mamy gościa – odparł chłodno Łukasz, patrząc ponad ramieniem Kamili na drzwi i na mężczyznę, który stanął w progu. Nie wiedział, czy ma przed sobą Janka Czajkę, którego chętnie by sprał za to, że łamie Julii serce, czy włamywacza, którego sprałby jeszcze chętniej, czy też...

– Grzesiu!

Łukasz rozluźnił napięte mięśnie. Tego faceta może oszczędzi. Grzegorz Bogdański pomagał Julii zawsze, gdy był potrzebny. To porządny gość, przynajmniej tak o nim mówiła. Ale chyba zupełnie nią niezainteresowany, niestety...

– Przepraszam, że wpadam bez zapowiedzi, ale samochód mi się właśnie rozpadł, a nie zabrałem telefonu. Do ciebie, Jula, miałem najbliżej... – Grzegorz mówił do Julii, lecz z niepokojem przyglądał się leżącej na łóżku kobiecie, którą chyba śmiertelnie wystraszył. Była tak blada jak poduszka, na której spoczywała jej głowa. A przy tym tak eterycznie piękna, że...

– Nie musisz przepraszać i nie musisz się zapowiadać – głos Julii sprawił, że Grzegorz oderwał wzrok od pięknych, błyszczących niedawnymi łzami oczu nieznajomej. – Jesteś tu zawsze mile widziany. Pozwólcie, że was sobie przedstawię: to mój kochany, niezawodny sąsiad Grześ Bogdański, o którym nieraz opowiadałam...

– ... wychwalając go pod niebiosa – wpadł jej w słowo Łukasz, a Grześ, spojrzawszy na młodego mężczyznę, poczuł, że już go lubi. Te na pozór suche, lecz żartobliwe słowa, ten łobuzerski błysk w oku...

– Jeśli mam przed sobą legendarnego Łukasza Hardego, a zdaje się, że mam, Julia nikogo bardziej wychwalać nie może – odparł.

Łukasz parsknął śmiechem i podszedł do niego z wyciągniętą ręką. Grzegorz uścisnął ją krótko, ale silnie.

– Z tymi legendami bym nie przesadzał. I przejdźmy od razu na ty.

Grzegorz z chęcią się zgodził. Ucałował z galanterią dłoń Kamili, po czym podszedł do łóżka, na którego brzegu usiadła Małgosia, jeszcze nieco blada, patrząc na mężczyznę z mieszaniną sympatii i... niechęci. Wciąż miała przed oczami jego wyprostowaną sylwetkę, wyłaniającą się z lasu. Wciąż rozbrzmiewało w pamięci imię, które na jego widok wyrwało się z piersi.

Ujął jej dłoń tak delikatnie, z tak ujmującym uśmiechem, że nie mogła żywić doń niechęci ani chwili dłużej.

– Niech zgadnę – zaczął miękko i łagodnie – pani to z kolei Małgorzata Bielska?

Gosia skinęła głową i uśmiechnęła się zmieszana uważnością w jego oczach, ciepłem dłoni, a na koniec tym tonem, który słyszała ostatnio prawie rok temu. Nawet tym przypominał Jakuba... Gdyby zamknęła oczy, zapomniała o przeszłości i wyobraziła sobie, że on tu jest, trzyma jej dłoń w swoich i mówi, właśnie tak miękko, czule... jak tylko Jakub potrafił...

Dłoń Grzegorza starła jej łzę z policzka.

– Przepraszam – usłyszała. – Chyba powinienem iść. Przestraszyłem panią, a teraz jeszcze denerwuję...

Otworzyła szeroko oczy, powracając do rzeczywistości, i przytrzymała go za rękę, nim zdążył odejść.

– Nie denerwuje mnie pan, a wzrusza. To różnica – odezwała się, próbując przywołać uśmiech. – Rzeczywiście jestem Gosia Bielska. I, jak zaproponował legendarny Łukasz, mówmy sobie po imieniu. Jesteśmy wśród przyjaciół.

Wszyscy odetchnęli. Kamila z Julią, bo zupełnie nie rozumiały, co się przed paroma chwilami wydarzyło, Grzegorz, bo obawiał się, że niechcący uraził czymś przyjaciółkę Julii, zaś Łukasz... on jeden wiedział, co musiała poczuć Gosia, widząc idącego środkiem łąki mężczyznę, który nawet jemu, Łukaszowi, do złudzenia przypominał Jakuba, chociaż... Grzegorz przy bliższym poznaniu jeszcze zyskiwał, bo Jakub potrafił być oschły i bezwzględny, był też niezłym manipulantem, ten zaś człowiek wydawał się chodzącą dobrocią.

Nagle w stojącej pod ścianą kołysce rozległo się kwilenie. To Kubuś obudził się i dawał znać o swoim małym, ale jakże kochanym istnieniu. Julia była najbliżej. Wzięła dziecko na ręce i mówiąc do niego słodko, obeszła łóżko, by podać synka Małgosi, ale na drodze stanął jej Grzegorz. Dziecko spojrzało na mężczyznę niebieskimi oczami i wyciągnęło ku niemu niezdarną jeszcze rączkę. Grześ ujął tę rączynę tak delikatnie jak przed chwilą dłoń jego mamy i ucałował maleńkie paluszki, zaciśnięte na jego kciuku.

– Mogę wziąć go na ręce? – zapytał łamiącym się głosem.

Małgosia skinęła głową.

– Co za piękny maluch – wyszeptał, gdy Julia podała mu zawiniątko. – Ma zaledwie dwa miesiące, prawda? A patrzy tak mądrze... Moja żona zmarła trzy lata temu – zaczął niby zupełnie bez związku – na raka. Postępował bardzo szybko, ale ona nie zgodziła się na chemioterapię, bo była w ciąży. Prosiłem... błagałem... ale nie chciała zabić naszego dziecka. Po paru miesiącach mieliśmy już tylko nadzieję, że chociaż ono przeżyje, lecz... – Nie dokończył. Gardło zacisnęło się boleśnie. Oczy zaszkliły.

Gosia wstała i położyła dłoń na jego ramieniu. Uśmiechnął się do niej przez łzy.

– Ja też straciłam pierwsze dziecko. I oto trzymasz prawdziwy cud – rzekła cicho, tylko do niego. – Nie wolno tracić nadziei. Nigdy.

Pokręcił głową.

Zaczął mówić coś szeptem, tak że tylko ona to słyszała, wyrzucał z siebie pełne goryczy i rozpaczy słowa, a Gosia po prostu trzymała dłoń zaciśniętą na jego ramieniu.

Łukasz dotknął pleców Kamili, drgnęła i przeniosła pełen współczucia wzrok z Gosi na męża. Nakazał jej skinieniem głowy, by wyszła. Julii także. We troje opuścili po cichu pokój i po chwili stanęli na ganku.

Nie padło ani jedno słowo.

Nagle Łukasz ruszył przed siebie. Nie wiedział po co i dokąd, po prostu szedł. Zatrzymał się dopiero nad strumieniem. Pochylił się ku przejrzystej, mknącej po kamieniach wodzie, zanurzył dłonie, otarł twarz.

Kamila usiadła obok i oparła głowę na jego ramieniu. Julia przykucnęła z drugiej strony, nabierając pełną garść małych kamyczków i przesypując z ręki do ręki.

Znieruchomiała pod nagłym, ostrym jak nóż spojrzeniem Łukasza.

– Mam nadzieję, że nie staniesz między nimi? – zapytał, choć zabrzmiało to jak stwierdzenie, a raczej groźba.

– Cóż to za pytanie? – żachnęła się.

– Oboje są tak samo okaleczeni przez los, oboje równie samotni. Zasługują na szczęście. Wreszcie.

– A ja nie? – zapytała przekornie, ale i trochę żałośnie.

– Jula... – Przyciągnął ją do siebie i przytulił serdecznie. – Ty możesz mieć każdego faceta, jakiego zapragniesz. Oddaj Grzegorza Gosi.

– Każdego? – próbowała się jeszcze buntować, łykając łzy. – Nie mogę mieć ciebie, Grzesia, Janka... – wyliczała, zaginając kolejne palce. – Jestem równie samotna jak Gosia i...

– ... i wiesz co? – wpadł jej w słowo takim tonem, że umilkła. W jednej chwili Łukasz stał się niemal radosny. – Wsiądź w naszego land rovera, bo sorry, ale twoja honda wygląda, jakby miała się zaraz rozsypać, jedź teraz, zaraz, prosto do Kielc i postaw temu swojemu Jankowi ultimatum: firma albo ty.

Wstał i wyciągnął do niej rękę.

– Dodaj przy tym to, co powiedziałaś nam, gdy przyjechaliśmy: „Facet, który nie chce takiej kobiety jak ja, to zwykły frajer, jeśli więc wybierasz firmę, spadaj". Zrobisz to?

– A wiesz, że tak. – Przyjęła jego dłoń i stanęła prosto. – Masz kluczyki i dokumenty?

Zaśmiał się, sięgnął do kieszeni i w następnej chwili patrzył, jak Julia rusza w kierunku domu, z każdym krokiem prostując plecy.

– Jula – zawołał za nią, a gdy się odwróciła, krzyknął: – Gdy będziecie chcieli zatrzymać się na noc czy dwie w jakimś hotelu, to spokojnie, nie spieszcie się. My się tu wszystkim zajmiemy.

Tym razem ona odpowiedziała śmiechem, machnęła mu ręką i odeszła, kręcąc głową.

– Jak myślisz, wróci z nim? – odezwała się Kamila, jeszcze nie wierząc w to, czego przed chwilą była niemym świadkiem.

– Byłby skończonym idiotą, gdyby wypuścił taki skarb z rąk.

– Ale ty nadal kochasz mnie i tylko mnie? – zapytała podejrzliwie, bo coś jej się to obejmowanie i ten „skarb" przestały podobać.

– Zazdrosna? – przechylił głowę, mrużąc lekko oczy. – Chodź, udowodnię ci, że dla mnie istniejesz ty i tylko ty.

Pociągnął ją ku sobie i nagle... znalazła się pod nim. Wsunął palce w jej jasne włosy, unieruchamiając głowę, zupełnie jakby mogła czy chciała uciec, a potem zaczął całować tak, jak nie całował żadnej kobiety przed nią. A w następnej chwili udowodnił jej, tu, nad brzegiem strumienia, pod srebrzystym baldachimem świerkowych gałęzi, kto jest miłością jego życia i na zawsze nią pozostanie.

Opadł na nią, wtulając twarz w jej włosy, gdy umilkł ostatni jęk i minął ostatni spazm rozkoszy.

– O Boże... Łukasz... co to było...? – wyszeptała, patrząc na niego szeroko otwartymi oczami.

Zaśmiał się gardłowo, jeszcze czując smak jej ust na swoich ustach.

– Wyznanie miłości. Powtórzyć?

– Chyba nie mam siły... – odparła z rozbrajającą szczerością.

– Poczekam. Mamy czas...

Wracali do domu krok za krokiem, gdy dookoła ścielił się już wieczór. Gosia wyszła na ganek, przyglądając się, jak nadchodzą – zakochani, promieniejący szczęściem i... bardzo zmęczeni.

Za nią stanął Grzegorz ze śpiącym Kubusiem na rękach.

Kamila, patrząc na tę trójkę, szepnęła do Łukasza:

– Pasują do siebie, prawda?

Uścisnął tylko silniej jej dłoń. Z całego serca życzył Małgosi takiego szczęścia, jakie sam czuł w tej chwili. Z całego serca życzył Kubusiowi takiego ojca, jakim on niedługo będzie.

Może... może tym razem los dla nich wszystkich będzie łaskawszy?

– Gdzie byliście tak długo? Obiad całkiem wystygł... – fuknęła Małgosia, ale bez złości, gdy w końcu dotarli na ganek.

– W lesie, na grzybach – odparł lekko Łukasz.

– O tej porze nie ma grzybów – wtrącił Grzegorz.

– No właśnie. Żadnego nie znaleźliśmy. – Kamila zaśmiała się i przytuliła do ramienia męża.

– Za to zgubiliście Julkę. I samochód. – Gosia, wiedząc, że ominęło ją coś ważnego, nie dawała za wygraną.

– Znajdą się oboje. W Kielcach. – Łukasz machnął niefrasobliwie ręką. – I wrócą z Jaśkiem Czajką. Albo i nie.

– Julia pojechała do Janka?

– P o Janka – sprostował.

Gosia wiedziała już wszystko.

Przeszli do kuchni. Kamila z Łukaszem może i byli syci miłością, jednak mimo to bardzo głodni, więc rzucili się na pyszne pstrągi z rusztu, przyniesione przez Grzesia, podane z warzywami z jego ogrodu, delektując się każdym kęsem. Skończyli ucztę i Łukasz z westchnieniem najwyższego ukontentowania opadł na oparcie krzesła. Grześ uśmiechnął się do niego i zaproponował buteleczkę cydru, również domowej roboty, z własnych, nieskażonych chemikaliami jabłek.

– Nie odmówię – odrzekł sennie Łukasz. – Podejrzewam, że zostaniemy tu na kilka dni. Julia tak szybko nie wróci... – dodał, przymykając powieki.

– Nie wracamy jutro do Warszawy? – zdziwiła się Kamila. – Przecież Chatka Dorotki bez Julii sobie poradzi.

– Sasanka bez ciebie również, a tu jest tak fajnie...

Nie chciał żonie mówić, że tutaj, z dala od własnego domu, w którym wciąż mógł być podsłuch, ma na nią taki apetyt, jakiego długo jeszcze nie zaspokoi. Mógł się tu kochać z Kamilą w łóżku, w kuchni, w łazience, na strychu i nawet w piwnicy, a także w lesie, nad strumykiem i na polanie, wśród łąk. Mógł się kochać z nią dosłownie wszędzie i przez najbliższe dni zamierza to sprawdzić.

O, to jej powie dziś w nocy, o ile... Gosia albo Grześ zrozumieją go bez słów i zadadzą właściwe pytanie. Zrozumieli.

– Skoro więc wy zajmujecie Chatkę Dorotki, może ja mógłbym zabrać Małgosię z Kubusiem do siebie? Miejsca jest dosyć, a ja będę szczęśliwy, mając choć przez kilka dni tak miłych gości.

Gosia spłoniła się i uciekła wzrokiem, choć Łukasz przypuszczał, że rozmawiali o tym przed ich powrotem. Ciekaw był, jakie wymyśliliby alibi, by zostać w Bogumiłej na dłużej, gdyby Julia wróciła teraz z Łukaszem i Kamilą, a jutro rano zgodnie z planem zaczęliby się szykować do powrotu.

– I to jest genialny pomysł – odezwał się na głos.

Kamila posłała mu zdumione spojrzenie. Takiego Łukasza poznała dawno temu, potem go straciła, teraz wracał, i to... jaki! Aż się zaczerwieniła na wspomnienie tego, co wyprawiali w lesie. A teraz, gdy będą mieli pusty dom tylko dla siebie... Zaśmiała się, czerwona jak piwonia. Łukasz powstrzymał śmiech, w myślach obiecując jednak żonie, co i gdzie będą robić przez tych kilka darowanych dni.

– Pożyczymy samochód od Julii – zaproponował Grześ, patrząc zmartwiony na protezę Małgosi. – Stąd na przełaj to parę kilometrów.

– Dam radę – odparła stanowczo.

– Musicie mieć jakiś środek transportu, skoro zabieracie maleńkie dziecko – sprzeciwił się Łukasz. – Jutro skombinuję coś lepszego niż rozpadająca się honda, ale dziś musicie ukraść grata Julki.

– Pożyczyć, nie ukraść.

– Lepiej ukraść. Za pieniądze, jakie dostanie niedługo z Armiki, kupi sobie nowy samochód, który bardzo jej się przyda, skoro ma kursować między Bogumiłą a Warszawą. – Jak zwykle wszystko, co Łukasz mówił, miało sens. – To co? Jedziecie? – zapytał konkretnie.

– Ej, nie wyrzucaj ich tak brutalnie! – Kamila pociągnęła go za rękaw, ale zamknął jej usta pocałunkiem tak namiętnym i obiecującym, co z nią zrobi, gdy zostaną sami, mając dla siebie pusty dom i trzy miękkie łóżka, że... sama zaczęła marzyć, by Gosia przeprowadziła się do Szarotki, pensjonatu po drugiej stronie wzgórza, jak najszybciej.

– No to postanowione! – Grzegorz wziął na ręce zawiniątko z Kubusiem i ułożył malucha w foteliku. Gosia spakowała kilka rzeczy, które ze sobą przywiozła, i również była gotowa do przeprowadzki. Jeszcze tylko jedno ją martwiło:

– A jeśli zgłodniejecie, a samochodu nie będzie? Do najbliższego sklepu jest ze dwie godziny piechotą.

– Jutro odwiedzicie nas z prowiantem, mam nadzieję – odparł gładko Łukasz, myśląc przy tym, że owszem, już jest głodny czy właściwie nadal, ale niekoniecznie ma chęć na bułkę z masłem... – Nawet jeśli nie, to na dwa dni są chyba zapasy w lodówce.

Odprowadzili ociągającą się Małgosię do samochodu. Gdy Grzegorz po drugiej stronie mocował fotelik, a Kamila stała obok z Kubusiem na ręku, Łukasz spoważniał, pochylił się do Gosi i powiedział tak cicho, by usłyszała to tylko ona:

– Tego faceta zesłał ci chyba sam Jakub. – Ujął dłonie Małgosi i ucałował. – Ty, jak mało kto, zasługujesz na miłość, a Grzegorz jest jej godzien. Nie odtrącaj go ze względu na pamięć po Jakubie.

Podniosła na niego oczy, piękne oczy zranionej łani, i odpowiedziała szeptem:

– Boję się kochać. Boję się choć marzyć o miłości.

– On będzie cię chronił – odrzekł, sam nie wiedząc, czy ma na myśli Jakuba czy Grzegorza. – Jedź już, Gosia, i proszę cię, daj sobie szansę. Daj wam obojgu, a jeśli liczyć Kubusia, to trojgu, szansę...

Kiwnęła głową i wsiadła do samochodu. Grzegorz sprawdził, czy ma zapięty pas, zamknął za nią drzwi i uniósł dłoń w geście pożegnania, a potem wsiadł za kierownicę i odjechali.

– Ciekawe, co zrobimy, jeśli za chwilę zadzwonią, że utknęli po drodze – zafrasowała się Kamila, patrząc na znikające za zakrętem światła hondy.

– Cóż... – Łukasz przyciągnął ją do siebie tak, by nie tylko domyśliła się, co zaraz zrobią, ale i poczuła całym ciałem, jak bardzo on jest tego spragniony. – Dokończymy szybko pierwsze danie i ruszymy im na odsiecz.

Zaśmiała się, a gdy pół godziny później przyszedł esemes, że Grześ, Gosia i Kubuś dotarli bezpiecznie na miejsce, Łukasz mógł się zająć daniem głównym w niewielkiej sypialni na pięterku...

Nazajutrz rano Gosia siedziała na ganku Szarotki, tuląc do piersi Kubusia, i patrzyła niedowierzającymi, pełnymi szczęścia oczami na świat dookoła, świeży po wieczornym deszczu i pełen słońca.

Niedaleko krzątał się przy koniach Grzegorz, od czasu do czasu posyłając Gosi i dziecku spojrzenie pełne... niezwykłych uczuć.

W to, ten nagły grom z jasnego nieba, który miał na imię Grześ Bogdański, Gosia też nie wierzyła.

Miała zostać w Sasance, którą podarowała jej Kamila, i wychowywać samotnie synka. No, może z niewielką pomocą Anny i Julii, która bywała w Warszawie ostatnimi czasy tak często, pracując nad wystrojem wnętrz w hotelu Armiki i zdobiąc pokoje swoimi rękodziełami, że niemal zamieszkała w Milanówku.

Gosia uwielbiała towarzystwo przyjaciółki i bała się coraz bardziej chwili, gdy obie – Kamila z Julią – znikną. Ta pierwsza w Kanadzie, ta druga w Bieszczadach.

I nagle pojawia się Grzegorz. Ze swą czułością i dobrocią. Dający jej, Małgosi, takie poczucie bezpieczeństwa, jakiego nie zaznała od wielu, wielu lat. A być może nigdy.

Był spokojny, cichy, ale stanowczy i... po prostu niezłomny. To samo czuła w jego towarzystwie Gosia: spokój i siłę. Mając Grzesia u boku, niestraszne były jej burze, a wczoraj wieczorem jedną właśnie przeżyła.

Owszem... było strasznie... Owszem, próbowała uciec do łazienki, ale on zatrzymał ją, wziął na ręce, zaniósł do sypialni, zamknął drżącą kobietę w ramionach i trzymał tak, tuląc mocno i powtarzając niskim, kojącym głosem:

– To tylko burza. Przyszła i minie, zostawiając po sobie spokój i czyste niebo. To tylko letnia burza, Gosiulku, a nie koniec świata...

I tak było! Tak właśnie było... Burza odeszła, ale Gosia została w jego ramionach. I nagle jakoś tak się stało, że on ją pocałował, a może ona jego? A potem... mimo że trochę się broniła, zażenowana do łez swoim kalectwem, mimo że próbowała mu tłumaczyć, że nie potrafi... nie wie... boi się... zaczął ją kochać. Tak pięknie, tak delikatnie, a zarazem z takim żarem i namiętnością, jak kochał Małgosię tylko Jakub. Wreszcie zaufała i Grzegorzowi. Otworzyła się na niego, przyjęła w swoje wnętrze, równie spragnione jego ciała.

Kochali się cicho, czule, w zapamiętaniu i... chyba z rozpaczą. Każde wspominając swoją utraconą miłość: Grześ – Joasię, a Gosia – Jakuba.

Ale to był ostatni raz.

Następny, jeszcze tej samej nocy, spędzili tylko ze sobą. Oddawali się sobie, nie tym, którzy odeszli. I tak już miało pozostać.

A Gosia nie mogła uwierzyć w swoje szczęście i... odwagę.

Odważyła się ponownie zaufać! Mężczyźnie i Bogu! Alleluja!

Musi zwierzyć się komuś, bo zaraz serce rozsadzi jej radość! Oddała Grzesiowi śpiące dziecko i zadzwoniła do Kamili, ale... telefon nie odpowiadał. Kamila była chyba bardzo zajęta... Gosia uśmiechnęła się tylko. Niech każdy nacieszy się swoim szczęściem, dopóki wszyscy są jeszcze razem.

Spojrzała na Grzesia i znów się uśmiechnęła, trochę nieśmiało, trochę zachęcająco... Nie poznawała siebie samej!

Trzy dni później Julia wróciła do Chatki Dorotki. Sama. Ale bynajmniej nie nieszczęśliwa. Wyskoczyła z samochodu wprost w ramiona Kamili, a gdy ujrzała zmartwione oczy dziewczyny, cmoknęła ją w policzek i zaczęła:

– Wcale się tym nie przejmuję, że Janek został w Kielcach, wierzcie mi – mówiła i do dziewczyny, i do Łukasza, który wyszedł z domu i dołączył do nich. – Było fantastycznie, nie wychodziliśmy z łóżka przez trzy dni, ale potem zapragnęłam wrócić. Sama. Domek mam dla siebie, wreszcie cały jest mój, Kielce są niedaleko... Prawdę mówiąc, Janek chciał się natychmiast do mnie wprowadzać, szczególnie po tym, co kazałeś mu powtórzyć, ale... ja na razie nie jestem gotowa, żeby znów mieć faceta w domu.

Kamili trudno było to zrozumieć, ale ona marzyła o utraconej miłości długie osiem lat, Julia zaś miała za sobą nieciekawe małżeństwo i... zrozumiała dopiero dziś, no, wczoraj, że dobrze jej tak, jak jest: samej we własnym domu z kochankiem parę godzin drogi stąd, gotowym na każde zawołanie.

– Mądra kobieta – Łukasz odezwał się z przekonaniem. – Nareszcie wiesz, czego chcesz i po to wyciągasz rękę. Super!

Kamila spojrzała na niego ze zdumieniem. Super?! Bo Julia będzie sama?!

– Pamiętaj, Jula, to, co powiedziałaś: jesteś superlaską, możesz mieć każdego faceta, jakiego zapragniesz, tylko błagam, nie pragnij ani mnie, bo ja kocham Kamilę, ani Grzegorza, bo on...

– No właśnie... – Julia rozejrzała się podejrzliwie. – Co zrobiliście z Gosią?

– Wije gniazdko po drugiej stronie wzgórza – zaśmiał się Łukasz.

– Żartujesz? Gosia i Grześ?!

– Próbują nie okazywać, jak bardzo ich do siebie ciągnie, ale gdy wpadają do nas z prowiantem, oczu od siebie nie mogą oderwać. Nie wiem, jakim cudem on prowadzi, nie wjeżdżając do rowu, tak jest w Gosię zapatrzony – dodała Kamila.

– Co wy mówicie!? Przecież to... absolutnie fantastyczne! Byle tylko Ita nie wpadła z wizytą i nie wygarnęła Małgosi, co o niej myśli.

– Nie martw się jakąś tam Itą. Z tego, co wiem, Grześ pogonił ją tak skutecznie, że wyjechała i nie wiadomo kiedy wróci. Martw się zleceniem dla Armiki i... samą Armiką, bo jedynie ty nam zostałaś – odrzekł Łukasz, poważniejąc. – Gosia chce zatrzymać się tutaj na dłużej, my wyjeżdżamy, firma wprawdzie ma dobrą zarządczynię, ale to jednak obca osoba, natomiast ty, Jula...

– Ty to ty – ucięła Kamila, bo Julia już gotowa była rozpłakać się ze wzruszenia i radości.

Koniec z troskami! Koniec z ciągnącymi się w nieskończoność, samotnymi dniami... Jest potrzebna przyjaciołom. Będzie miała pracę, duuużo pracy i zostanie za nią godnie wynagrodzona.

– Zajmę się Armiką – odrzekła stanowczo. Po łzach nie było ani śladu.

– I tak trzymaj. – Łukasz po swojemu klepnął ją w plecy. – Wierzyłem w ciebie. Kamila martwiła się, że odmówisz, będziesz próbowała się wykręcić...

– Ja?! Ja coś takiego mówiłam?!

– ... a ja powtarzałem: Julka jest silna i wie, czego chce. Da radę.

– Kiedy to powtarzałeś, skoro przez te trzy dni my również nie wychodziliśmy z łóżka i jedyne słowa, jakie od ciebie słyszałam, to „kocham cię" oraz „już nie mogę"?!

Łukasza zatkało z oburzenia.

– Niby kiedy „już nie mogłem"?!

Próbował chwycić dziewczynę za ramię i zmusić, by odszczekała te słowa, ale ze śmiechem wywinęła się i zaczęła uciekać, klucząc niczym królik między drzewami.

– Udowodnić ci, że ja zawsze mogę, a to ty wymiękasz?!

Julia patrzyła na tych dwoje młodych, szczęśliwych ludzi, jej najserdeczniejszych przyjaciół, ganiających się po lesie niczym dzieci, i czuła... słońce w sercu.

Boże, dziękuję ci za nich. I ten dom. Dom spełniających się marzeń. Niech ta chwila trwa. Pozwól nam wszystkim na odrobinę szczęścia. Pochyl się nad Gosią, Grzegorzem i małym Kubą, zasługują na Twoją opiekę i łaskę. Spraw, niech miłość Kamili i Łukasza trwa bez końca, oni są ze wszech miar godni tej miłości. Wreszcie i mi wskaż drogę, na końcu której odnajdę siebie. I... jego. Kimkolwiek by był. Pragnę kochać i być kochana. Tu, w Chatce Dorotki, która okazała się moją prawdziwą, bezpieczną przystanią... Przystanią Julii...

# Epilog

*Szarotka – prześliczny, choć niepozorny kwiatek, pokryty srebrnym puchem, symbol wytrwałości i niewinności. Nie poddaje się wichrom i nawałnicom, trwa uczepiona skały, a gdy mija mrok, dzielnie unosi ku słońcu szarą główkę...*

Jesień skrzyła się wszystkimi kolorami złota i czerwieni. Uliczka Leśnych Dzwonków w ten dzień, ciepły i słoneczny, a jednak jesienny, wydawała się jeszcze bardziej pusta i cicha niż zazwyczaj.

Bo też ostatni z trzech domów stojących przy niej został dziś rano opuszczony.

Willa Sasanka, która przyniosła tyle szczęścia jej mieszkańcom, choć parę gorzkich chwil też się przydarzyło, drzemała z zamkniętymi okiennicami w ostatnich promieniach zachodzącego słońca. Dom Gosi Bielskiej czekał na nowych właścicieli, a dom Sternów na powrót poprzednich.

Kamila, Małgosia, Julia, wreszcie Janka... może kiedyś tu wrócą, któż to wie?

Jeśli nie one, to może ich dzieci? Ktoś przecież musi na powrót pokochać stare wille, wpuścić światło do ich wnętrz i je ożywić, prawda? Ktoś musi zadbać o róże, pnące się po murach Tajemniczego Ogrodu, i przywrócić im dawne piękno...

Na razie szczęście przeniosło się gdzie indziej: pierwsze miało na imię Anielka i urodziło się całkiem niedawno w dalekiej Kanadzie. Drugie nosiło imię Kubuś i właśnie stawiało pierwsze chwiejne kroczki w pensjonacie Szarotka, trzymając się kurczowo dłoni przybranego taty, który kochał je tak bardzo, jakby było jego własne. Będzie jeszcze trzecie, czwarte i parę następnych...

Może któreś z tych szczęść zawita kiedyś na uliczkę Leśnych Dzwonków, może ożywi któryś z czekających na powrót właścicieli trzech starych domów, ale to już całkiem inna opowieść...

Warszawa, wrzesień 2014

KATARZYNA MICHALAK

# OGRÓD KAMILI
# ZACISZE GOSI

***Opowieść o miłości, wybaczeniu i poszukiwaniu tego, co w życiu najważniejsze***

Poznaj Kamilę, Gosię i Julię, trzy przyjaciółki z uliczki Leśnych Dzwonków w Milanówku, których losy połączył ze sobą splot nieoczekiwanych zdarzeń. Czy wreszcie odnajdą szczęście, miłość i swoje miejsce na ziemi?

*Ogród Kamili* i *Zacisze Gosi* to dwie bestsellerowe powieści z „serii kwiatowej", które pokochały polskie czytelniczki. To wzruszające opowieści o tym, że gdy wszystko traci sens, pozostaje wiara w spełnienie marzeń i siłę miłości.

**„Znów dałam się całkowicie porwać książce, znów zapomniałam o bożym świecie, znów czytałam marząc, by lektura nie miała końca".**

**lubimyczytac.pl**

Opowieść o sile marzeń i domu, który jest w nas. Trzeba go tylko odnaleźć.
PRZYSTAŃ JULII
Katarzyna
MICHALAK

Katarzyna
MICHALAK

Katarzyna
MICHALAK